beck **sche** reihe

b **sr**

Der Archäologe Rainer Vollkommer nimmt seine Leser mit auf eine spannende Reise, die vom fernsten Asien durch Afrika und Europa und weiter bis nach Südamerika zu den berühmtesten archäologischen Fundstätten der Welt führt. Er erzählt die Geschichte spektakulärer Entdeckungen – von der Suche nach dem Frühmenschen, der Bergung des „Ötzi", der Auffindung des Grabes von Pharao Tut-anch-Amun, dem Palast der Kleopatra, der alten Mayastadt Copán, den geheimnisvollen Tonkriegern im Grab des ersten Kaisers von China, den Rollen von Qumran und vielen anderen faszinierenden Forschungserlebnissen bis hin zur Untersuchung der versunkenen Titanic. Dabei liegt die Stärke des Buches nicht allein in der Anschaulichkeit und Allgemeinverständlichkeit der Darstellung, sondern auch in der Fülle an solider historischer Information, die längst vergangene Ereignisse und vergessene Kulturen vor dem geistigen Auge des Lesers neu erstehen lassen.

Rainer Vollkommer, geboren 1959, studierte Klassische Archäologie, Ur- und Frühgeschichte, Kunstgeschichte, Ägyptologie und Vorderasiatische Archäologie in München, Paris und Oxford. Er arbeitete an den Universitäten Fribourg (Schweiz) und Leipzig; zuletzt lehrte er an den Universitäten von Freiburg im Breisgau und Hamburg. Inzwischen ist er im internationalen Kunsthandel tätig. Sein wissenschaftlicher Arbeitsschwerpunkt ist die Archäologie des Mittelmeerraums.

Rainer Vollkommer

Sternstunden der Archäologie

Verlag C.H. Beck

Mit 21 Abbildungen und 2 Karten im Text.

Die Deutsche Bibliothek - CIP-Einheitsaufnahme

Rainer Vollkommer:
Sternstunden der Archäologie / Rainer Vollkommer. –
Orig.-Ausg. - München: Beck, 2000
  (Beck'sche Reihe; 1395)
  ISBN 3 406 45935 8

Originalausgabe
ISBN 3 406 45935 8

Umschlagentwurf: +malsy, Bremen
Umschlagmotiv: Goldmaske des Tut-anch-Amun (um 1346-1337 v. Chr.),
Nationalmuseum Kairo, Photo: AKG, Berlin
© Verlag C. H. Beck oHG, München 2000
Satz: Fotosatz Janß, Pfungstadt
Druck und Bindung: C. H. Beck'sche Buchdruckerei, Nördlingen
Printed in Germany

www.beck.de

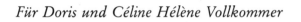

Für Doris und Céline Hélène Vollkommer

Inhalt

Einleitung

An einem warmen Frühlingstag des vergangenen Jahres trat U. aus der Kellertür seines Hauses in den Garten. In der einen Hand hielt er einen jungen Stachelbeerstrauch, in der anderen einen Spaten. Am Gartenzaun angelangt, legte er den kleinen Busch ab und maß mit den Augen dessen Vorgänger, den er nun ausgraben würde; seit ein paar Jahren war der Strauch zunehmend verholzt und die Zahl der Beeren kleiner geworden. Der Mann zog seine Gartenhandschuhe über, setzte den Fuß auf den Spaten und hatte mit zwei, drei tiefen Stichen die Pflanze so weit gelockert, daß er sie mit ein wenig Wackeln und Ruckeln aus der Erde heben konnte. Er klopfte den Wurzelstock der alten Pflanze gegen seine Gartenstiefel, um ihn von der Erde zu befreien, die beim Kompostieren nur hinderlich sein würde. Als die meiste Erde in Klumpen und Klümpchen abgesprungen war, betrachtete er sich die Wurzeln näher. Wie er erwartet hatte, waren auch sie stark verholzt – kein Wunder, daß das Oberteil des alten Strauches dadurch immer weniger versorgt worden war und folglich auch kaum noch getragen hatte. Mit einem Mal blieb sein Blick an einer Kleinigkeit hängen, die an einer Wurzel hin und her wackelte. Es sah aus wie ein kleiner Metallreif, war aber ganz mit Erde verklebt. Mein Bekannter streifte seinen rechten Handschuh ab, zog mit etwas Mühe den Reif von der Wurzel und rieb ihn an seiner Hose. Als er ihn dann in der Hand hielt und näher betrachtete, war er sehr überrascht, einen eindeutig goldfarbenen Ring zu sehen, auch wenn er durch die Verunreinigung mit Erde noch immer nur ganz matt glänzte. Der Mann ging zur Regentonne und schwenkte den Ring eine Zeitlang im Wasser, danach polierte er ihn mit einem Taschentuch. Als er ihn jetzt wieder betrachtete, las er auf dessen Innenseite eine Gravur MARIA 17. 7. 19… Er stand wie vom Donner gerührt. Im nächsten Moment stürzte er laut schreiend aufs Haus zu: „Maria! Maria! Ich hab' den Ring wiedergefunden!" Die Nachbarn, die gleichfalls im Garten gearbeitet hatten, schauten sich leicht befremdet an. Keine zehn Minuten später stand das Ehepaar mit erkennbar geröteten Augen wieder im Garten an der Stelle, wo der Mann den alten Stachelbeerstrauch ausgegraben hatte. Eine Nachbarin beugte sich über den Zaun: „Ist was passiert?"

Ja, es war etwas passiert. U. hatte seinen eigenen Ehering wiedergefunden, den er vor mehr als zwanzig Jahren verloren hatte, als er den Garten hinter dem kleinen Siedlungshaus anlegte. An dem Tag der glücklichen Entdeckung ruhte die Gartenarbeit; die Nachbarn, die Zeugen des Ereignisses geworden waren, wurden herübergerufen und man feierte den Fund bei einigen Gläsern Wein. Am Abend hatte U. mindestens zwanzig Mal und immer wieder kopfschüttelnd die Geschichte erzählt. Er konnte sich noch gut an den Tag des Verlusts erinnern, vor allem wie seine Frau ihn gescholten und ein schlechtes Vorzeichen für ihre Ehe in dem Verlust des Rings gesehen hatte. (Die Ehe hatte sich aus dem vermeintlichen Omen nichts gemacht, sondern wacker gehalten und drei Kinder hervorgebracht.) Man sprach an diesem Nachmittag lange über die zurückliegenden Jahre und die großen Ereignisse in dieser Zeit – über die Geburt der Kinder, über Konfirmationsfeiern, darüber, daß der Jüngste jetzt schon seine Lehre abgeschlossen hatte (und ganz merkwürdige Musik hörte), über das Feuer in der Nachbarschaft vor einigen Jahren, die Regierungswechsel und darüber, daß der kleine Vorort, in dem man lebte, inzwischen ein Teil der Großstadt geworden und mit ihr zusammengewachsen war.

U. hatte seine private Sternstunde der Archäologie erlebt. Ein Zufallsfund hatte ihm noch einmal die Geschichte einer – für ein einzelnes Menschenleben – doch recht langen Zeit vor Augen geführt. Anhand des kleinen Bodenfundes in Gestalt eines Eherings (der übrigens niemals durch eine Neuanschaffung ersetzt worden war und immer noch paßte) waren Ereignisse der privaten, aber auch der allgemeinen Geschichte und manche wirtschafts-, kultur- und religionsgeschichtliche Begebenheit wieder ins Bewußtsein gerufen worden.

Letztlich arbeitet auch die wissenschaftliche Form der Archäologie an nichts anderem: Sie will anhand der materiellen Hinterlassenschaft mehr oder weniger alter Kulturen die Vergangenheit in möglichst vielen Facetten wieder gegenwärtig machen. Je länger die zu untersuchende Epoche zurückliegt, desto weniger weiß man häufig über sie. Oft fehlen aus fernen Zeiten schriftliche Zeugnisse weitgehend oder vollständig, so daß man sich bei der Forschung ganz auf die stummen Reste der Kultur, sogenannte archäologische Quellen, stützen muß, um die Welt der Menschen kennenzulernen, die lange vor uns lebten. Manchmal stößt man ganz zufällig und unvorbereitet auf solche Zeugen der Vergangenheit; häufig werden sie aber auch nach systematischer Suche gehoben. In den folgenden zwölf Kapiteln werden eine ganze Reihe archäologischer Forschungsmethoden, die bei solch einer Suche eingesetzt werden, angesprochen und knapp erklärt, vor allem aber werden Fundgeschichten erzählt und Funde bzw. ganze Fundkomplexe vorgestellt.

Oft sind wir auf unsere Phantasie angewiesen, wenn wir versuchen, die Lebenswelt unserer Vorfahren aus den gefundenen Resten zu rekonstruieren. Nun sollten wir dabei zwar achtgeben, daß die Phantasie nicht mit uns durchgeht; aber wir sollten auch nicht versuchen, unsere Vorstellungskraft gänzlich außen vor zu lassen, oder sie gar verdammen – sie wird uns nämlich davor bewahren, den Funden mit einer unangemessenen Gefühllosigkeit gegenüberzutreten. Denn vieles von dem, was wir entdecken, sind die stummen Zeugen individueller oder kollektiver menschlicher Katastrophen. Vergessen wir nie, daß die Asche, unter der wir Pompeji fanden, glühend heiß war, als sie zu Tode geängstigte Menschen unter sich begrub. Und vergessen wir nicht, daß das Wasser im Nordatlantik eisig kalt war, als die Titanic und mit ihr mehr als tausend Menschen untergingen. Sie sind nicht nach Ende der Dreharbeiten „wieder auferstanden" wie der Hauptdarsteller Leonardo DiCaprio aus dem Monumentalfilm über die Titanic, den wir Popcorn kauend von einem gemütlichen Kinosessel anschauen. Wenn wir uns angesichts archäologischer Funde bisweilen die Schicksale der historischen „Haupt- und Nebendarsteller" ins Bewußtsein rufen, so wird uns nicht nur der Glanz des Goldes eines Tut-anch-Amun, sondern auch das Steinwerkzeug eines anonymen Menschen der Vorzeit sehr viel eindrucksvoller erscheinen. Vor allem aber werden wir über der Entdeckerfreude am Vergangenen nicht die Herausforderungen der Gegenwart vergessen.

Nach Fertigstellung der „Sternstunden" gilt mein herzlichster Dank meinem Lektor, Herrn Dr. Stefan von der Lahr vom Verlag C. H. Beck, der den Entstehungsprozeß dieses Buches mit großem Engagement begleitet hat. Gewidmet sei der Band meiner Frau

Doris und meiner Tochter Céline Hélène, die während des Schreibens häufig meine – zumindest gedankliche – Abwesenheit zu erdulden hatten.

1. Auf den Spuren der Urmenschen

Die ganze Nacht hatte sie die Leoparden gehört, trotzdem mußte ihre kleine Gruppe heute durch das Grasland ziehen. Wenn sie den ganzen Tag liefen, könnten sie bis zum Abend die Entfernung zum kleinen Wäldchen Richtung Sonnenaufgang überwunden haben, um dann Nachtquartier auf den Bäumen zu nehmen. Gelang es ihnen nicht, würden die Leoparden sie zerreißen. Aber sie mußten trotz der drohenden Gefahren die Wanderung auf sich nehmen. Hier gab es nichts Eßbares mehr. Sie hatten die Knollen und Wurzeln ausgegraben und mit Hausteinen auch die Nüsse aufgebrochen und die Kerne verzehrt. Hier warteten nur noch Entkräftung und Tod. Das Weibchen, das die Gruppe anführte, war etwa 1,20 Meter groß und wog vielleicht 40 kg. Sie gab einige Schnalzlaute von sich, und drei weitere Weibchen mit zwei Jungen und zwei Männchen stiegen von den Schlafbäumen herab. Mit wiegendem, besser: mit watschelndem Gang setzte sich das Weibchen an die Spitze. Ihre kurzen, aber muskulösen Beine trugen den leicht nach vorn gebeugten Körper. Die anderen folgten ihr; ein Weibchen und ein Männchen trugen Grabstöcke, mit denen sie unterwegs nach Knollen suchen konnten. Um die Mittagszeit stießen sie auf die Reste eines Leopardenmahls – eine gerissene Antilope. Zwar war der Kadaver schwarz von Fliegen, aber die Geier schienen ihn noch nicht ausgemacht zu haben. Die kleine Gruppe tat sich gütlich an den Resten – hier also lag der Grund für das nächtliche Raubtiergebrüll. Sie verweilten nicht länger als unbedingt nötig. Zum einen war nicht sicher, ob die Raubkatzen noch in der Nähe waren, auch wenn man sie im Moment nicht wittern konnte. Zum anderen heizte der Boden sich unter der grellen Sonne auf. Der aufrechte Gang half, daß der Körper weniger stark erhitzt wurde, weil er der Abstrahlung des Bodens nicht so sehr ausgesetzt war wie beim Laufen auf allen Vieren; selbst ein leichter Wind schaffte schon Kühlung und außerdem überblickte man das Land besser bei der Umschau nach Feinden. Wenn auch am Nachmittag die Jungen ein Stück getragen werden mußten, erreichte die Gruppe dennoch unangefochten mit einbrechender Dämmerung das Wäldchen. Ein guter Tag.

✳

Als am 24. November 1859 das Buch *Über den Ursprung der Arten durch natürliche Zuchtwahl* von Charles Darwin erschien, wurde das vertraute Weltbild erschüttert. Nach Darwin sind alle Lebewesen einem ständigen Kampf in der sich kontinuierlich ändernden Natur ausgesetzt. Um überleben zu können, müssen sie sich immer wieder den herrschenden Begebenheiten anpassen. Ein stetiger Wandlungsprozeß vollzieht sich. Lebewesen sterben aus, verändern sich, bilden im Laufe von Generationen neue, weiter entwickelte Arten. Am Ende dieser Kette steht der Mensch.

Damit deutete Darwin sehr geschickt am Schluß seines Werkes an, doch ohne es offen auszusprechen, daß der Mensch vom Affen abstammt. Darwins Evolutionstheorie schockierte die Gesellschaft. Die 1250 gedruckten Exemplare waren bereits am Tag, da das Buch erschien, ausverkauft. Heftige Diskussionen folgten. Als Darwin im Jahre 1871 seine Anspielungen des Jahres 1859 in dem Buch *Die Abstammung des Menschen und die geschlechtliche Zuchtwahl* weitläufig ausführte und die großen Ähnlichkeiten zwischen Affen und Menschen aufzeigte, war seine Evolutionstheorie größtenteils anerkannt. Bindeglieder zwischen Affe und Mensch, ja selbst Überbleibsel früher Menschen, schienen jedoch gänzlich zu fehlen. Derartige Funde waren aber für weitere Klärungen äußerst wichtig, denn viele Fragen erhoben sich im Gefolge von Darwins Evolutionstheorie. Wann, wo und wie entstand der erste Mensch? Wodurch unterschied sich der erste Mensch vom Menschenaffen? Was macht den Menschen zum Menschen? Eine der spannendsten Geschichten der Archäologie konnte beginnen – die Suche nach dem frühen Menschen und nach dem Übergang vom Affen zum Menschen.

Im gleichen Jahr, als Darwins revolutionäres Buch erschien, durfte der Naturforscher und Oberlehrer Johann Carl Fuhlrott nach zähem Ringen in einem Aufsatz die Knochenfunde an der Feldhofergrotte im Neandertal in der Nähe von Düsseldorf in den Verhandlungen des Naturhistorischen Vereins der Preußischen Rheinlande und Westfalen veröffentlichen. Drei Jahre zuvor, im August 1856, fanden dort Arbeiter das Schädeldach und mehrere

Abb. 1: Die Frühmenschen in Rekonstruktionen. Von links nach rechts in der oberen Reihe: Australopithecus afarensis, Australopithecus boisei, Homo habilis, Neandertaler. In der unteren Reihe: Australopithecus africanus, Homo erectus, Australopithecus anamensis, Homo rudolfensis.

Teile eines menschlichen Skelettes. Der Schädel wies eine auffällig flache Stirn auf und große Augen mit Überaugenwülsten. Fuhlrott sah darin ein „urtypisches Individuum des Menschengeschlechtes". Die meisten Wissenschaftler seiner Zeit bezweifelten diese Zuordnung. Als im Jahre 1872 der renommierte Anatom und Arzt Rudolf Virchow nach Autopsie des Fundes Fuhlrott widersprach, glaubte lange Jahre niemand mehr dem Oberlehrer. Virchow diagnostizierte, daß es sich nicht um einen frühen, sondern um einen neuzeitlichen Menschen handelte, der lediglich durch Rachitis und Gicht verunstaltet war.

Nachdenklicher wurden die Forscher erst, als 1885 und 1886 in der Höhle von Spy bei Namur in Belgien die Forscher Lohest, De Puydt und Fraipont zwei Skelette mit ähnlich markanten Schädeln von erwachsenen Männern in derselben Schicht entdeckten, in der auch Knochen ausgestorbener Tiere der Eiszeit – von Mammut, Nashorn, Höhlenbär und Wildpferd – gefunden wurden.

Die letzten Zweifel am Alter des Fossils vom Neandertal waren spätestens im Jahre 1908 beseitigt. Am 3. August bargen die Ausgräber J. und A. Bouyssonie und L. Bardon das Skelett eines Menschen, der in einer 30–40 cm tiefen Grube bestattet war. Der Kopf des Verstorbenen ruhte mit der rechten Hand auf einem Stein und die Beine waren angezogen, als wenn der Tote schliefe. Über dem Leichnam waren Kadaver von Urrind, Rentier, Steinbock, Nashorn, einer Höhlenhyäne und einem Murmeltier als Grabbeigaben aufgetürmt. Neben dem Toten lagen Steinwerkzeuge – Schaber und Handspitzen.

Wenige Tage später, am 12. August 1908, fand der Schweizer Prähistoriker Otto Hauser in Anwesenheit einer Reihe renommierter deutscher Forscher in Moustier bei Les Eyzies die Reste eines jungen Mannes in nur geringer Entfernung von dieser Stätte. Wiederum handelte es sich um eine ordentliche Bestattung. Der Kopf des Toten ruhte auf einem Stein und dem Verstorbenen waren Steinwerkzeuge beigegeben.

Allen diesen Menschen waren bestimmte anatomische Eigenschaften gemeinsam, so daß man sie nach dem ersten großen Fundort solcher fossilen Überreste als Neandertaler bezeichnete (Abb. 1). Mittlerweile kennen wir mehr als 80 Fundstätten, von Spanien im Westen bis nach Usbekistan im Osten, von Südengland und Norddeutschland im Norden bis nach Israel im Süden; diese Regionen bilden auch den Lebensraum der Neandertaler. Die hatten einen länglichen Schädel mit flacher Stirn und großen Überaugenbögen, eine große Nase und einen markanten Knochenwulst am Hinterhaupt. Das Gehirnvolumen entsprach mit 1590 ccm in Relation zu ihrem Körpervolumen demjenigen heutiger Menschen, die 1400 ccm Gehirnvolumen besitzen. Ihr Skelett war sehr schwer. Sie hatten breite Schultern und Hüften, lange Arme und kurze Beine. Die Männer waren im Durchschnitt 1,60 Meter groß und ca. 75 kg schwer; die Frauen maßen etwa 1,54 Meter und wogen ca. 73 kg. Sie wirkten stämmig und kräftig. Durch diese Statur waren sie besonders gut gegen die Bedingungen des kalten Klimas geschützt. Sie lebten ja vor allem in den großen Eiszeiten, in denen das Gletschereis im Süden bis nach England und Norddeutschland reichte. In den großen Kaltphasen zeichneten Tundra- und Steppenvegetation die meisten ihrer Wohngebiete aus. Die Menschen jagten überwiegend Mammut, Wildpferd, Reh und Wollnashorn, konnten Feuer machen und verstanden, aus Stein Faustkeile, Schaber und Klingen zu schlagen, die sie mit einem Retuscheur zur Schärfung nacharbeiteten.

Bereits die Funde des Jahres 1908 zeigten, daß Neandertaler ihre Toten bestatteten, sie in Schlafstellung betteten und mit Beigaben wie Werkzeugen, Nahrung und Blumen versahen.

Umstritten aber ist immer noch die Frage, ob der Neandertaler bereits die Fähigkeit zu sprechen besaß. Bei dem Skelett eines Neandertalers aus Kebora in Israel erhielt sich das Zungenbein, das jenem des Homo sapiens gleicht. Da am Zungenbein – damals wie heute – viele Muskeln des Kehlkopfes liegen, besaß er also offenbar die anatomische Voraussetzung zum Sprechen. Die Bestattungsriten zeigen, daß der Neandertaler bereits Jenseitsvorstellungen entwickelt hatte. Solche komplexen Überlegungen konnte der Neandertaler aber eigentlich nur mittels Sprache kommunizieren, müßte demnach also gesprochen haben.

Der genaue Zeitraum, in dem die Neandertaler lebten, konnte erst in den letzten 50 Jahren dank entwickelter Meßmethoden besser bestimmt werden.

Die bekannteste ist die C-14-Untersuchung, die 1946 bis 1947 vom amerikanischen Physiker Willard F. Libby entwickelt worden ist. Es können Überbleibsel von Lebewesen auf ihr Alter überprüft werden: Während ihres Lebens nehmen alle Organismen Kohlenstoffelemente auf, unter anderem ein radioaktives Isotop, genannt C-14. Mit dem Tod wird die Aufnahme dieser Isotope gestoppt und sie zerfallen von nun an gleichmäßig. So zerfallen eine gewisse Menge an C-14-Isotopen in 5568 Jahren genau auf die Hälfte des Ausgangswertes. Auf dieser Grundlage kann man errechnen, wieviel C-14 bereits zerfallen ist und wieviele Jahre folglich seit dem Tod des Lebewesens vergangen sein müssen. Je älter die Überreste sind, umso größer wird der Unsicherheitsfaktor in der Berechnung – er kann in solchen Fällen eine Schwankung bis zu mehreren tausend Jahren betragen. Nach 50000 Jahren sind die C-14-Isotopen jedoch so weit zerfallen, daß man bei älteren Fundobjekten andere Methoden der Altersbestimmung anwenden muß.

Erhitzte Gegenstände, wie z. B. Feuersteinwerkzeuge, können mit Hilfe der sogenannten Thermolumineszens-Untersuchung datiert werden: Bei der Bearbeitung von Steinen verlieren die gefertigten Geräte eingeschlossene Elektronen und fangen neue radio-

17

aktive Strahlen auf. Bei Erhitzung der Werkzeuge im Labor strahlen die bei der Herstellung eingefangenen Elektronen Licht ab, dessen Menge das Alter des Gegenstandes angibt.

Auch der Zahnschmelz fängt bei seiner Entstehung radioaktive Strahlen auf, die seine Oberfläche getroffen haben. Diese können durch das Elektronenspin-Resonanz-Verfahren mit Hilfe des Spektrometers datiert werden, der die eingegangenen Elektronen auf ihr Alter hin mißt.

Legt man diese Datierungshilfen an, so kommt man zu dem Ergebnis, daß der Neandertaler vor 200 000 bis 30 000 Jahren existierte; seine Blütezeit lag vor 90 000 bis 40 000 Jahren.

Warum sich die Spuren des Neandertalers vor ca. 30 000 Jahren verlieren, ist eine immer noch stark diskutierte Frage. Vor ca. 40 000 Jahren erscheint erstmals der moderne Mensch in Europa und der Neandertaler verliert immer mehr an Terrain. In Israel leben Neandertaler und Homo sapiens sogar 50 000 Jahre nebeneinander, doch auch dort verschwindet der Neandertaler. Verdrängt der moderne Mensch den Neandertaler oder vermischen sie sich so, daß der Neandertaler im modernen Menschen aufgeht?

Im Jahre 1996 konnten die Paläogenetiker Matthias Krings und Professor Svante Pääbo der Münchner Universität aus dem rechten 1856 in Neandertal gefundenen Oberarmknochen winzige Bruchstücke von DNA entnehmen. Die Untersuchungen ergaben, daß der DNA-Abschnitt des Neandertalers vom modernen Menschen an 27 Stellen abweicht und der Neandertaler zwischen Homo sapiens und Schimpanse steht, der sich an 55 DNA-Stellen vom heutigen Menschen unterscheidet. Der Neandertaler hat folglich nichts zum Genrepertoire des Homo sapiens beigetragen. Es kann aber noch nicht ausgeschlossen werden, daß der Neandertaler und der moderne Mensch gemeinsam Kinder zeugen konnten. Doch selbst wenn dies möglich gewesen sein sollte, konnten sich die Sprößlinge wahrscheinlich ebensowenig fortpflanzen wie der Maulesel – der Sproß einer Liaison zwischen Pferd und Esel.

Mehrere Gründe haben zum Aussterben des Neandertalers geführt. Der Homo sapiens besaß die Fähigkeit, bessere Werkzeuge herzustellen. Zudem lebte der moderne Mensch in einem weitaus entwickelteren sozialen Gefüge, konnte sich also in der engeren Gemeinschaft besser vor den Fährnissen einer bedrohlichen Umwelt schützen und reichere Beute machen. Wegen der besseren Ernährung lebte der Homo sapiens länger, war fruchtbarer und drängte den Neandertaler wahrscheinlich immer mehr in Randgebiete ab, bis er schließlich ausstarb.

Die vielen Ähnlichkeiten zwischen Neandertaler und Homo sapiens zeigen, daß beide einen gemeinsamen Vorfahren besitzen, einen älteren Menschentypus. Diesen Typus – und vorzugsweise seine Urform – hatte man seit Darwins Veröffentlichungen mit Eifer gesucht. Diese Suche führte zum Homo erectus (Abb. 1), zum aufrecht gehenden Menschen, und zu einer der außergewöhnlichsten und unglaublichsten Entdeckungen. Im Jahre 1868 erschien das Buch *Natürliche Schöpfungsgeschichte* von Ernst Haeckel, Zoologe an der Universität Jena. Haeckel glaubte wie Darwin, daß der Mensch vom Affen abstammte, auch wenn das Bindeglied noch nicht gefunden war. Haeckel gab ihm bereits vorsorglich den Namen Pithecanthropus (Affenmensch). Als dem Menschen am nächsten sah er den Gibbon an. Heute wissen wir, daß er in diesem Punkt unrecht hatte. Die intensive Beschäftigung mit Menschenaffen und die seit 1967 erfolgten DNA-Untersuchungen zeigen, daß die afrikanischen Menschenaffen – Bonobos, Gorillas und Schimpansen – gemeinsam mit den Menschen zur großen Stammeslinie der Hominiden gerechnet werden müssen und der Schimpanse dem Menschen am meisten ähnelt. Doch diese Erkenntnisse konnten erst fast hundert Jahre nach dem Erscheinen von Haeckels Buch gewonnen werden.

Für Ernst Haeckel stand also der Gibbon dem Menschen am nächsten, der in Indonesien – auf Sumatra, Borneo, Java und Celebes heimisch ist. Dort mußte folglich nach Haeckel auch der Ursprung des Menschen liegen. Der junge niederländische Dozent der Anatomie an der Universität Amsterdam, Eugène Dubois, las Haeckels Ansichten mit Begeisterung. Er wollte den Pithecanthropus als erster entdecken. Da er nicht genügend Geld besaß, um ohne weiteres nach Indonesien aufbrechen zu können, das damals eine niederländische Kolonie war, verpflichtete er sich 1887 als Militärarzt zum Dienst in dieser Region. Nachdem er zunächst in Sumatra vergeblich nach unseren Vorfahren gesucht hatte, wurde er 1890 nach einem Malariaanfall nach Java versetzt. Ohne auf irgendwelche Berichte oder Funde zurückgreifen zu können – nie zuvor hatte man auf Java menschliche Fossilien aufgespürt – grub er 1891 am Fluß Solo in der Nähe des Dorfes Trinil, und das Unglaubliche traf ein. Er fand ein Schädeldach, einen Weisheitszahn, 1892 dann einen Oberschenkelknochen und einen Backenzahn sowie 1898 einen weiteren Zahn eines Frühmenschen. Dubois nannte ihn Pithecanthropus erectus (aufrecht gehender Affenmensch). Heute rechnen wir den „Java-Menschen" zum Homo erectus. Wiederum trat Rudolf Virchow auf – und Dubois' Java-Mensch ereilte das gleiche Schicksal wie Jahrzehnte zuvor den Neandertaler von Karl Fuhlrott. Virchow ordnet den Schädel einem Affen und den Oberschenkelknochen einem modernen Menschen zu. Seine Kritik an der Identifizierung eines Affenmenschen durch Dubois übernahm die Fachwelt. Dubois fand kein Gehör und gab entnervt auf. Die von ihm in 300 Kisten verpackten Knochenfunde – fast alle von Tieren – erreichten zwar Amsterdam, aber erst 1935 erlaubte der Verbitterte die Öffnung der unter dem Fußboden versteckten Kisten. In diesen Jahren erhielt Dubois schließlich die Anerkennung, die er verdiente. Eine Reihe weiterer früher Menschenknochen wurde auf Java bei Trinil, in Ngandong und – insbesondere durch den Paläontologen Gustav Heinrich Ralph von Koenigswald – beim Dorf Sangiran geborgen. Doch erst seit wenigen Jahren ist es uns möglich, das Alter der verschiedenen Individuen auf zwischen 1,8 Millionen und eine Million Jahre zu datieren.

Fast gleichzeitig zu den Entdeckungen auf Java kamen in China die ersten frühen Menschenknochen ans Licht. Die bedeutendste Fundstelle war eine Grotte bei Zhoukoudian, die ca. 50 Kilometer südwestlich von Beijing (Peking) liegt. Davidson Black und Pei Wenzhong förderten dort allein zwischen 1928 und 1937 Fossilien von 45 Individuen beiderlei Geschlechts und Alters zutage. Die Art wurde zunächst Sinanthropus pekinensis, d. h. China-Mensch aus Peking, oder einfach nur „Peking-Mensch" genannt. Bereits Ende der 30er Jahre erkannten Gustav Heinrich Ralph von Koenigswald und der deutsche Anatom und Anthropologe Franz Weidenreich, der die Pekingfunde bearbeitete, daß die Fossilien von Java und China zu einer Menschenart gehörten, die wir heute zur Gruppe des Homo erectus zusammenfassen. Auch wenn wir seit einigen Jahren die Überreste von Peking nur auf ein Alter von 600 000 bis 300 000 Jahren schätzen, besitzen wir von einem anderen Fundort in China, von der Lunggupo-Höhle bei Wushan, 1,8 Millionen Jahre alte Knochen des Homo erectus (Abb. 1), der in Asien in dem Zeitraum von vor 1,8 Millionen bis vor 300 000 Jahren lebte.

Wegen dieser Fossilien in China und Indonesien glaubten die meisten Forscher in den 30er Jahren, daß der Ursprung des Menschen im östlichen Asien liegen müßte. Die wenigen wichtigen Funde aus Afrika wurden mißinterpretiert oder als wichtige Zeugnisse früher Menschen nicht anerkannt. Das einzige, angeblich sehr alte Fossil, das in Europa „gefunden" wurde, entpuppte sich als plumpe Fälschung. Im Jahre 1912 „entdeckten" Arthur Smith Woodward und Charles Dawson in einer Kiesgrube bei Piltdown/Sussex in England – wie anfänglich begeistert gemeldet – das fehlende Bindeglied zwischen Affen und Menschen, den Eoanthropus dawsoni (Dämmerungsmensch von Dawson) oder einfach den Piltdown-Menschen. Doch erst Jahre später stellte sich heraus, daß irgendein Spaßvogel nur den Schädel eines modernen Menschen mit dem Unterkiefer eines Orang Utans verbunden hatte. Wer dieser Fälscher war, ist noch heute umstritten. Die renommiertesten Anwärter auf die Urheberschaft dieses Ulks sind der berühmte Sherlock-Holmes-Autor Arthur Conan Doyle und der Biologe Martin A. C. Hinton. Doyle lebte nur ca. 15 Kilometer von Piltdown entfernt und mochte die Fossilienforscher nicht. In seinem im Jahre 1912 erschienenen Roman *Verlorene Welt* läßt er den Professor Challenger ausdrücklich sagen, daß, wenn man schlau sei und sein Handwerk verstehe, man Knochen genauso gut wie Fotos fälschen könne. Martin Hinton seinerseits haßte den Entdecker Arthur Smith Woodward, weil er im Jahre 1910 als Ferienarbeiter angeblich von dem Forscher nicht korrekt entlohnt worden sein soll. 1996 fand man übrigens in London in einem Koffer Hintons Tierknochen, die ähnlich wie jene des Piltdown-Menschen präpariert waren.

Das in der Tat älteste Fossil Europas blieb lange Zeit der Unterkiefer von Mauer bei Heidelberg, den Daniel Hartmann am 21. Oktober 1907 in einer Kiesgrube barg. Er überreichte ihn dem Heidelberger Dozenten Otto Schoetensack, der ihm im Jahre 1908 den Namen Homo heidelbergensis gab. Heute wird er auf ein Alter von ca. 500 000 Jahren datiert und wie die Fossilien aus China und Indonesien dem Homo erectus zugeordnet.

Nur einige Kilometer von Mauer entfernt kam am 24. Juli 1933 in einer Kiesgrube bei Steinheim an der Murr ein ca. 250 000 Jahre alter Schädel zum Vorschein, der als Homo steinheimensis bekannt wurde und von hoher wissenschaftlicher Bedeutung war. Er belegte Verbindungen zum Neandertaler und zum Homo heidelbergensis, d. h. zum Homo erectus. Die 400 000–300 000 Jahre alten Schädelfragmentfunde aus Swanscombe in England, die in den Jahren 1935, 1936 und 1955 gefunden worden waren, und die Funde aus Petralona in Nordgriechenland aus dem Jahr 1960 sowie weitere Fossilien zeigten, daß in Europa vor ca. 400 000 bis 200 000 Jahren Wesen gelebt hatten, die sich in ihrer Gestalt immer mehr vom homo erectus entfernt und zum Neandertaler hin entwickelt hatten. Sie werden heute als Ante-Neandertaler bezeichnet und bildeten die Vorstufe des Neandertalers.

Erst nach dem 2. Weltkrieg entdeckte man in Europa ältere menschliche Spuren, zunächst nur Steinwerkzeuge. Die ältesten sind 1,2 Millionen Jahre alt und stammen aus Fuenta Nueva und Barranca Léon in der Region Orce in Südspanien. Bereits um 200 000 Jahre jünger sind die Werkzeuge von Soleihac im französischen Zentralmassiv und Vallonet bei Nizza und noch etwas jünger diejenigen von Isernia (Italien), Prezletice (Tschechien) und Kärlich (Deutschland). Die ältesten Knochen Europas fördern Forscher aus Madrid und Tarragona seit 1994 aus der Höhle von Gran Dolina in der Sierra de Atapuerca bei Burgos (Nordspanien) zutage. 1600 Fragmente und viele Steinwerkzeuge sind dort mittlerweile registriert. Die frühesten sind ca. 800 000 Jahre alt und stammen von zwei Erwachsenen, einem Jugendlichen und einem Kind.

Ihr hohes Alter konnte u. a. auch durch paläomagnetische Untersuchungen bestimmt werden. Das heutige Magnetfeld liegt nahe dem Nordpol. Es hat sich jedoch bereits des öfteren gedreht, zuletzt vor ca. 780 000 Jahren. Vulkanisches Gestein und andere Sedimente lassen das Magnetfeld zur Zeit ihrer Entstehung erkennen. Die Fossilien von Gran Dolina waren in Sedimenten gelagert, die noch durch das umgekehrte Magnetfeld geprägt wurden, d. h. mindestens 780 000 Jahre alt sein müssen.

Die spanischen Forscher glauben in den Fossilien von Gran Dolina eine neue Menschenart erkennen zu können und nennen sie – wohl etwas überschwenglich – Homo antecessor – „der Mensch, der vorausgeht". Nüchterne Vergleiche zeigen jedoch, daß die Funde ebenso wie jene des Homo heidelbergensis und wie die bekannten Fossilien von Boxgrove in Südengland (ca. 480 000 Jahre alt), von Arago/Tautavel in Südwestfrankreich (ca. 450 000 Jahre alt) oder von Bilzingsleben in Thüringen (ca. 400 000 Jahre alt) dem Homo erectus zuzuordnen sind, der bis vor ca. 400 000 Jahren in Europa lebte. Er entwickelte sich dann auf unserem Kontinent zum Ante-Neandertaler, der vor 200 000 Jahren zum Neandertaler wurde. Wahrscheinlich gehörten die viel älteren, bis zu 1,2 Millionen Jahre alten Steinwerkzeuge ebenfalls dem Homo erectus.

Europa ist also im Vergleich zu Asien erst relativ spät von Hominiden besiedelt worden. Aber auch in Asien stand nicht die Wiege der Menschheit, wie man es noch bis zum 2. Weltkrieg glaubte. Die sensationellen Funde, die man während der letzten Jahre in Afrika machte, führen uns immer deutlicher vor Augen, daß unsere Wurzeln im Schwarzen Kontinent liegen.

Im Jahre 1924 sah die Studentin Josephine Salmons bei ihrer Freundin einen fossilen Pavianschädel, der aus einem Steinbruch bei Buxton in der Nähe von Taung in Südafrika stammte. Sie zeigte ihn ihrem Anatomie-Professor an der Witwatersrand-Universität in Johannesburg, Raymond Dart. Dart fragte den Geologen Dr. R. B. Young, ob er nicht nach Taung fahren könne. Young machte sich auf und sammelte einige Brocken, in denen Knochen steckten, und sandte sie Dart. Nachdem Dart mühsam die Fundreste aus einem Stein präpariert hatte, erkannte er am 23. Dezember 1924 Teile eines Schädels und eines Kiefers mit Milchgebiß und gerade durchbrechenden Backenzähnen. Sie gehörten offenbar einem ca. 6jährigen Kind, das wahrscheinlich vor ca. 2,5 Millionen Jahren von einem großen Raubvogel getötet worden war, wie viele Verletzungen an den Knochen und eine Menge weiterer Knochenfunde von Tieren in dem Steinbruch nahelegten. Schon am 25. Februar 1925 schrieb Dart in der 115. Ausgabe der Zeitschrift *Nature*, daß das Fossil das *missing link* (das fehlende Glied) zwischen Menschenaffen und Menschen darstelle und gab ihm dem Namen Australopithecus africanus (afrikanischer Südaffe) (Abb. 1). Dart fand jedoch keine Resonanz. Die meisten Wissenschaftler wiesen den Schädel einem Affen zu. Verärgert gab Dart auf.

Sein Freund, der schottische Paläontologe Robert Broom, glaubte als einer der wenigen an Darts Hypothese und setzte die Suche nach weiteren Zeugnissen fort. Am 17. August 1936 erhielt Broom aus einer Höhle bei Sterkfontein in Transvaal (Südafrika) einen dem „Kind von Taung" ähnlichen Schädel, den er „Mrs. Ples" als Kurzform von Plesianthropus (fast Mensch) nannte. Doch auch diese Entdeckung verhalf noch nicht zur Anerkennung des Australopithecus. Der Durchbruch gelang erst 1947, als Robert Broom den 2,5 Millionen Jahre alten Schädel eines Erwachsenen in Sterkfontein zutage förderte. Bei weiteren Grabungen wurden in derselben Höhle über 500 Knochen von Australopithecinen von mindestens 16 verschiedenen Individuen geborgen. Bis 1995 schlummerten zudem in den Sammlungsschränken, die die Fossilien aus Sterkfontein aufnahmen, vier Beinknochen, die von Professor Phillip Tobias und Dr. Ron Clarke als wichtige Zeugnisse des Australopithecus africanus erkannt worden sind. Die beiden Forscher nannten die etwas mehr als drei Millionen Jahre alten Beinknochen mit einer Anspielung auf den gleichnamigen Dinosaurierhelden eines Kinderzeichentrickfilms „Little Foot". Der Australopithecus africanus besaß demnach noch einen abspreizbaren großen Zeh wie der Schimpanse und konnte sich damit sowohl auf Bäumen wie auch auf dem Boden fortbewegen. Sein Gang war bereits aufrecht, wie die Eintrittsstelle des Rückenmarks in das Gehirn beweist, das unter der Schädelmitte und nicht, wie beim Affen, weiter hinten oben liegt. Er lebte vor drei bis zwei Millionen Jahren in Südafrika, war bis zu 1,40 Meter groß und wog zwischen 30 und 60 kg. Sein Gehirnvolumen von 400 bis 500 ccm entsprach dem eines heutigen Schimpansen. Die Augenhöhlen und die Zähne, insbesondere die kleinen Schneide- und Eckzähne, lassen eher auf Verwandtschaft mit dem Menschen schließen als der vorspringende Unterkiefer, der stärker dem eines Affen entspricht. Die großen Schneide- und Eckzähne der Menschenaffen, die sowohl zum Töten als auch zum Drohen dienen, besaß diese Art von Vormenschen bereits nicht mehr. Die Backen- und Vorbackenzähne waren relativ groß und robust und konnten auch harte Nüsse und Wurzeln zermalmen. Wahrscheinlich verzehrte der Australopithecus africanus bereits manchmal Fleisch vom Aas; selbst jagte er noch nicht.

1938 erhielt Robert Broom von einem Schuljungen einen Schädel, der aus einer Höhle in Komdrai stammte, die unweit von Sterkfontein liegt. Der Schädel gehörte zu einer zweiten Art der Affenmenschen, den Broom wegen dessen kraftvoller Erscheinung als Australopithecus robustus (robuster Südaffe) bezeichnete. Der Australopithecus robustus lebte vor 1,8–1,3 Millionen Jahren in Südafrika und hatte ein durchschnittliches Gehirnvolumen von

530 ccm. Der Australopithecus robustus besaß größere, flache Backenzähne, kleinere Schneide- und Eckzähne und einen ausgeprägten Scheitelkamm an der Oberseite des Schädels; letzterer läßt erkennen, daß der Australopithecus robustus kraftvolle Kaumuskeln hatte. Wie der Australopithecus africanus konnte auch er dank seiner Zähne und seiner Kaumuskeln selbst harte Nüsse und Wurzeln kauen, die neben anderen Pflanzen das Gros seiner Nahrung bildeten.

Seit dem Ende der 50er Jahre wurden Reste weiterer Arten von Australopithecinen aufgespürt. Sie führen uns die Mannigfaltigkeit der Artenmöglichkeiten vor Augen.

Am 17. Juli 1959 fand Mary Leaky in der Olduvai-Schlucht in Nordtansania einen ca. 1,9–1,8 Millionen Jahre alten Schädel, der sich von den in Südafrika bekannten in Einzelheiten klar unterschied. Die Forscherin gab ihm zunächst den Namen Zinjanthropus (Ostafrika-Mensch) boisei (Abb. 1), zu Ehren des Londoner Geschäftsmannes Charles Boise, der die Grabungen finanziell unterstützte. Gleichzeitig erhielt die Spezies den Spitznamen „Nußknackermensch", weil er einen gewaltigen Unterkiefer und große Backenzähne besaß. Doch schon kurze Zeit später erkannte man, daß es sich um eine neue Art von Australopithecus, nicht aber um einen frühen Menschtypus handelte; also wandelte man die Bezeichnung in Australopithecus boisei um. 1996 fand ein deutsch-malawisches Team unter der Leitung von Friedemann Schrenk die ältesten bisher bekannten Reste dieser Gattung. Das entsprechende Oberkieferfragment ist ca. 2,5 Millionen Jahre alt. Der Australopithecus boisei lebte bis vor 1,1 Millionen Jahren in Ostafrika und wurde bis zu 1,40 Meter groß. Er wog zwischen 40 und 80 kg und besaß ein Gehirnvolumen bis zu 530 ccm. Er hatte ein massives Gesicht und auf dem Schädel einen großen Knochenkamm. Er ging bereits aufrecht, konnte jedoch auch noch gut auf Bäume klettern. Neben diversen Pflanzen war Fleisch von Kadavern fester Nahrungsbestandteil; auch er jagte nicht selbst.

Eine weitere ebenfalls in Ostafrika und zwar in Äthiopien und Kenia vor 2,6 bis 2,3 Millionen Jahren lebende Südaffenart, der Australopithecus aethiopicus, wurde erstmals 1967 von Yves Coppens und Camille Arambourg im Gebiet von Omo in Südäthiopien entdeckt. Die anderen Überreste kommen aus dem Turkana-Becken in Südäthiopien und Nordkenia. Das bekannteste Fossil entdeckte Alan Walker aus dem Team von Richard Leakey, dem Sohn der bekannten Forscher Louis und Mary Leakey, im Jahre 1985 am Westufer des Turkana-Sees. Es handelt sich um den sogenannten „schwarzen Schädel", dessen Verfärbung auf bestimmte Mineralisierungsprozesse zurückzuführen ist. Der Australopithecus aethiopicus besaß nur ein kleines Gehirnvolumen mit 410 ccm, aber ein kräftiges flaches Gesicht, große Kiefer und riesige Backenzähne.

Im Jahre 1965 entdeckte der amerikanische Professor Bryan Patterson in Kanapoi am Turkana-See in Nordkenia die älteste Südaffenart, den Australopithecus anamensis (Abb. 1) – benannt nach dem Wort *Anam*, was bei dem dort lebenden Volk der Turkanas soviel wie *See* heißt. Die aussagekräftigsten Knochenfunde zu dieser Art gelangen jedoch erst 1994 und 1995, und zwar Meave Leakey. Der Australopithecus anamensis lebte am Turkana-See bereits vor 4,2 bis 3,8 Millionen Jahren. Er war ca. 1,20 Meter groß und wog zwischen 35 und 55 kg. Sein Kopf glich noch dem eines Menschenaffen, doch war sein Zahnschmelz erstmals dicker als bei jenem; er bildete die Voraussetzung, daß sein Träger auch Früchte mit harten Schalen, Nüsse und Wurzeln essen konnte. Zu dieser Zeit veränderte sich das Klima, die Trockenzeiten wurden länger; und während dieser Perioden war es wichtig, Wurzeln zum Verzehr aus der Erde zu graben, um die eigene Fortexistenz zu sichern. Wenn es wieder regnete, konnte man sich von den dann reifenden Hülsenfrüchten ernähren. Wie Schimpansen warf wohl auch der Australopithecus harte Nüsse auf einen Stein, um sie zu öffnen, und benutzte Zweige, um Termiten und Ameisen aus ihren Gängen zu ziehen oder Tiere durch heftiges Schlagen zu vertreiben. Der Australopithecus anamensis hielt sich zwar noch oft auf den Bäumen auf, bewegte sich aber zunehmend aufrecht am Boden fort.

Aus dem Australopithecus anamensis entwickelte sich möglicherweise der Australopithecus afarensis (Abb. 1), der wahrscheinlich der Ahn aller später existierenden Südaffenarten war. Er zog durch die spektakulären Funde der 70er Jahre besondere Aufmerksamkeit auf sich. Am 30. November 1974 entdeckten Don Johanson und Tom Gray in Hadar am Awash-Fluß in Nordostäthiopien das fast vollständige Skelett einer erwachsenen Frau der Urzeit. Bis zu diesem Zeitpunkt waren die Forscher schon über jeden neuen, mehr oder weniger vollständigen Schädel überglücklich, denn meist barg man nur Knochensplitter oder -fragmente. Ein derartig gut erhaltenes Skelett zu finden, wagten Wissenschaftler kaum zu erträumen. Die Freude von Johanson und Gray war dementsprechend überschwenglich. Am selben Abend feierten die Forscher ein rauschendes Fest mit einem gehörigen Quantum Bier und Beatles-Songs; der Titel „Lucy in the sky with diamonds" veranlaßte sie, der vor 3,2 Millionen Jahren verstorbenen Frau den Spitznamen „Lucy" zu geben. Lucy war 1,07 Meter groß und wog etwa 23,5 kg. Männliche Artgenossen waren bis zu 1,20 Meter groß und wogen bis zu 50 kg. Der Australopithecus afarensis war damit kaum größer als ein Schimpanse. Sein Gehirnvolumen betrug auch nur zwischen 400 und 500 ccm. Die Form der Schulterblätter und die langen Arme weisen darauf hin, daß Lucy gut klettern konnte; dem entspricht, daß auch die Finger noch sehr gebogen waren und der große Zeh, wie bei den Menschenaffen, gespreizt. Trotzdem ging Lucy bereits überwiegend aufrecht, ohne aber wie Menschen rennen zu können, worauf ihre kurzen Beine, ihre sehr langen Arme und der runde Brustkorb deuten. 1979 fanden Peter Jones und Mary Leakeys jüngster Sohn Philip in Laetoli südlich der Olduvai-Schlucht in Nordtansania eine äußerst ungewöhnliche Bestätigung, daß der Australopithecus afarensis aufrecht ging: Vor ca. 3,6 Millionen Jahren war dort der nahe gelegene Vulkan Sadiman ausgebrochen. (Die Vulkanschichten aus dieser Zeit können durch die Argon-Methode berechnet werden. Beim Zerfall des Kalium enthaltenden Vulkangesteins entstehen Atome des Edelgases Argon. Dieser Argongehalt kann gemessen und so das Alter der Lava bestimmt werden.) Über die Asche, die vor ca. 3,6 Millionen Jahren vom Sadiman ausgespuckt worden war, wanderten am Ort Laetoli drei Individuen. Auf einer Länge von ca. 20 m waren ihre Spuren – ausschließlich Fußspuren – in die später versteinerte Asche eingedrückt. Die Art der Spuren beweist, daß die drei Australopithecinen aufrecht gingen. Es sind die ältesten Spuren von aufrecht gehenden Hominiden überhaupt.

Der Australopithecus afarensis lebte vor 3,7–2,9 Millionen Jahren in Äthiopien, Kenia und Tansania, deren Vegetation damals aus bewaldeten Graslandschaften bestand. Dank seines aufrechten Ganges konnte er die Savanne besser überblicken und sich bei Gefahr auf Bäume zurückziehen. Er aß Früchte, Beeren, Nüsse, Samen, Schößlinge, Knospen, Pilze, Wurzeln und Knollen, aber auch häufiger Fleisch – kleine Reptilien, Jungvögel, Eier, Weichtiere, Insekten und kleine Säugetiere. Der Australopithecus afarensis konnte noch keine Werkzeuge herstellen oder Feuer machen. Das einzige, was ihn in auffälliger Weise mit dem Menschen verband, war sein nun meist aufrechter Gang, und dieser war für die Entwicklung von herausragender Bedeutung. Diese Fortbewegungsart erlaubte es ihm, seine Hände frei für andere Tätigkeiten einzusetzen, wie etwa die Herstellung von Geräten.

Die frühesten Steinwerkzeuge wurden vor rund 2,5 Millionen Jahren hergestellt. Erstmals wurden solche von Louis Leakey und seiner Frau Mary in den 50er Jahren in der Olduvai-Schlucht in Tansania entdeckt. Nach dieser Schlucht wurde die ersten bearbeiteten Steine Olduwan-Werkzeuge genannt. Ihr Aussehen veränderte sich bis vor ca. 1,5 Millionen Jahren kaum; inzwischen wurden sie auch an anderen Stellen in Ostafrika, insbesondere in Hadar in Äthiopien und an der Stelle Lokalelei am Westufer des Turkana-Sees in Nordkenia registriert. Es handelt sich um einfache Steinklingen und Schaber, die durch eher zufälliges Abschlagen einiger Splitter entstanden. Sie waren zwar nur unwesentlich besser als Geräte, die von Schimpansen benutzt werden, doch ihre Gestaltung zeigt, daß sie während eines Zeitraums von ca. 1 Million Jahren relativ gleichartig gefertigt worden sind. Die Weitergabe der Technik über Generationen hinweg läßt vermuten, daß eine intensivere Kommunikation bestand, die auf einer Art sehr primitiver Sprache – kaum mehr als verschiedene Laute und Tonlängen – beruhte. Die Werkzeuge dienten zur Nahrungssuche und -bearbeitung. Möglicherweise war die erste Herstellung von Steinwerkzeugen mittelbar die Folge einer drastischen Klimaveränderung vor ca. 2,5 Millionen Jahren. Damals gab es weltweit eine Abkühlung, die in Ostafrika zu längeren Trockenperioden führte; es stieg die Bedeutung von Wurzeln und Knollen als Nahrungsmittel, die aber nur mittels Werkzeugen ergraben und zerkleinert werden konnten.

Louis und Mary Leakey suchten nun nach den Besitzern dieser Steinwerkzeuge in der Olduvai-Schlucht. Ihr Sohn Jonathan war mit von der Partie und erblickte 1960 die ersten Überbleibsel eines solchen Individuums, den die Leakeys auf Anregung von Raymond Dart als Homo habilis (Abb. 1) – als „geschickten Menschen" – bezeichneten, eben weil er imstande war, bewußt in einer gleichartigen, wenn auch einfachen Abschlagtechnik, bestimmte

Werkzeuge immer wieder herzustellen. Sein Gehirnvolumen lag zwischen 500 und 650 ccm und war damit größer als das jedes Australopithecinen. Auch war sein Gesicht und sein Kiefer weniger massiv und damit menschenähnlicher. Andererseits ähnelte der Aufbau seines Skelettes und seiner Gliedmaßen, insbesondere seiner Beine und Füsse, noch sehr jenem der Australopithecinen, wie uns vor allem ein erst 1986 von dem Amerikaner Tim White in Olduvai geborgenes Skelett lehrt. Der Homo habilis lebte vor etwa 2,1 bis 1,5 Millionen Jahren in Kenia, Tansania und Südafrika. Er stellte zwar Olduwan-Werkzeuge her, war aber nicht ihr Erfinder, der ja – dem Alter der Werkzeuge entsprechend – ca. 400 000 Jahre früher erschienen sein muß.

Den ersten Fertiger von Steinwerkzeugen fand 1970 in Koobi Fora am Ostufer des Turkana-Sees Richard Leakey, der Sohn von Louis und Mary Leakey, der beruflich in die Fußstapfen seiner Eltern trat. Da der Turkana-See bis 1975 nach dem österreichischen Erbfolger auf dem Kaiserthron Rudolf (1858–1889) Rudolf-See hieß, nannte Richard Leakey diesen frühen Menschen Homo rudolfensis (Abb. 1). Im Jahre 1996 entdeckte das deutsch-malawische Team unter Leitung von Friedemann Schrenk in Malema in Malawi sogar ca. 2,5 Millionen Jahre alte Überreste dieser Spezies. Der Homo rudolfensis lebte also vor 2,5 bis 1,8 Millionen Jahren in Kenia, Äthiopien und Malawi. Sein Gehirnvolumen betrug zwischen 600 und 800 ccm. Sein noch sehr kräftiges Gebiß zeigt, daß er sich vor allem von Pflanzen, insbesondere von harten Hülsenfrüchten, Wurzeln und Knollen ernährte.

Sowohl der Homo rudolfensis als auch der Homo habilis besaßen Lagerplätze, wie wir sie aus der Olduvai-Schlucht und von Koobi Fora kennen. Dort trafen sie sich, um die Nahrung zu verteilen. Einen zentralen Beitrag stellten dabei die wahrscheinlich von den Frauen gesammelten Früchte dar; das erbeutete Fleisch stammte von Tieren, die verendet oder von Raubtieren gerissen worden waren. Auch diese Hominiden waren selbst noch keine Jäger. Sie verzehrten lediglich die Kadaver, die ihnen zufielen, wie Schnittspuren an Tierknochen dokumentieren, die an solchen Sammlungspunkten geborgen werden konnten.

Der erste Jäger war wahrscheinlich der Homo erectus, der „aufrecht gehende Mensch", dem wir bereits in Asien und Europa begegnet sind. Seine Ursprünge lagen jedoch in Ostafrika, wie Funde von Louis und Mary Leakey zwischen 1960 und 1970 in der Olduvai-Schlucht belegen konnten. In Ostafrika trat er bereits vor 2 Millionen Jahren auf. Seine Jagdzüge führten ihn wohl als ersten aus Afrika heraus; und so gelangte er bereits vor ca. 1,8 Millionen Jahren bis nach China und spätestens vor ca. 1,2 Millionen Jahren bis nach Westeuropa. Das besterhaltene Skelett entdeckte 1984 Kamoya Kimeu aus dem Team von Richard Leakey in Nariokotome an der Westseite des Turkana-Sees in Nordkenia. Es handelt sich dabei um einen ca. 11jährigen Jungen, der vor rund 1,5 Millionen Jahren lebte. Er wird daher in der Forschung als Junge von Nariokotome oder von Turkana bezeichnet. Er war bereits 1,60 Meter groß, wog ca. 48 kg und hatte ein Gehirnvolumen von 880 ccm. Als Erwachsener hätte er wohl eine Körpergröße von ca. 1,85 Meter und ein Gewicht von 68 kg erreicht; sein Gehirnvolumen hätte rund 960 ccm betragen. Sein Kiefer und seine Zähne waren weniger ausgeprägt als bei den Australopithecinen. Er besaß einen langen, flachen Schädel mit kräftigen Augenbrauenwülsten. Wahrscheinlich hatte er nur wenige Körperhaare und eine dunkle Haut.

Als erfolgreicher Jäger aß der Homo erectus mehr Fleisch als seine Vorgänger. Die höherwertige Nahrung beeinflußte seine Gestalt und sein Gehirnvolumen. So besaß der frühe Homo, der in dem Zeitraum von vor 2 Millionen bis vor 1,6 Millionen Jahren lebte, noch ein Gehirnvolumen von ca. 750 ccm, der vor ca. 500 000 Jahren lebende späte Homo erectus aber 1250 ccm und näherte sich damit dem des modernen Menschen, der ca. 1400 ccm Gehirnvolumen hat. Die Säuglingssterblichkeit ging zurück und der Homo erectus wurde wesentlich älter als die Australopithecinen. Vor ca. 1,5 Millionen Jahren entwickelte er erstmals komplizierter hergestellte Steinwerkzeuge, die nach einem Fundort in Frankreich Acheuléen-Werkzeuge genannt werden. Typisch war der Faustkeil, der auf einer Seite eine scharf abgeschlagene Klinge besaß. Er wurde zum Graben, zum Zerkleinern der Jagdbeute, als Waffe und für vieles mehr benutzt. Die Fertigung erfolgte nicht mehr durch zufälliges Abschlagen, sondern durch eine regelmäßige Planung und Ausführung der Steinverarbeitung, deren etwa Schimpansen nicht fähig sind. Die Form des letzten Knochengelenks des Daumens beim Homo erectus liegt in seiner Entwicklung zwischen dem des Menschenaffen, bei dem es sehr schmal ist, und jenem des modernen Menschen, bei dem es sehr breit ist. Der

Homo erectus konnte mit diesen Daumen nicht mehr greifen bzw. klettern wie ein Affe, aber Gegenstände nun fester in der Hand halten und dadurch kompliziertere Werkzeuge besser herstellen. Um diese Acheuléen-Werkzeuge schaffen zu können, waren außer den manuellen Vorausetzungen vor allem auch ein verbessertes Vorstellungsvermögen und eine auf komplexen Gedächtnisleistungen basierende Planung zur effektiven Durchführung der Fertigung notwendig. In der Forschung heiß umstritten ist die Frage, wie dieses erworbene Wissen an die nächste Generation weitergegeben worden ist. Reichte das Vorführen der Herstellung – also lernen am Beispiel –, oder konnte dieses doch sehr komplizierte Verfahren nur durch Sprache übermittelt werden? Wenn es bereits mittels Sprache geschah, so kann es sich dabei gleichwohl erst um eine extrem begrenzte Folge von Lauten gehandelt haben. Doch all dies ist sehr ungewiß. Sicherlich beherrschte der Homo erectus vor 700 000 Jahren, möglicherweise aber schon vor 1,4 Millionen Jahren den Gebrauch des Feuers. Wahrscheinlich lebte er auch als erster Ahne des modernen Menschen in kleinen Hütten.

Bereits 1953 entdeckte man in Saldanha in Südafrika Fragmente eines Schädels und Unterkiefers, der zu einem Wesen zu gehören schien, der zwischen dem Homo erectus und dem Homo sapiens lag. Spätestens die jüngeren Untersuchungen des im Jahre 1976 gefundenen Schädelteils im Middle Awash Tal bei Bodo in Äthiopien haben gezeigt, daß vor ca. 600 000 Jahren eine Frühform des Menschen entstand, die den Übergang vom Homo erectus zum modernen Menschen kennzeichnete. Er wurde archaischer Homo sapiens genannt und lebte in Nordwest-, Ost- und Südafrika. Der archaische Homo sapiens besaß bereits ein Gehirnvolumen von 1250 ccm. Bis vor ca. 300 000 Jahren wuchs das Gehirnvolumen sogar auf 1400 ccm – wie beim modernen Menschen – an. Schließlich weisen Fragmente eines Schädels und eines Oberschenkelknochens, die in den 70er Jahren von dem Kenianer Wambua Mangao aus dem Team von Richard Leakey am Iliret Ridge gefunden worden sind, Merkmale auf, die ihn als Übergangsform vom archaischen Homo sapiens zum Homo sapiens auszeichnen. Doch erst 1996 konnte am Musée National d'Histoire Naturelle in Paris das Alter der Funde durch das Uran-Ungleichgewichts-Verfahren, bei dem der radioaktive Zerfall verschiedener Isotopen von Uran untersucht wird, auf 270 00 respektive 300 000 Jahre bestimmt wer-

den. Im gleichen Jahr konnte man zwei weitere ähnlich struktu-
rierte Schädel aus Florisbad in Südafrika und Laetoli/Ngaloba in
Tansania auf 259 000 Jahre respektive mindestens 200 000 Jahre datieren. Eine Reihe späterer Fossilien – wie z. B. aus Omo/Kibish
am Omo-Fluß in Äthiopien (130 000 Jahre), aus den Klasies River
Mouth Höhlen (ca. 120 000 Jahre) und der Border Höhle
(90 000 Jahre) in Südafrika sowie aus den Höhlen von Skhul am
Karmelgebirge (100 000 Jahre) und aus Qafzeh in der Nähe von
Nazareth (100 000 Jahre) in Israel – erwiesen sich schließlich eindeutig als die ersten Überreste des rein modernen Menschen. Ihr
hohes Alter wurde aber ebenfalls erst in den letzten 20 Jahren erkannt, auch wenn die Fossilien aus dem Heiligen Land und aus
Südafrika schon in den 30er und 40er Jahren gefunden worden
waren. Vor ca. 300 000 bis 200 000 Jahren war nach den Untersuchungen an den Fossilien der moderne Mensch in Ostafrika entstanden. Diese Erkenntnis geht einher mit der erstmals 1986 veröffentlichten Theorie der „Eva der Mitochondrien". Labore in At-
lanta und Berkeley hatten in den 80er Jahren die DNA der
Mitochondrien untersucht, die in den Zellen für die Energie-
erzeugung zuständig sind. Die Mitochondrien bewahren Veränderungen, die sie erfahren haben, zugleich mit ursprünglichen
Charakteristika und werden nur von der Mutter an die Kinder
weitergegeben, so daß Genetiker Entwicklungsvorgänge leichter
zurückverfolgen können. Nach der Mitochondrien-DNA-Unter-
suchung der beiden amerikanischen Labore haben alle Menschen
eine gemeinsame Mutter, die vor ca. 200 000 Jahren in Afrika, nach
den Fossilienfunden wahrscheinlich in Ostafrika, gelebt hat.

Von dort aus wanderte der moderne Mensch zunächst bis nach
Südafrika und in den Nahen Osten. Die ältesten Überreste des
modernen Menschen in Europa datieren in die Zeit von vor 36 000
bis 30 000 Jahren. Sie kommen aus Velica Pécina in Kroatien, Mla-
dec und Zlaty Kun in Tschechien, Stetten in Deutschland und Cro-
Magnon in Frankreich. Etwa gleichzeitig fassen wir auch die frühesten Spuren im fernen Asien, in der Niah Höhle der Insel Borneo (40 000 Jahre) und in einer Höhle bei Zhoukoudian in
Nordostchina (30 000–25 000 Jahre). Vor ca. 30 000 Jahren erreichte der moderne Mensch erstmalig Australien, wie ein Schädel von
den Willandra-Seen und ein Skelett vom Mungo-See in Südost-
australien dokumentieren. Über die 1 000 Kilometer breite Bering-

Landbrücke, die während der letzten Eiszeit bestand, erreichte der moderne Mensch vor ca. 20 000 Jahren die nordwestliche Spitze Amerikas. Die ältesten Werkzeuge kommen aus den Bluefish-Höhlen in Alaska. Unsicher ist, wann der moderne Mensch in südlichere Gefilde Amerikas vordrang, weil Alaska und die benachbarten Gebiete in Kanada durch große Gletscher vom übrigen Nordamerika getrennt waren. Wahrscheinlich wanderte er mit dem Abschmelzens des Eises vor rund 14 000 Jahren weiter nach Süden. Spätestens vor ca. 12 000 Jahren erreichte er Südamerika, wo gerade in den letzten Jahren immer mehr Zeugnisse aus dieser Zeit gefunden werden.

Versucht man zusammenfassend dem Weg der Menschwerdung zu folgen, ergibt sich in etwa folgendes Bild: Die Wiege der Menschheit lag also in Afrika. Vor ca. 30 Millionen Jahren entstanden die ersten Menschenaffen in den Regenwäldern des tropischen Afrika. Vor 6–5 Millionen Jahren trennte sich die Entwicklungslinie von Menschenaffen und Menschen. Die ältesten Fossilien nach der Trennung stammen vom Ardipithecus ramidus (Abb. 2); Die Reste dieses „an der Wurzel stehenden Bodenaffens", die 1992 von Tim White, Gen Suwa und Berhane Asfaw bei Aramis in Äthiopien entdeckt wurden, sind ca. 4,4 Millionen Jahre alt; dieses Wesen konnte sich bereits längere Zeit aufrecht am Boden fortbewegen, hielt sich aber auch noch häufig auf den in seiner Heimat wachsenden Tropenbäumen auf. Vor ca. 4,2 Millionen Jahren entstand der Australopithecus anamensis, der bis vor ca. 3,8 Millionen Jahren am Turkana-See in Tansania lebte. Aus ihm entwickelte sich wohl vor ca. 3,7 Millionen Jahren der Australopithecus afarensis, der wahrscheinlich der Stammvater der übrigen bisher bekannten Australopithecinen war. Die Ardipithecinen und Australopithecinen gingen erstmals dauerhaft aufrecht. Aus den Australopithecinen ging vor ca. 2,5 Millionen Jahren der Homo rudolfensis und vor ca. 2,1 Millionen Jahren der Homo habilis hervor. Vom Homo rudolfensis wurden vor 2,5 Millionen Jahren erstmalig Steine zu sehr einfach beschlagenen Werkzeugen bearbeitet. Vor ca. 2 Millionen Jahren entstand der Homo erectus. Ob er vom Homo rudolfensis oder vom Homo habilis abstammt und wie die letzteren beiden zueinander stehen, ist umstritten. Der Homo erectus war der erste Jäger – ein Nahrungserwerb, der, in Gruppen betrieben, einen größeren sozialen Zusammenhalt voraussetzte. Vor späte-

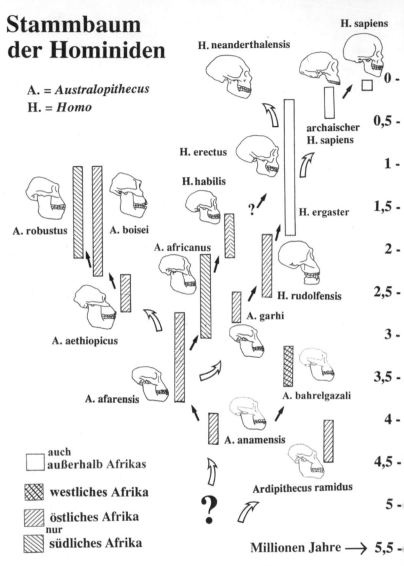

Stammbaum der Hominiden

A. = *Australopithecus*
H. = *Homo*

H. sapiens

H. neanderthalensis

0 -

archaischer
H. sapiens

0,5 -

H. erectus

1 -

H. habilis

1,5 -

H. ergaster

A. robustus   A. boisei

A. africanus

? ↗

A. aethiopicus

2 -

H. rudolfensis

2,5 -

A. garhi

3 -

A. afarensis

3,5 -

A. bahrelgazali

4 -

A. anamensis

4,5 -

Ardipithecus ramidus

auch
außerhalb Afrikas

westliches Afrika

östliches Afrika

nur
südliches Afrika

?

5 -

Millionen Jahre → 5,5 -

Abb. 2: Stammbaum der Menschheit.

stens 1,5 Millionen Jahren stellte er komplizierte Steinwerkzeuge her und vor 700000 Jahren, möglicherweise aber bereits vor 1,4 Millionen Jahren, beherrschte er das Feuer. Diese sogenannten Acheuléen-Werkzeuge waren so beschaffen, daß der Homo erectus ihre Herstellung planvoll angegangen haben und die dabei eingesetzten Techniken vielleicht seinen Artgenossen mit einer gewissen, wenn auch reduzierten Sprache, weitergegeben haben muß. Der Homo erectus verließ wahrscheinlich als erster unserer Vorfahren Afrika, wanderte bereits vor ca. 1,8 Millionen Jahren bis nach Indonesien und China und vor ca. 1,2 Millionen Jahren bis nach Spanien und Frankreich. Aus ihm ging vor ca. 400000 Jahren in Europa der Ante-Neandertaler hervor, der sich vor ca. 200000 Jahren zum Neandertaler entwickelte. Der Neandertaler starb vor ca. 30000 Jahren aus. Er hatte die Kunst der Fertigung von Steinwerkzeugen vervollkommnet und bestattete erstmalig seine Toten. Wahrscheinlich besaß er als erster auch eine komplexere Sprache. DNA-Untersuchungen haben 1997 ergeben, daß der Neandertaler sicher nicht der Vorfahre des modernen Menschen ist. Letzterer entwickelte sich vor ca. 300000 Jahren in Ostafrika aus dem vor ca. 600000 Jahren im gleichen Gebiet entstandenen archaischen Homo sapiens, dessen Ahn wahrscheinlich der Homo erectus war. Vor ca. 40000 Jahren erreichte der moderne Mensch Europa und Indonesien, vor ca. 30000 Jahren Australien und vor ca. 20000 Jahren Nordamerika.

Drei Eigenarten dominierten bei der Entwicklung des Menschen: 1) Dank der Entwicklung des aufrechten Ganges mußten die Hände nicht länger zu Fortbewegungszwecken eingesetzt werden, sondern wurden frei für andere Tätigkeiten, ja, erlaubten die Entwicklung von Fertigkeiten wie der Herstellung von Werkzeugen oder dem kontrollierten Umgang mit dem Feuer. 2) Die Fähigkeit unserer Ahnen, in Gruppen zu leben und zu jagen, also der soziale Zusammenhalt, verbesserte die Chancen, auch unter erschwerten Bedingungen zu überleben. 3) Dem gleichen Ergebnis kam die wachsende Kommunikationsfähigkeit bis zur Entwicklung einer Sprache im engeren Sinne zugute. Die Optimierung aller drei Elemente ging mit der Vergrößerung des Gehirnvolumens im Verhältnis zum Körpervolumen einher, das Gehirnvolumen erweiterte sich von zunächst 400 ccm bei den Australopithecinen bis zu 1400 ccm beim modernen Menschen. Das Gehirn gewann nicht nur an Masse, sondern die Nervenverbindungen innerhalb des Gehirns verbesserten sich ständig. Ursache für die verbesserte Leistungsfähigkeit des Gehirns war nach Ansicht von Harry Jerison von der University of California in Los Angeles der Drang der Hominiden, geistige Modelle zu entwickeln und sich darüber auszutauschen. Die wachsende Sprachfähigkeit war dafür von äußerster Wichtigkeit. Die Verbesserung der Kommunikation in der Gemeinschaft ermöglichte dem modernen Menschen, sich immer vollkommener in der ihn umgebenden Umwelt zu behaupten.

Die Basis der Erfolgsgeschichte der Gattung Mensch liegt also nicht zuletzt in der Kommunikationsfähigkeit, und jeder weiß, welche Gefahren entstehen, wenn wir – im unmittelbaren und im übertragenen Sinne – diese Fähigkeit verlieren oder ohne Not preisgeben.

2. Die Höhlenmalereien von Altamira und Lascaux

Feuermacher stand am Höhleneingang. Noch war draußen alles dunkel, aber bald würde sich der Himmel im Osten zu färben beginnen. Er spürte schon die aufziehende Kühle des frühen Morgens. Langsam ging er etwas tiefer in die Höhle, wo ein kleines Feuer brannte. Sobald es hell würde, würden er und die anderen Jäger aufbrechen. Gestern hatten die Späher einen Bisonbullen entdeckt; der Einzelgänger war nur einen halben Tagesmarsch entfernt gesehen worden. Sie mußten ihn erlegen, endlich wieder Beute machen. Zwei ältere Sippenmitglieder hatten sich niedergelegt und waren gestorben. Sie hatten sie bestattet und wußten, daß ihnen das gleiche Schicksal drohte, wenn sie in den nächsten Tagen kein Jagdglück haben würden. Der Mann hockte sich beim Feuer nieder und zog einen angekohlten Haselnußstecken aus der Glut. Seine Gedanken liefen weit voraus. Vor seinem geistigen Auge erschien die mächtige Gestalt des Bisons. Wieso zog er allein umher? Wo war seine Herde? Hatten andere Jäger sie getötet? Er stellt sich vor, wie sie ihn in die Schlucht trieben und ihn mit ihren Speeren attackierten – im Kampf um Leben und Tod für beide Seiten, ganz unklar, wer ihn gewinnen würde. Langsam zog er die schwarze Spitze des Haselstammes über den Boden, und unwillkürlich zog er die Linien des Bisons nach. Sein Blick wandte sich wieder zum Höhleneingang – es war soweit, der Morgen graute. Er erhob sich, um die Jäger zu wecken; da fiel sein Blick noch einmal auf die schwarzen Umrisse am Boden. Tatsächlich, das war ein Bison, und da – jetzt rammte er den Stock in den gezeichneten Leib –, da mußten sie ihn treffen. Einen Moment noch schaute er innehaltend auf die Zeichnung. Ein Gedanke stieg in ihm auf; er blickte auf die Wände der Höhle und dann wieder auf den Umriß des Tieres. Wenn er wiederkäme und die Jagd erfolgreich war, dann wollte er einmal etwas versuchen. Mit diesem Vorsatz ging er zu den immer noch schlafenden Jägern.

*

An einem Herbsttag des Jahres 1868 ging Don Modesto Cubillas Pérez wie so häufig mit seinem Hund bei Altamira – einem 155 Meter hohen Hügel, dessen Namen so viel wie „hoher Blick" bedeutet und sich in der Nähe der Stadt Santillana del Mar (Provinz Santander) in Kantabrien/Nordspanien befindet – auf die Jagd. Doch diesmal geschah etwas Ungewöhnliches. Sein Hund blieb nämlich auf der Suche nach Wild zwischen zwei Felsbrocken stecken. Cubillas mußte ihn befreien. Dabei stellte er fest, daß diese Steine den Eingang zu einer Höhle versperrten. Erst acht Jahre später, 1876, erzählte er dem Adeligen Don Marcelino Sanz de Sautuola, der in der Nähe im Dorf Reocin lebte, von der Höhle. Sautuola war Jurist und interessierte sich sehr für die Heimat- und Naturgeschichte, sammelte Steine, Insekten und Antiquitäten. Er entfernte schließlich die Steine vor der Höhle, entdeckte aber beim Hinabsteigen weiter nichts Interessantes.

Zwei Jahre später besuchte Sautuola jedoch die Pariser Weltausstellung, auf der die jüngsten Funde aus der Eiszeit vorgestellt wurden. Sautuola war beim Anblick dieser Schätze überwältigt und wollte daraufhin auch in seiner Umgebung nach steinzeitlichen Objekten suchen. Er stieg erneut in die Höhle hinab, begann einfach zu graben und barg tatsächlich erste prähistorische Werkzeuge aus Stein und Knochen. Einige Zeit später nahm Sautuola seine neunjährige Tochter Maria mit in die Höhle. Während Sautuola wieder damit beschäftigt war, in der Erde zu buddeln, schaute Maria an die Decke und rief plötzlich: „Schau, Papa, Ochsen!" Der Vater glaubte zunächst, seinen Augen nicht trauen zu dürfen, als er über 30 Tierdarstellungen in kräftigem Rot und Schwarz an der Decke erblickte (Abb. 3). Bereits ein Jahr später, im Jahre 1880, veröffentlichte er seine Entdeckungen in dem Büchlein *Kurze Anmerkungen über einige prähistorische Gegenstände der Provinz Santander*. Der Band enthielt neben der Beschreibung der gefundenen Gegenstände eine vorzügliche Reproduktion der Decke von Altamira. Die Malereien verglich der Autor mit den damals allein bekannten Knochenschnitzereien aus Frankreich. Zunächst stürzte sich die Öffentlichkeit mit Begeisterung auf die Malereien, doch bald darauf meldeten Forscher bereits erhebliche Bedenken an und sprachen hinsichtlich der gut erhaltenen Bilder von schlichten Fälschungen aus jüngster Zeit. Einige unterstellten Sautuola sogar, einen befreundeten französischen Maler namens Ratier zu einer

Abb. 3: Altamira, Umzeichnung der polychromen (vielfarbigen) Malereien durch Henri Breuil.

solchen Schandtat verleitet zu haben. Lediglich Juan Vilanova y Piera, Professor für Geologie in Madrid, verteidigte die Authentizität der Höhlenmalereien in einer Reihe von Vorträgen in mehreren Ländern Europas. Doch niemand wollte ihm Glauben schenken. Tatsächlich handelte es sich bei den Funden um die ersten großartigen Felsmalereien, die man zu Gesicht bekam. Allein ihre Frische und Farbenprächtigkeit schien allzu eindeutig gegen ein hohes Alter zu sprechen. Man konnte und wollte zudem damals nicht akzeptieren, daß irgendwelche, vermeintlich „primitive Vormenschen" so wunderbare Malereien hätten schaffen können. Verkannt und verbittert starb Sautuola im Jahre 1888.

Erst als am 11. April 1895 Gaston und Edouard Berthoumeyrou in der Höhle von La Mothe an der Dordogne neben anderen Bildern die gravierte Darstellung eines Bisons entdeckten, kam die Wissenschaft nicht länger umhin, auch die Echtheit und das Alter der Malereien von Altamira anzuerkennen. 1897 reiste der Geistliche und Wissenschaftler Henri Breuil zusammen mit dem berühmten Prähistoriker Emile Cartailhac nach Altamira. Cartailhac erkannte, daß seine zuvor geäußerte Kritik unbegründet war, und

veröffentliche 1902 in dem Artikel *Die mit Malereien geschmückten Höhlen. Die Grotte von Altamira (Spanien). Mea culpa eines
Skeptikers* in der Zeitschrift *L'Anthropologie* sein öffentliches
Schuldbekenntnis. Von diesem Zeitpunkt an widmete Cartailhac
den größten Teil seines Lebens der Erforschung und Konservie-
rung von Höhlenmalereien. 1906 veröffentlichte er zusammen mit
Henri Breuil, der die Malereien in mühevoller Arbeit bei Kerzen-
licht abzeichnete (Abb. 3), eine monumentale Monographie über
die Höhle von Altamira. Diese beiden waren es auch, die dem
Raum dieser phantastischen Malereien den Begriff „Sixtinische Ka-
pelle der eiszeitlichen Kunst" gaben. Bis zum Ausbruch des 1.
Weltkrieges wurden noch mehr als 30 weitere Höhlen mit Malereien unserer Vorfahren erschlossen, darunter Les Combarelles,
Font-de-Gaume und Les Trois Frères in Frankreich sowie El Ca-
stillo und La Pileta in Spanien. Erst im Vergleich zu den später
entdeckten Höhlen konnte man die außergewöhnliche Qualität
der Malereien von Altamira angemessen würdigen. Endlich räumte
man den Malereien überall den hervorragenden Stellenwert ein,
der ihnen gebührte. Nur für Sautuola kam diese Anerkennung seiner Entdeckung leider zu spät.

Ab 1924 begann Hugo Obermaier intensiv im Eingangsbereich
der Höhle zu graben. Er konnte vier längere, sich voneinander
unterscheidende Besiedlungsphasen ausmachen – zwei im Zeitalter
des Solutréen und zwei im Magdalénien. In den Schichten des Solutréen (um 16 500 v. Chr.) barg er Knochen von Hirschen, Pferden, Gemsen, Steinböcken, Wisenten und Auerochsen, seltener
hingegen von Wildschwein, Bär, Mammut, Luchs, Wolf, Fuchs,
Reh, Damhirsch, Rentier und Robbe. Holzkohlenfragmente fand
er unter anderem von Ginster, Wacholder, Eiche, Weiden und Ka-
stanie. Zudem entdeckte er Steinwerkzeuge wie Stichel, Kratzer
und Geschoßspitzen. In den Schichten des Magdalénien (um
13 500–12 500 v. Chr.) kamen Knochen von Hirschen, Gemsen,
Pferden, Fischen und außerdem Napfmuscheln zum Vorschein,
ebenso wie Überreste von Reh, Hase, Wisent, Wolf, Fuchs, Bär,
Mammut, Kranich und von einer Krabbe; Holzkohlenfragmente
verwiesen auf die gleichen Sträucher und Bäume wie in den älteren
Schichten. Weiterhin zählten Geschoßspitzen und viele Werkzeuge
aus Geweih und Hirschschulterblätter mit eingeritzten Hirsch-
kuhköpfen zu den Funden. Die Beutetiere der Steinzeitmenschen

waren also nicht nur Bestandteile eines reizvollen Speizezettels, sondern auch Rohstofflieferanten für die Werkzeugfertigung.

1935 erschien die ausführlichste Publikation über Funde und Malereien von Altamira von Henri Breuil und Hugo Obermaier. In den Jahren 1980 und 1981 wurden nochmals Nachgrabungen von J. González Echegray und Leslie G. Freemann unternommen, um nach neuesten Forschungs- und Ausgrabungsmethoden die früheren Ergebnisse zu überprüfen und zu erweitern. In den Jahren von 1917 bis 1978 war die Höhle für Besucher geöffnet. Seit 1982 fanden jedoch nur noch in Ausnahmefällen kleine Gruppen nach schriftlicher Voranmeldung Einlaß. Was sie sahen, war in etwa folgendes: Die Höhle von Altamira ist ungefähr 300 Meter lang. Von einer großen Vorhalle dringt ein Gang zweimal abgewinkelt in den Hügel ein. Er endet in einem anderen etwa 70 Meter langen, sehr schmalen und niedrigen Tunnel. Vom Hauptgang aus öffnen sich darüber hinaus größere Säle und kleinere Kammern.

Schon im ersten, 18 Meter langen und 9 Meter breiten Saal befinden sich großartige sogenannte „polychrome" (vielfarbige) Malereien, die aber ursprünglich nur in Schwarz und Rot oder Ocker ausgeführt worden waren. An der Decke der Höhle zeigen sich vier Hirschkühe, ein Hirsch, 27 Wisente, zwei Pferde und drei weitere Tiere, die mal als Wisente, mal als Wildschweine interpretiert werden. Im Durchschnitt sind die Tiere etwa zwei Meter groß. Sie springen, schreiten oder ruhen. Die Künstler haben den naturräumlichen Untergrund genutzt und ihre Gemälde oft auf wunderbare Weise in hervorspringende Felsbuckel eingearbeitet. Außerdem sind etwa zehn Pferde, ein Steinbock, ein Elch und mehrere Hände dargestellt sowie keulen- und rasterartige Motive. Mehrere übereinanderliegende Malereien von mindestens drei Wisenten, einem Auerochsen, zwei Steinböcken, drei Hirschen und fünf Pferden schließen sich an. Den nächsten Teil der Decke bevölkern fünf Steinböcke, zwei Auerochsen, zwei Pferde, 18 Hirschkühe und fünf Hirsche, hinzukommen etwa 70 „Hütten" oder „Kometen" genannte Gruppierungen von Strichen, die strahlenförmig in einem Bereich zusammentreffen, zudem acht Menschen mit Masken, die wahrscheinlich Vögelköpfe darstellen.

Diese kunstvoll ausgeführten Malereien – teils in erstaunlichem Abstraktionsgrad – setzen sich in zwei weiteren, anschließenden

Räumen fort, ehe das System in einem langen Gang, dem sogenannten „Pferdeschweif" endet.

Während die Malereien im ersten Saal zunächst polychrom ausgeführt sind, werden sie, je weiter sie sich im Innern der Höhle
befinden, in ihrer Struktur immer einfacher und sind nur noch
geritzt und/oder schwarz. Insofern wurden die polychromen Malereien auf den in die Höhle Eintretenden abgestimmt, Wisente
attraktiv in Erhebungen eingearbeitet. Während der Künstler die
ersten Tiere in polychromer Technik noch stehend malen konnte,
mußte er die übrigen kniend fertigen. Er arbeitete so, daß er immer
schräg zum einfallenden Licht mal von der einen, mal von der
anderen Seite malte. Auch die Umrandung der Tiere wurde zunächst nicht graviert, sondern gemalt. Sie erfolgte in zwei schwarzen Holzkohlestrichen – der eine vom Kopf bis zum Schwanz
über den Rücken und der andere über die Füße und den Bauch.
Da die Kalkfelsen wohl stets etwas feucht waren, hafteten die Malereien besonders gut, und auch Gravierungen konnten leicht vorgenommen werden. Die Künstler verwendeten zudem gerne verschiedene Techniken, die sie bei der Malerei und der Gravierung
miteinander vermischten und dabei in der einen oder anderen Weise bestimmte Details akzentuieren konnten. Die Gravierungen kamen als frische Ritzspuren sehr viel heller als der dunklere Felsen
zum Vorschein, wodurch sich die Kontrastierung ebenfalls erhöh-
te. Altamira galt über lange Zeit hin uneingeschränkt als die Höhle
mit den schönsten prähistorischen Felsmalereien.

Der Abenteuerlust des 17jährigen Marcel Rivadat und seiner
Freunde im Jahre 1940 verdanken wir die Entdeckung der berühmtesten Höhlenmalereien Frankreichs und damit weitere
prachtvolle Werke der prähistorischen Künstler. Auf einem Hügel
bei Lascaux lag ein legendenumwitterter Herrensitz, zu dem angeblich ein Geheimgang führen sollte. Der junge Marcel Ravidat
und seine Freunde Jean Clausel, Louis Périer und Maurice Quey-
roy träumten davon, diesen geheimnisvollen Gang zu finden. Am
8. September 1940 durchstreiften sie mit dem Hund Robot das
Gebiet, bis dieser bei einem verborgenen Erdloch laut zu bellen
begann. Aufgeregt entfernten die Jungen das darüber liegende Ge-
strüpp und stießen auf die Öffnung eines tiefen Schachtes. Sie war-
fen sogleich einen Stein hinein, um zu erkunden, wie tief der
Schacht wohl sei. Der Stein schlug erst nach einiger Zeit auf. Sie

wußten nun, daß das Loch zu tief war, um einfach hineinzuklettern. Am 12. September kehrte Ravidat mit den Schulkameraden Jacques Marsal, Jojo Agnel und Simon Coencas an den Ort zurück. Sie vergrößerten zunächst die Öffnung. Dann kletterte Rivadat in das 5–6 Meter tiefe Loch. Er machte seine Lampe an, tastete sich nur einige Schritte vor, stolperte und rutschte nach unten – zum Glück, ohne sich zu verletzen. Unten nun auf diese Weise angekommen, rief er seine Freunde, die ihm vorsichtig folgten. Gemeinsam betraten sie einen Teil der Höhle und blickten völlig überrascht auf gemalte Tierbilder. Am nächsten Tag, dem 13. September, erforschten sie zusammen mit dem herbeigerufenen Maurice, dem Bruder von Simon Coencas, die Höhle und stießen dabei noch auf viele weitere Malereien. Sie nahmen sich vor, ihren ehemaligen Lehrer Léon Laval in ihre Entdeckungen einzuweihen. Am 16. September trafen sie sich mit ihm und bereits einen Tag später stieg er mit einigen Jungen in die Höhle, deren Eingang mittlerweile so vergrößert worden war, daß auch Erwachsene durch die Öffnung paßten. Zusätzlich wurde der bekannte Höhlenmalereiforscher Abt Henri Breuil, der aus Angst vor seiner Verhaftung durch die Deutschen von Paris nach Brive geflüchtet war, telefonisch benachrichtigt. Unterdessen sprach sich die Entdeckung als Sensation herum und viele Neugierige machten sich auf, um die Höhle zu besichtigen. Nach dem Ende des 2. Weltkrieges kamen schließlich zahlreiche Touristen, aber auch die wissenschaftliche Erforschung der Höhle setzte ein, wenngleich nur sehr zurückhaltend.

Der Abt Glorys pauste nun die Malereien ab, doch wurden ihm intensivere Ausgrabungen fast gänzlich verwehrt, weil wegen des großen Touristenandrangs Leitungen für eine bessere Luftzufuhr verlegt werden mußten. Wichtiges Forschungsterrain wurde beim Ausschachten für immer zerstört! Mit der Frischluft und der Atemluft der Besucher kam Feuchtigkeit in die Höhle, und 1963 waren die ersten Darstellungen derart von Algen befallen, daß die Höhle für Touristen geschlossen werden mußte, um nicht noch größere Schäden zu verursachen.

Vor etwa 17000 Jahren war die Höhle direkt zugänglich. Der Gewölbeeinsturz erfolgte erst später, auch lag das Bodenniveau wesentlich tiefer. Es floß zu jener Zeit ein Bach nahe am Höhleneingang vorbei; die ihn umgebenden Erdaufschüttungen kamen

N

schlauchförmi

AXIALE AUSBUCH

Nordwand

A   B

Schleuse 2   Schleuse 3

Eingangsschleuse

B2

HALLE DER STIERE

C2

C1

Eingang axiale Ausbuchtung

Konche A

Konche B

Südwand B

Eingang der Passage

C3

Bauet Schleuse

F

Konche C

E   DURCHGAN

Konche D

G   H

Konche E

I

Profil F

A

B

Rechte Ausbuchtung

Schacht West

APSIS

J   K

SCHIFF

R

E

Schuttablagerung West

versandete Halle

„Mor

obere kleine Apsis West

schlauchförmiges Endstück Südwest

0   5 m   10 m

Abb. 4: Lascaux, Plan der Höhle.
Die Buchstaben im kartographischen
Verlauf der Höhle bezeichnen lediglich
einzelne, von den Forschern auf diese
Weise gegliederte Teilabschnitte.

stürzendes Pferd

nloch   **B**   AUSBUCHTUNG DER KATZENTIERE

Treppe   **C**

    E

A   **G**

  D

   F   **I**

   H

      I'

Steg über den Schacht Süd

     K

   J

45

erst im Laufe der Jahrtausende hinzu. Von der ehemaligen Uferböschung aus führte ein etwa 20 Meter langer Gang in die Vorhalle. Dort konnte man bei Ausgrabungen feststellen, daß es zehn bis zwölf unterschiedlich Phasen gegeben haben mußte, in denen die Höhle bewohnt war. In den letzten beiden Phasen, die sich über zwei bis drei Generationen hinzogen, sind die meisten Malereien entstanden. Am Eingang finden sich unterschiedliche Farbstoffpartikel in Schwarz, Rot, Braun und Gelb zur Ausführung der Bilder. Sogenannte Feuersteinknollen, mit denen man Steinklingen und anderes Gerät anfertigte, zählten ebenso zu den Funden.

Die wunderbaren polychromen Malereien erscheinen gleich hinter dem Eingang, in der sogenannten Halle der Stiere, die 17 Meter lang und 7 Meter breit ist (Abb. 4). Die Decke wird von verschiedenen Tieren geschmückt, darunter Pferde, Auerochsen, Hirsche und ein Bär, von dem jedoch lediglich der Kopf und die Vorderläufe mit ihren bedrohlich aussehenden Tatzen zu sehen sind. Der Bär ist übrigens innerhalb des Körperumrisses eines Auerochsen abgebildet. Während die Pferde gerade so gezeichnet sind, als wenn sie nach rechts, in die Tiefe der Höhle galoppieren würden, stehen ihnen die Auerochsen entgegen, die nach links, dem Ausgang entgegen zu streben scheinen. Einer der Auerochsen ist in imposanter Länge von 5,50 Metern dargestellt. Es ist die größte gemalte Figur der Steinzeit überhaupt. Die Umrisse des Tieres sind mit schwarzem Magnesium gemalt. Die zweite Figur in der Vorhalle ist die Seltsamste der gesamten Tiergruppe und hat heftige Diskussionen ausgelöst. Es handelt sich dabei um das sogenannte „Einhorn", das die Höhle zu betreten scheint. Auf stämmigen kurzen Beinen erhebt sich ein kurvenreicher Körper mit einer Art Hängebauch. Der Kopf hat hingegen zwei ungewöhnlich lange und gerade Hörner. Auf dem Körper des „Einhorns" zeichnen sich sechs Ringe ab. Es muß dahingestellt bleiben, ob es sich hierbei um ein Phantasietier oder um eine mißglückte Raubkatze, vielleicht gar um ein Nashorn handelt, oder ob nicht doch ein eiszeitlicher Schamane präsentiert werden sollte, der in Gestalt eines magischen Tieres erscheint.

Die Malereien der Vorhalle befinden sich heute in einer Höhe von 3,50 bis 4 Metern und waren früher – wegen des tiefen Bodenniveaus – noch höher gelegen. Die Künstler müssen also auf eigens errichteten Holzgerüsten gearbeitet haben.

Hinter der Halle der Stiere teilt sich die Höhle in zwei Gänge, einen langen Hauptgang, der sich etwas später aufspaltet, und einen schlüsselförmigen Gang mit axialer Ausbuchtung. Letzterer ist nochmals etwa 20 Meter lang und bisweilen so schmal, daß er jeweils nur von einer Person beschritten werden kann. In der axialen Ausbuchtung finden sich die wohl schönsten Malereien von Lascaux, die ebenfalls in über 4–5 Metern Höhe ausgeführt wurden. Zunächst sieht man eine „Kuh mit Halskragen" in Rot-Ocker und Schwarz. Ihr Brustkorb und ihre Schulter treten geradezu plastisch hervor, da in ihre Darstellung geschickt ein Felsvorsprung mit einbezogen wurde. Der schwarze Hals und der Kopf, mit seinen fein gezeichneten, wellenförmigen Hörnern, weist zum Innern der Höhle, wo weitere Kühe und Pferde abgebildet sind. Auf der gegenüberliegenden Seite stolziert ein röhrender Hirsch mit gewaltigem Geweih. Es folgen zwei Steinböcke, Pferde und Kühe. Drei gelbe Pferde mit schwarzer Umrandung stechen aus den ansonsten schwarz oder ockerrot und schwarz gehaltenen Tieren hervor. Sie zeichnen sich vor allem durch ihre elegant gezogenen Umrißlinien aus.

Nach einem etwa 4 Meter langen Gang ohne Bebilderungen folgt eine Menge weiterer Tiere in Schwarz, Ockergelb und Braunrot: Auerochsen, Kühe, Pferde und Steinböcke. Eine sehr in die Länge gezogene Kuh scheint von einem Speer getroffen zu sein und in den letzten Zuckungen die Hufe weit von sich zu strecken. Zwischen den Tieren stehen zwei mysteriöse Gitter, deren Bedeutung bis heute nicht geklärt werden konnte und die sich in dieser Art auch nur in den Höhlen von Lascaux und Gabillou finden. Am Ende dieses Höhlenabschnitts, an dem ein weiterer schmaler Gang beginnt, stauen sich dann die dargestellten Szenen, gerade so, als ob die Tierherde in die Enge dieser Schlucht getrieben worden wäre. Dicht zusammengedrängt versammeln sich, bis zu zwei Reihen übereinander geschichtet, Pferdeleiber verschiedener Rassen und ein Bison. Den Höhepunkt der gesamten Szenerie bildet ein zusammenbrechendes Pferd.

Weitere Gänge mit eindrucksvollen Darstellungen schließen sich an, doch sind es zu viele, als daß sie hier beschrieben werden könnten: darunter schwimmende Hirsche, von Speeren durchbohrte Raubkatzen und im „Schacht" ein monumentaler Bison, der von einem Speer getroffen ist und dessen Gedärme aus dem Körper heraushängen, während sich der Schwanz nach vorn windet und sich die stolze Mähne und die Fellhaare zum letzten Mal sträuben – im Todeskampf hat er noch einmal drohend den Kopf eingezogen und die Hörner nach vorn gegen einen vor ihm liegenden Mann gerichtet, unter dem ein mit einem Vogel verzierter Stab und eine Waffe liegen.

Die Malereien von Lascaux bestechen in ähnlicher Weise wie die Malereien von Altamira durch ihre lebendige Darstellungsweise, bei der es nicht darauf ankam, die Tiere sozusagen fotografisch getreu abzubilden, sondern ihre Charakteristik und ihre Dynamik wiederzugeben. So entsprachen die Bilder sehr viel eher den Erlebnissen der Steinzeitmenschen und ihrer genauen Beobachtungsweise. Gleichzeitig wollte man die Malereien in den jeweiligen Raum der Höhle und in die Struktur der Felsformationen harmonisch integrieren, was den Künstlern auch besonders gut gelungen ist.

Die Malereien von Lascaux befinden sich meistens auf einer Kalkspatkristallschicht, die Gravierungen hingegen erscheinen losgelöst oder in der Verbindung mit Malereien auf Kalksteinfelsen.

Die altsteinzeitlichen Höhlenmalereien wurden mit nur wenigen Farben ausgeführt. Rot wurde aus Eisenoxyden, Ocker aus Hämatit und Goethit, Weiß aus Glimmer und feinen Quarzkörnern, Schwarz aus Holzkohle oder Mangandioxid und Manganoxyd, Braun und Gelb schließlich aus Limonit (Brauneisenstein) und aus Hämatit in Kombination mit Manganoxyd gewonnen.

Zunächst kennzeichneten die Maler die Figuren mit schwarzen oder roten Umrißlinien. Entweder nahmen sie dabei ihre Finger, einen Pinsel oder einen Stift zu Hilfe. Dann füllte man die Körperpartien mit der gleichen oder mit einer anderen Farbe aus und kontrastierte dunklere und hellere Flächen; dabei sparte man je nach Bedarf Partien aus, um den Figuren auf diese Weise Volumen zu verleihen. Sprenkel, Punkte oder Striche konnten das Ganze noch zusätzlich beleben.

Die meisten Malereien sind monochrom (einfarbig). Viel seltener stößt man dagegen auf zweifarbige Bilder, die dann meist in Schwarz und Rot oder Ocker gehalten sind. Äußerst selten sind hingegen polychrome (vielfarbige) Malereien, wobei auch bei diesen zwei Grundfarben dominieren und lediglich die Schattierungen zusätzliche Farbtöne erkennen lassen.

Viele der Darstellungen wurden mit Hilfe einer Klinge, eines Abschlags oder eines Stichels aus Stein geritzt, wobei nur selten mehr als eine Linie gezogen wurde. Es gibt aber auch Beispiele, bei denen die Linien mehrfach nachgezogen wurden. Die Kombination von Ritzungen mit einer Farbe war ebenfalls beliebt.

Erst in den letzten Jahren konnten naturwissenschaftliche Untersuchungsmethoden für die Malereien in ungefähr 40 von mittlerweile über 300 bekannten Höhlen Datierungen liefern. Die Spannbreite der Entstehungszeit reicht zurück bis vor etwa 31 500 Jahren in der Grotte Chauvet bzw. 27 000 Jahren in der Grotte Cosquer und bis vor 12 900 Jahren in der Höhle von Niaux bzw. 11 600 Jahren in der Höhle von Le Portel. Das Bedürfnis, Lebewesen und Gegenstände der eigenen Umwelt im Bild festzuhalten, kommt also erst bei unserem direkten Vorfahren, dem Homo sapiens auf – zumindest ist er der erste, der einen solchen Wunsch realisiert. Der Neandertaler scheint diese Neigung noch nicht verspürt zu haben. Kunst zu schaffen, ist also dem Homo sapiens eigen und gehört zu seinen wichtigsten, sich schon früh manifestierenden Bedürfnissen. Die meisten Höhlenmalereien sind zwischen 15 500 und 13 500 Jahre alt. Die berühmten Malereien von Altamira und Lascaux gehören größtenteils in diese Zeit (das Alter nur weniger Darstellungen in Lascaux läßt sich bereits auf etwa 17 200 Jahre datieren). Sie stellen nach unserem gegenwärtigen Kunstverständnis den Höhepunkt in der Kunst der Höhlenmalerei dar.

Unsere Vorfahren standen damals am Ende der letzten Eiszeit, der sogenannten Würmeiszeit. Das Eis bedeckte große Teile Nordeuropas und sämtliche Gebirgslandschaften. Nordspanien und Südfrankreich besaßen ein Klima wie heute etwa Schottland. Der Meeresspiegel war stark gesunken – etwa 120 Meter unter den gegenwärtigen – und die Küstenlinie war sehr viel weiter vorgelagert. Weite Grasebenen, unterbrochen von Mischwäldern, überzogen das Land.

Die Menschen sammelten Beeren, Blätter, Wurzeln, Früchte und Pilze oder jagten als Sippen mit Speeren und Pfeil und Bogen. Meist werden es Treibjagden gewesen sein, die Tieren galten, welche sich den rauhen klimatischen Verhältnissen angepaßt hatten: Wisente, Bisons, Auerochsen, Steinböcke, Rentiere, Wildpferde, Bären, Mammute, Höhlenlöwen, Hyänen und Wollnashörner. Die

Tiere lieferten den Menschen Fleisch zum Essen, Fett zum Verbrennen, Felle für ihre Kleidung und zur Ausstattung der Hütten, Knochen und Geweihe für die Fertigung von Werkzeugen wie Geschoßspitzen, Messer und Nadeln. Tierzähne wurden als Anhänger und Ketten verwendet. Tiergebeine arbeitete man zuweilen in kleine Plastiken um oder brachte darauf Ritzzeichnungen an, in denen auch nach so langer Zeit der Betrachter den Gestaltungswillen des Künstlers spürt und das Bedürfnis, seinen Empfindungen und Erlebnissen Ausdruck zu verleihen.

Die Zahl der Deutungen und der Deuter dieser prähistorischen Kunstwerke ist zahlreich. Jagd- und Fruchtbarkeitszauber vermuten die einen, totemistische Annäherungen an die eigenen tiergestaltigen Vorfahren die anderen; wieder andere setzen einzelne der abgebildeten Tierarten mit dem männlichen und weiblichen Geschlecht gleich und unterlegen ein sexuelles Deutungsmuster. Solange es keine Zeitmaschine gibt, werden wir um die Wahrheit mit Theorien ringen müssen. Was aber – jenseits aller Theorien – bleibt, ist die in den Kunstwerken sichtbar werdende Fähigkeit, die Außenwelt abzubilden und sie auch zu gestalten. Spürbar wird die Achtung vor den Tieren, von deren Existenz das eigene Überleben abhängig war, spürbar wird aber auch der Stolz auf die eigene Fähigkeit, selbst Bisons, diese Riesen der Wildbahn, durch List und Technik zu überwinden. So setzte man hohe Kunstfertigkeit ein, Figuren in ihrer ganzen Würde ins Bild zu bringen – Mensch und Tier in gleichem Maße, ja, das Tier viel häufiger und oft viel größer als den Menschen. Deshalb können diese Höhlenmalereien mehr für uns sein als nur eindrucksvolle Bilder; sie können uns lehren, den Menschen wieder in einem angemessenen, redimensionierten und damit realistischen Verhältnis zu seiner Umwelt und seinen Mitgeschöpfen zu sehen.

3. Der Gletschermann aus den Ötztaler Alpen

Der Frühling dieses Jahres war eine einzige Enttäuschung. Nachdem es bald warm geworden und der Schnee schon weitgehend geschmolzen war, hatte der Hirte die Ziegen aus dem Dorf auf die Alpenhänge geführt, auf denen sich schon saftiges Grün zeigte. Dann aber hatte sich das Wetter verschlechtert; Schneeschauer waren über das Land gezogen und hatten immer wieder den Rückzug von den Matten erzwungen. Vor ein paar Tagen sah es so aus, als ob es nun endlich dauerhaft wärmer werden und der Winter sich zurückziehen wollte. Wieder war der Hirte aufgebrochen, aber diesmal hatte es ihn noch ärger getroffen. Nachts war ein Bär in seine Herde eingebrochen und hatte zwei Tiere gerissen; schlimmer noch war, daß weitere Tiere in Panik in die Berge geflohen waren. Zumindest ein paar wollte er wiederfinden und hatte sich aufgemacht, ihren Spuren zu folgen. Dann aber war das schlechte Wetter zurückgekommen. Nun hatte er zwar im Neuschnee die Fährte einiger Tiere gut lesen können, doch war er auf seinem Marsch über ein verschneites Loch gestolpert und mit der Brust auf einen Stein gestürzt. Das Atmen schmerzte bei jedem Schritt. Der Unfall lag jetzt zwei Tage zurück, aber er wollte die Suche noch nicht abbrechen; im Dorf hatte man großes Vertrauen zu ihm, das er nicht enttäuschen durfte.

Er stieg höher hinauf, als es um diese Jahreszeit vernünftig war. Als die Nacht hereinbrach, fand er eine Mulde, die wenigstens etwas Schutz vor dem immer eisiger werdenden Wind bot, der dunkle Schneewolken vor sich hertrieb. Der Hirte kauerte sich zusammen; er dachte an seine Freunde im Tal, die jetzt um ein Feuer saßen.

*

Als am Abend des 23. September 1991 im Fernsehen die ersten Aufnahmen von der am selben Tag in den Ötztaler Alpen geborgenen Gletscherleiche um die Welt gingen, ahnte man nicht, welchen einmaligen Glücksfund man gemacht hatte. Noch schätzte man das Alter der Leiche auf einige hundert Jahre, doch schon einen Tag später erkannte man, daß sie wesentlich älter war. In der folgenden Zeit wurde der Tote aus den Bergen zum archäologischen Medienspektakel des 20. Jahrhunderts und stellte dabei andere spektakuläre Funde – sogar die Entdeckung des Grabes von Tut-anch-Amun – weit in den Schatten. Das amerikanische *Time Magazine* sollte „Ötzi", wie die Leiche bald liebevoll genannt wurde, neben Prinzessin Diana und Magic Johnson sogar in die Liste der 25 berühmtesten Persönlichkeiten des Jahres 1991 aufnehmen. Doch bevor so viele internationale Wissenschaftler wie noch nie zuvor mit modernsten Forschungsverfahren dem Toten und seiner Ausrüstung immer mehr Geheimnisse entreißen konnten, mußten viele Schwierigkeiten überwunden werden, die anfänglich durch die Fehleinschätzung des Fundes und des Fundortes verursacht worden waren. Um all diese Mißverständnisse und Fehlmeldungen besser verstehen zu können, muß man sich noch einmal die Fundgeschichte selbst vor Augen führen.

Am Donnerstag, den 19. September 1991, entdecken gegen 13.30 Uhr die Eheleute Erika und Helmut Simon aus Nürnberg, die ihren Urlaub in den Ötztaler Alpen verbrachten, beim Abstieg von der Finailspitze zur Similaunhütte etwas unterhalb des Hauslabjoches auf 3 210 Meter Höhe im Gletschereis einen Toten. Auf den ersten Blick vermuten sie in der Leiche einen verunglückten Bergsteiger. Zur Dokumentation des grausigen Fundes schießt Helmut Simon ein Foto – das letzte auf seinem Film. Er ahnt nicht, daß es schon bald zu einer der meistbegehrten Aufnahmen des Jahres 1991 werden soll. Danach steigt das Paar in etwa einer Stunde zur Similaunhütte ab. Die Eheleute unterrichten den Wirt Markus Pirpamer von ihrem Fund und geben eine genaue Lagebeschreibung. Kurz darauf informiert der Hüttenwirt die Carabinieri im südtirolerischen Schnals und die Gendarmen im nordtirolerischen Sölden, weil der Leichnam im Grenzgebiet zwischen Österreich und Italien liegt. Da die Carabinieri jedoch kein Interesse zeigen und die österreichischen Polizisten sich zuständig fühlen, übernehmen sie den Fall. Markus Pirpamer benachrichtigt zudem seinen Vater Alois Pirpamer, der Bergrettungsobmann im oberen Ötztal ist. Alois Pirpamer verbindet schon nach kurzen Nachforschungen die Gletscherleiche mit dem seit ungefähr 50 Jahren in dieser Gegend verschollenen Veroneser

Musikprofessor Carlo Capsoni. Markus Pirpamer selbst begibt sich mit seinem bosnischen Küchengehilfen Blaz Kulis zum „Tatort", um die Fundstelle für eventuelle Nachfragen genau bestimmen zu können.

Am frühen Freitagnachmittag, den 20. September 1991, versuchen der Bezirksinspektor Anton Koler vom Gendarmerieposten Imst, der mit einem Hubschrauber in der Nähe des Hauslabjochs landet, und der von der Similaunhütte herbeigeeilte Wirt Markus Pirpamer, die Leiche zu bergen. Der Gendarm nimmt zuerst ein Situationsfoto auf, das noch neben dem Kopf ein intaktes Birkenrandgefäß zeigt (Abb. 5). Danach setzen der Inspektor und der Hüttenwirt einen Schrämmhammer an, um den Toten aus dem Eis zu befreien. Dabei rutscht das Gerät bisweilen ab und verletzt den Leichnam an der linken Hüfte und am linken Oberschenkel. Als der Körper zur Hälfte freigelegt ist, versagt der Schrämmhammer seinen Dienst. Trotz größter Anstrengungen gelingt es den beiden Männern nicht, den Toten mit bloßen Händen aus dem Eis zu lösen. Weil sich auch das Wetter verschlechtert, müssen sie fürs erste aufgeben. Koler fotografiert noch ein paarmal die Leiche und den Fundort. Er steckt das neben dem Toten liegende Beil als Beweisstück ein; denn wegen des altertümlich anmutenden Beiles glaubt er, daß der Mann im Eis bereits im 19. Jahrhundert gestorben sei. Als der Hubschrauber in Imst landet, übergibt er das Beil im Beisein von Alois Pirpamer seinem Kollegen Sieghart Schöpf, der es in der Gendarmerie von Sölden deponieren wird. Dadurch allerdings verschwindet das am leichtesten zu datierende Objekt für die folgenden Tage; und so wird man Koler im nachhinein vorwerfen, daß man wegen seiner Handlungsweise erst so spät zu einer genaueren zeitlichen Einordnung gekommen sei und den Fund falsch eingeschätzt habe. Tatsächlich ist es vielleicht nur der Vorsicht Kolers zu verdanken, daß durch diese Sicherstellung das Beil nicht verlorengegangen ist. Denn nun bricht das Wochenende an und man kann nur ungefähr rekonstruieren, welche Personen bis zur endgültigen Bergung die Leiche vom Hauslabjoch gesehen haben.

Am Samstag, den 21. September 1991, gehen Markus Pirpamer und sein Küchengehilfe Kulis nochmals zur Leiche, um sie mit einem aufgeschnittenenen Plastikmüllsack abzudecken und Schnee darauf zu häufeln, damit mögliche Passanten nicht auf den Toten

Abb. 5: „Ötzi" in Fundlage.

aufmerksam werden. Markus Pirpamer sieht dabei etwa 20 Meter
von dem Verunglückten entfernt ein großes Birkenrindenstück,
das er mitnimmt. Gegen 15.00 Uhr kehren der Bergsteiger Reinhold Messner mit Hans Kammerlander und ihrem Bergführer

Kurt Fritz in der Similaunhütte ein, um sich mit dem Ötztaler Volkskundler Dr. Hans Haid und seiner Frau, der Volksmusikforscherin Gerlinde Haid, zu treffen. Sie hören dort von der ungewöhnlichen Entdeckung und Markus Pirpamer skizziert ihnen das gefundene Beil. Reinhold Messner ahnt als erster, daß es sich um einen wichtigen archäologischen Fund handeln könnte und der Mann im Eis mindestens vor 500, wenn nicht vor 3000 Jahren umgekommen ist. Sie sehen sich den Verunglückten an, fotografieren ihn mehrmals, und Gerlinde Haid sammelt zahlreiche Birkenrindenstücke ein, die sie einige Wochen später den Wissenschaftlern übergeben wird.

Am Sonntag, den 22. September 1991, legen der Bergrettungsobmann Alois Pirpamer und Franz Gurschler um 8.00 Uhr die Gletscherleiche ganz frei, damit die am nächsten Tag beabsichtigte Bergung zügig vor sich gehen kann. Herumliegende Gegenstände packen sie in einen Sack, den Alois Pirpamer in sein Hotel „Post" nach Vent bringt.

Am späten Nachmittag wird der ORF-Reporter Rainer Hölzl, als er in das Studio in Innsbruck geht, von seinem Kollegen Georg Laich auf den Fund aufmerksam gemacht und wittert eine Sensation. Er wird dafür sorgen, daß der Österreichische Rundfunk bei der Bergung zugegen ist.

Am Montag, den 23. September 1991, soll die Bergung stattfinden. Der ORF-Profi Rainer Hölzl und sein Kameramann Anton Matthis erreichen bereits um 12.29 Uhr mit einem eigens gemieteten Hubschrauber das Hauslabjoch, nachdem sie kurz zwischengelandet sind, um Markus Pirpamer von der Similaunhütte aufzunehmen. Sie treffen acht Minuten vor dem über ihre Anwesenheit sehr erstaunten Bergungsteam ein, das aus dem Gerichtsmediziner Rainer Henn und dem Flugretter Roman Lukasser besteht. Der Kameramann filmt pausenlos und dokumentiert zum Glück auf diese Weise den ganzen Vorgang, der für die spätere Auswertung sehr wichtig sein wird. Die Leiche ist erneut festgefroren, und abermals hätte ein Bergungsteam mangels genügender Ausrüstung unverrichteter Dinge abziehen können, wäre nicht ein Bergsteiger namens Markus Wiegele des Weges gekommen, der ihnen Pickel und Skistock zur Verfügung stellt. Nun können Roman Lukasser mit dem Pickel und Rainer Henn mit dem Skistock den Toten aus dem Eis befreien und in den vorbereiteten

Leichensack legen. Diese kuriosen Momentaufnahmen werden um die Welt gehen.

Herumliegende Gegenstände wie Leder- und Fellstücke und ein Dolch werden eingesammelt. Der Gerichtsmediziner versucht auch den im Eis steckenden Bogen zu bergen. Es gelingt ihm, gerade mal einen Teil abzubrechen. Danach fliegt das Bergungsteam zunächst nach Vent, wo sie gegen 14.00 Uhr landen und dem Bestattungsunternehmer Anton Klocker den Leichnam übergeben. Als der Gerichtsmediziner und der Bestattungsunternehmer den Toten von dem Leichensack in den Sarg hieven wollen, bleibt die Leiche hängen, weil der linke Arm seitlich absteht. Man „rückt ihn zurecht" und bricht Ötzi dabei den linken Oberarmknochen. Alois Pirpamer legt die von ihm am Sonntag gesammelten Streufunde in den Sarg. Klocker fährt mit einem Halt in Sölden, wo er das in der Gendarmerie deponierte Beil abholt, zur Innsbrucker Gerichtsmedizin. Der Oberarzt Unterdorfer, der Gerichtsmediziner Henn, Inspektor Klotz, der Staatsanwalt Wallner, der Untersuchungsrichter Böhler und die Rechtspraktikantin Possik nehmen noch am späten Nachmittag die obligatorische gerichtsmedizinische Untersuchung vor. Sie stellen fest, daß es sich um einen vor mehreren Jahrhunderten verunglückten Mann handelt und veranlassen, den Leichnam den Historikern zu übergeben. Danach werden die sterblichen Überreste des Toten in dem Kühlraum des Gerichtsmedizinischen Instituts bei 0° Celsius gelagert.

Am Dienstagvormittag, den 24. September 1991, sieht der nun hinzugezogene Prähistoriker Konrad Spindler, Professor am Institut für Ur- und Frühgeschichte der Universität Innsbruck, den Verstorbenen und schätzt beim Betrachten der Fundgegenstände sein Alter auf mindestens 4000 Jahre. Jetzt drängt die Zeit, denn der Leichnam und die Gegenstände aus vergänglichem Material müssen geschützt werden, bevor sie zerfallen. Konrad Spindler nimmt Kontakt mit den zuständigen Behörden und Institutionen auf, während ihn eine große Reporterschar, deren Anzahl ständig zunimmt, bedrängt und um neue Informationen bittet. Erfahrene Mitarbeiter der renommierten Restaurierungswerkstatt des Römisch-Germanischen Zentralmuseums in Mainz erklären sich bereit, die Beifunde kostenlos zu restaurieren und zu konservieren; am nächsten Tag treffen zwei der Mainzer Spezialisten ein. Den Leichnam wollen und können sie nicht übernehmen, weil ihnen nötige Apparaturen, aber auch Erfahrungen im Umgang mit einer Gletscherleiche fehlen. Allerdings wird schnell klar, daß der Mann im Eis allein durch sein Alter einen einmaligen Fund darstellt und niemand auf genaue Erfahrungen bei der Behandlung einer solchen archäologischen Sensation zurückgreifen kann. Die Innsbrucker Ärzte müssen neue Wege beschreiten, und sie tun es trotz aller Kritik bravourös. Bereits am Donnerstagabend, den 24. September, übernimmt mit dem Einverständnis des Leiters, Professor Werner Platzer, das Institut für Anatomie der Universität Innsbruck den Leichnam. Dort wird er auf die Jahresmitteltemperatur am Hauslabjoch von minus 6° Celsius heruntergekühlt und nur alle 14 Tage für 30 Minuten zu Untersuchungszwecken aus dem Permafrost geholt.

Am Mittwoch, den 25. September 1991, beginnen Dr. Ekkehard Dreiseitl und Gerhard Markl vom Institut für Meteorologie und Geophysik, Dr. Heralt Schneider vom Institut für Mathematik und ihr Leiter, der Gletscherkundler Professor Gernot Patzelt vom Institut für Hochgebirgsforschung, den Fundort zu untersuchen. Schneider findet dabei einen Köcher mit Pfeilen. Während der Bergung des Köchers taucht aus dem fallenden Nebel plötzlich der Vizebrigadiere Silvano Dal Ben von der italienischen Finanzwache auf. Man versteckt den Köcher in einem Rucksack und zieht wegen einer immer bedrohlicher werdenden Schlechtwetterfront ab. Der italienische Zollbeamte sammelt noch geschwind Fell- und Lederreste ein, die er am Abend dem Südtiroler Denkmalamt in Bozen übergeben wird. Sie sollen erst neun Monate später nach Mainz gelangen. Am gleichen Nachmittag, da der Köcher geborgen wird, treffen Dr. Markus Egg, Leiter der Mainzer Restaurierungswerkstätte, und die Restauratorin Roswitha Goedecker-Ciolek, in Innsbruck ein und beginnen umgehend mit der Sicherung der Beifunde für den Transport, die sie am nächsten Tag abschließen.

Am Donnerstag, den 26. September 1991, überreicht der zurückgekehrte Glaziologe Patzelt den Köcher und informiert über den Fundort. Der Gletscher befindet sich in einer Mulde, die so gestaltet ist, daß der untere Teil, in dem der Leichnam lag, nicht abfließen kann und sich auch so gut wie gar nicht bewegt, ein extrem seltenes Phänomen, das für den außergewöhnlich guten Erhaltungszustand des Toten und seiner Ausstattung verantwortlich ist – in der Regel werden Gletscherleichen gequetscht, zermalmt und zerteilt, im besten Fall nach einigen hundert Jahren am unteren Ende des Gletschers durch den dauernden Fluß ausgespuckt.

Am selben Tag nennt erstmalig der Wiener Reporter Karl Wendl den Mann vom Hauslabjoch in der *Wiener Arbeiter-Zeitung* „Ötzi". Dieser Spitzname der Leiche wird bald von anderen Reportern aufgegriffen und entwickelt sich zum ‚Markenzeichen' des Toten.

Am Freitag, den 27. September 1991, erkunden der Prähistoriker Wolfgang Sölder und der Restaurator Gerhard Lochbihler vom Tiroler Landesmuseum Ferdinandeum in Innsbruck den Fundort beim Hauslabjoch. Sie sammeln einige Reste ein, bevor es so heftig zu schneien anfängt, daß man das Unternehmen abbrechen muß. Am selben Tag stellt sich heraus, daß der Fundort auf italienischer Seite liegt. Die Presse stürzt sich auf diese neue Erkenntnis und sorgt damit für einige Unruhe. Unter anderem auch deswegen trifft sich bereits am Montag, den 30. September 1991, ein hochrangig besetzter Ausschuß im Ministerium in Wien; an dieser Sitzung nehmen neben den bereits genannten Innsbrucker Forschern weitere Wissenschaftler aus Innsbruck und Wien sowie oberste Beamte verschiedener Ministerien, der Präsident des Bundesdenkmalamtes und Vertreter des Bundeskriminalamtes teil. Man beschließt die Einsetzung einer von Italienern und Österreichern beschickten Vermessungskommission, ferner daß die Ausrüstungsgegenstände in Mainz restauriert werden dürfen, daß ein eigenes Institut zur Erforschung des Mannes im Eis gegründet wird, daß Nachgrabungen unter der Leitung des Prähistorikers Andreas Lippert genehmigt werden und daß jede Untersuchung von jeweils zwei voneinander unabhängigen Forschergruppen mit verschiedenen Arbeitsmethoden betreut wird. Dank dieser Beschlüsse gedeiht in bisher einmaliger Weise ein archäologisches Großprojekt jenseits nationaler Eitelkeiten, bei welchem die neuesten technischen Geräte eingesetzt, zum Teil sogar eigens dafür entwickelt werden. Am Mittwoch, den 2. Oktober 1991, stellt die Vermessungskommission definitiv fest, daß der Mann im Eis, 92,56 Meter von der österreichischen Staatsgrenze entfernt, auf italienischem Boden lag. Das Innsbrucker Institut für Ur- und Frühgeschichte erhält von der Südtiroler Seite die Genehmigung, weiterhin die Forschungen zu leiten.

Erst am Donnerstag, den 3. Oktober 1991, können die in Innsbruck aufbewahrten Ausrüstungsgegenstände nach Mainz transportiert und die archäologischen Untersuchungen fortgesetzt werden. Die Archäologen entdecken unter anderem eine Grasmatte, Leder-, Fell-, Holz- und Netzreste, Halswirbelteile eines Steinbocks und Fragmente eines Birkenrindenbehälters mit Grasbüschel und Holzkohleteilchen als Inhalt. Zwei Tage später muß die Bergung der Fundreste wegen des einbrechenden Winters eingestellt werden. Erst im nächsten Jahr können die letzten Untersuchungen vom 20. Juli bis zum 25. August stattfinden. Ein österreichisch-italienisches Team führt diese Arbeiten durch. In behutsamer Kleinstarbeit suchen sie den Gletscher bis an den anstehenden Felsen nach möglichen Funden ab. Der größere Teil des Bogens, eine Fellmütze, aber auch kleinste Partikel an Pflanzen- und Fellresten, Menschenhaare und ein Fingernagel werden geborgen.

Diese letzten, sehr detaillierten Nachforschungen beim Hauslabjoch ergeben mit den bereits vorher gewonnenen Erkenntnissen die genaue Fundsituation der wichtigsten Ausrüstungsgegenstände und die Sterbelage von Ötzi. Danach können die letzten Stunden im Leben des Verunglückten mit relativer Sicherheit rekonstruiert werden. Von einem Wetterumschwung erfaßt, suchte der Mann in einer Felsrinne Schutz und legte sein Beil, seinen Bogen und seine Rückentrage an einem Felssims nieder. Die Nacht bricht ein, es schneit immer heftiger. Der Wunsch des Erschöpften zu schlafen wird stärker, doch er weiß, daß es seinen Tod bedeuten würde, bei diesen Temperaturen einzuschlafen. So rafft er sich auf, um wach zu bleiben, geht einige Schritte, stolpert und stürzt gegen einen Felsen. Er verliert seine Mütze und einen Glutbehälter, der ihm ein wenig Wärme gespendet hat. Nun liegt er auf der linken Körperseite mit ausgestreckten Armen; sein Kopf ruht auf einem Felsen. Erschöpfung, Hoffnungslosigkeit und Müdigkeit gewinnen die Oberhand – ausgelaugt, schläft er für immer ein. Der beständig fallende Schnee deckt ihn zu und wird spätestens nach etwa 20 Jahren zu Eis. In der Mulde bildet sich ein Gletscher, der vielleicht einmal bis zu einer Höhe von 20 Meter aufragte.

Im Darm des Toten fand man 1997 Pollen von frischer Hopfenbuche. Diese wächst im südlichen Alpenraum und blüht auch dort nur im Mai und Juni. Daher muß das Unglück in dieser Zeit und nicht, wie anfangs vermutet, im September oder Oktober stattgefunden haben. Ein Ergebnis, das zunächst verwirrt. Es bedeutet nämlich, daß es nach dem starken Schneefall, wie er in dieser Jahreszeit in den Hochalpen noch durchaus möglich ist, auch während des Sommers außergewöhnlich kalt blieb. Nur so konnte sich der Schnee um Ötzi herum halten und dadurch den Leichnam vor Verwesung und Aasfressern schützen. Der Zufall wollte es also, daß Ötzi in einem Jahr extremer Kälte verstarb. War vielleicht ein enormer Vulkanausbruch dafür verantwortlich, der den Himmel für längere Zeit mit Staubschichten verdunkelte und einen Klimasturz mit sich brachte? Die Antwort wird man schuldig bleiben müssen. Erst im September des Jahres 1991 wird es wieder so warm werden, daß der Gletscher fast völlig abschmilzt und den Toten freigibt.

Einige der Untersuchungsergebnisse erlauben vielleicht sogar Hypothesen darüber, daß und weshalb der Gletschermann zu geschwächt war, um die lebensgefährliche Situation zu meistern. Der einzige von ihm noch aufgefundene Fingernagel weist drei sogenannte Beau-Streifen auf, die bei drei schweren Streßsituationen entstanden sind, und zwar etwa 4, 3 und 2 Monate, bevor er gestorben ist; die letzte Belastungssituation muß mindestens bis zwei Wochen, also bis kurz vor seinem Tod, angedauert haben. Zudem waren 4 Rippen auf der rechten Seite (3.–6.) gebrochen und an den Bruchstellen etwas gegeneinander verschoben, ohne daß sich bereits erste Anzeichen einer einsetzenden Heilung finden lassen. Wenn diese Brüche nicht nach seinem Tod durch die Last des Eises verursacht worden sind, wurden sie durch ein Ereignis, spätestens 8 Wochen vor seinem Tod, hervorgerufen. Seine Sterbelage legt nahe, daß er diese Brüche noch zu Lebzeiten erlitten hat. Bevor er für immer einschlief, drehte er sich auf die linke Körperseite und streckte seine beiden Arme gerade nach vorn aus, weil in dieser Haltung die Schmerzen bei einem solchen Rippenbruch am geringsten waren. Er wußte das, weil er sich bereits einige Jahre vorher fünf Rippen auf der linken Seite (5.–9.) gebrochen hatte, wobei allerdings spätestens nach rund 3 Monaten die Brüche wieder verheilt waren. Übrigens besaß er anstatt der zwölf üblichen, nur elf Rippenpaare, was aber sein Leben nicht beeinträchtigte.

Weiterhin wurde festgestellt, daß er in seinem Leben einen nach einiger Zeit ebenfalls verheilten Nasenbeinbruch erlitten hatte und daher eine Boxernase besaß. Spätestens 10 Monate vor seinem Tod war ihm der eine seiner kleinen Zehen erfroren.

Seine Zähne waren stark abgekaut – eine Folge von regelmäßigem Genuß zähen Dörrfleisches und gemahlenen Getreides, das mit winzigen Sandresten durchsetzt war; diese Sandpartikel gelangten durch das Mahlen der Körner auf Steinmühlen in die Nahrung. Speisereste in Ötzis Darm ergaben, daß sein letztes Mahl aus Einkorn und Fleisch bestand. Karies kannte Ötzi hingegen nicht, weil er zum Beispiel keinen Zucker und auch kein feingemahlenes Mehl zu sich nahm.

Das Erscheinungsbild der Zähne, Abnützungsspuren an der Wirbelsäule und an den Knie- und Sprunggelenken erlauben, sein Lebensalter auf etwas mehr als 40 Jahre anzugeben. Ötzi war etwa 1,60 Meter groß und wog ca. 50 kg (jetzt 13,030 kg). Er besaß dunkelbraun bis schwarzes gewelltes, mindestens 9 cm langes Haar. Wahrscheinlich trug der Mann einen Bart. DNS-Analysen zeigen, daß er mit dem heutigen Europäer und folglich wohl mit den meisten meiner Leser in gewisser Weise verwandt ist.

Ötzi war tätowiert, und er weist damit die frühesten Tätowierungen auf, die man jemals auf einem menschlichen Körper gefunden hat. Sie sind ohne für uns erkennbares ästhetisches Prinzip über den Körper verteilt und bestehen aus einem oder mehreren Strichen und zwei kreuzartigen Überschneidungen. Sie konzentrieren sich vor allem an der Lendenwirbelsäule, am rechten Kniegelenk und an den beiden Sprunggelenken. Interessanterweise konnten in der Lendenwirbelsäule leichte bis mittelschwere krankhafte Veränderungen diagnositiziert werden. Die Kniegelenke und die beiden Sprunggelenke sind zudem mehr oder weniger abgenützt. Die Anbringung der Tätowierungen mochte also vielleicht schmerzlindernd auf die angegriffenen Stellen wirken. Die therapeutische Tätowierung ist eine Methode, wie sie noch heute häufig bei vielen Völkern angewendet wird. Auch das Tätowieren ging wohl ähnlich wie noch vor einigen Jahrzehnten bei uns vor sich. Mit einem scharfen oder spitzen Utensil wurde die Haut geritzt und in diese Öffnungen mit Speichel oder Wasser versehene pulverisierte Holzkohle gebracht, die dann zur bläulichen Färbung führte.

Einige wirre Meldungen, die die Medien in der ihnen bisweilen eigenen Sensationsgier verbreiteten, konnten durch die wissenschaftlichen Untersuchungen am Leichnam von Ötzi als schierer Unsinn entlarvt werden. Ötzi wurde nie kastriert. Angebliche Spermien im Hintern von Ötzi, die auf homosexuellen Verkehr kurz vor seinem Tode hinweisen sollten, wurden in Wahrheit nie gefunden. Ötzi ist auch weder eine neuzeitliche Fälschung noch

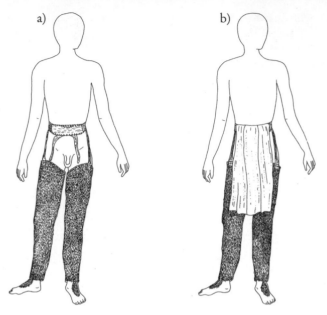

Abb. 6 a–d: Rekonstruktion der Kleidung von „Ötzi".

eine aus den Anden oder Ägypten eingeschleuste Mumie, wo Mumifizierungen ganz anders als so, wie man sie bei einer Gletscherleiche antrifft, vonstatten gingen.

C-14-Analysen von Gewebeproben des Toten bzw. von Teilen der Ausstattung zeigen, daß Ötzi mit größter Wahrscheinlichkeit im Zeitraum zwischen 3300 und 3200 v. Chr., also in der Jungsteinzeit, gelebt hat.

Der Gletschermann trug Kleidung, die ebenfalls größtenteils erhalten blieb; sie ist die älteste in Europa und konnte vollständig rekonstruiert werden (Abb. 6 a–d). Ötzi hatte sich einen 4 bis 4,8 cm breiten Kalbsledergürtel direkt am Körper zweimal um die Hüften geschlungen; vorne am Bauch war ein Gürteltäschchen festgeknotet, das oben eine Öffnung aufweist, die mit einem dünnen Lederstreifen verschlossen werden konnte. Darin konnte Ötzi direkt am Körper für ihn wertvolle oder vor der Feuchtigkeit zu schützende Dinge aufbewahren. In dem Täschchen fand man einen Klingenkratzer aus Feuerstein zum Schneiden, Glätten, Schnitzen,

Schaben und ähnlichem, einen Bohrer aus Feuerstein, mit dessen Hilfe er kleine Löcher an Kleidung oder Ausrüstungsgegenständen anbringen konnte; ferner fand sich ein Lamellenstück aus Feuerstein zum Schneiden und Schnitzen, eine Ahle aus dem Mittelfußknochen eines kleinen Wiederkäuers mit sehr spitzem Ende zum Bohren feiner Löcher oder zum Tätowieren und ein echter Zunderschwamm mit winzigen Staubpartikeln von Pyrit. Dieser Baumpilz war im getrockneten Zustand leicht zu entflammen. Wenn der Steinzeitmensch zum Beispiel eine Pyritknolle gegen einen Feuerstein schlug, versuchte er die Funken auf einen Zunderschwamm zu lenken; wenn er dann auf die Stelle pustete, wo die Funken auf den Schwamm trafen, konnte es ihm gelingen, diese zum Glimmen zu bringen. Dann konnte er andere leicht brennbare Materialien hinzugeben – Moose, Heu und kleine Zweige – bis ein echtes Feuer entfacht war.

Wahrscheinlich trug Ötzi am Gürtel im Bereich der rechten Hüfte auch einen 12,8 cm langen Dolch in einer Scheide aus Bast.

Die zweischneidige, an der Spitze abgebrochene Klinge war aus Feuerstein und der Griff aus Esche gefertigt. Mit Hilfe einer Schnur war zusätzlich wohl auf der anderen Seite ein 11,9 cm langer Retuscheur am Gürtel fixiert. Dieser besteht aus einem Lindenbaumschaft; am Kopf des Schaftes, tief eingelassen, befindet sich ein 4 mm herausragender Knubbel aus einem im Feuer gehärteten Hirschgeweihspan. Ein solches Werkzeug diente zum Retuschieren und Schärfen von Schneiden und Spitzen aus Feuerstein, etwa eines Dolches oder Schabers.

Möglicherweise waren am Gürtel weiterhin zwei auf Fellriemen gefädelte Birkenporlinge befestigt. Dieser Baumpilz wurde im Altertum als Medizin zum Stoppen von Blutungen und zur Bekämpfung von Entzündungen verwendet. Vielleicht hing auch eine flache Perle aus weißem Dolomitgestein mit einer Art Troddel aus neun Fellbändern an dem Gürtel. Während die Steinperle vielleicht als Schmuck oder Amulett gedient hat, könnten die Fellriemen für etwaige Notfälle angebracht worden sein, in denen man etwas zum Schnüren brauchte.

Der Gürtel hatte jedoch nicht nur die Funktion, das Täschchen und vielleicht den Dolch, den Retuscheur, die Birkenporlinge und die Steinperle mit Troddel, sondern auch die Beinröhren – sozusagen Ötzis Hosen – mit Hilfe einer Art von Strapsen zu halten. Die Beinröhren bestehen aus zusammengenähten Fellteilen, die wahrscheinlich von einer Hausziege stammen. An den unteren Enden der Beinröhren war jeweils eine Lasche aus Hirschfell befestigt, die in den Schuh gesteckt werden konnte und so die Beinröhren hielt.

Um den Gürtel wurde vorn und hinten ein Lederlatz – wohl ebenfalls von einer Hausziege – gelegt, der bis zu den Knien herabfiel und an eine Art Lendenschurz erinnert.

Auf dem Oberkörper trug Ötzi einen vorn unregelmäßig geöffneten, wahrscheinlich ärmellosen, bis zu den Knien reichenden Ziegenfellumhang. Mehrere längliche, braune oder schwarze Fellstücke wurden dafür abwechselnd senkrecht zusammengenäht und formten ein Muster. Der Umhang des Mannes war sehr abgetragen und wies einige Reparaturstellen auf, von denen manche sehr schön mit dünnen Bastfasernfäden, andere sehr grob mit Grasfäden genäht waren; die zuletzt erwähnten Ausbesserungen hatte der Mann vielleicht selbst auf seinem letzten Gang besorgt.

Über dem Umhang trug Ötzi einen um Hals und Schultern ge-
legten und vorn göffneten Grasmantel mit langen Fransen, die bis
zu den Knien fielen und somit das Gehen nicht behinderten. Solche Mäntel konnten sehr gut das Wasser abweisen und tarnten
ihren Träger gleichzeitig bei Jagdzügen.

Der Mann trug Schuhe an den Füssen. Ihre Sohlen könnten aus
Bärenleder gefertigt sein; sie weisen ein Grasnetz auf, in das man
Heu hineinstopfen konnte, um die Füße vor Kälte zu schützen;
darüber war vermutlich ein Oberleder aus Hirschfell befestigt.
Oben wurde der Schuh durch Grasschnüre gehalten, die um den
Fuß gewunden waren.

Auf dem Kopf trug Ötzi eine Mütze aus dem Fell eines Braun-
bären, die mit einem Kinnriemen festgeknotet werden konnte.

Außer seiner Kleidung und den am Gürtel befestigten Gegenständen fand man noch eine Reihe anderer Objekte, die uns einige
wichtige Informationen über die Zeit und die Lebensumstände des
Mannes liefern: Splitter vom 4. und 5. Halswirbel eines männlichen
Alpensteinbocks mögen letzte Reste einer Mahlzeit darstellen. Ein
5 cm langes, bearbeitetes Stück eines Steinbockgehörns kann wie
die Steinperle mit Quasten als Amulett gedient haben. Teile eines
weitmaschigen Netzes aus Gras half vielleicht beim Vogelfang. In
einem zylindrischen, mindestens 20 cm hohen, im Durchmesser
15–18 cm breiten Birkenrindengefäß beförderte Ötzi Holzkohlen-
glut, um jederzeit ein Feuer entzünden zu können. Wozu ein weiteres, ähnliches und fast gleich großes Birkenrindengefäß benützt
worden ist, wissen wir nicht.

Eines der interessantesten Werkzeuge war sein 60,8 cm langes
Randleistenbeil mit einem Holm aus Eibe und einer Kupferklin-
ge, die mit Birkenteer an den Schaft gekittet und mit Leder- und
Hautriemen befestigt war. Als Bestandteile der Klinge ließen sich
99,7 % Kupfer, 0,22 % Arsen und 0,09 % Silber nachweisen; sie
war zunächst gegossen und dann durch Hämmern in die endgül-
tige Form gebracht worden. Das Metall stammt wahrscheinlich
aus Ötzis Lebensraum in den Alpen und wurde aus grünem Ma-
lachit oder blauem Azurit herausgeschmolzen – zwei Mineralien,
die sich oberhalb vieler Kupferlagerstätten in dünnen Krusten bilden.

Mit Ausnahme der zwei Birkenrindengefäße hob Ötzi möglicherweise die meisten der zuletzt genannten Gegenstände in einem

Fellsack auf, der an einer etwa 1 Meter hohen Rückentrage aus Haselstock und Lärchenholzbrettchen befestigt war.

Die Besitztümer Ötzis, die die stärkste Beachtung fanden, waren sein Köcher mit Pfeilen und sein Bogenstab. Letzterer besteht aus Eibenholz, war 1,82 Meter lang, aber noch nicht vollendet oder einsatzbereit. Wäre der Bogen bereits benutzbar, hätte sein Besitzer ihn auf ungefähr 70 cm spannen und somit einem Pfeilschuß eine Kraft zwischen 20 und 40 kp verleihen können. Damit hätte Ötzi Tiere auf bis zu 90 Meter Entfernung tödlich treffen und immerhin 180 Meter weit schießen können.

Der Köcher war stark beschädigt. Er besteht aus einem trapezförmig zugeschnittenen Fellstück von einem Edelhirsch, Reh oder einer Gemse und wird von einer Haselrute versteift. Der Trageriemen und die Verschlußklappe fehlten, die Flügelklappe und das Mittelstück der Köcherversteifung bewahrte Ötzi getrennt auf, um den Köcher wohl demnächst wieder zu reparieren.

Im Köcher befanden sich zwei schußbereite Pfeile und zwölf unfertige Pfeilschäfte, eine aufgewickelte Schnur, vier Hirschgeweihspäne, ein Geweihdorn und zwei Tiersehnen.

Die beiden schußbereiten Pfeile mit einer Länge von 85 bzw. 90,4 cm Länge bestehen aus einer Pfeilspitze aus Feuerstein, aus einem Schaft, der aus dem Strauch des Wolligen Schneeballs geschnitzt ist, und aus drei zurechtgeschnittenen Hälften von Federn eines großen Vogels. Blutspuren an den Pfeilen zeigen, daß mit den Schußgeräten bereits einmal ein Lebewesen getroffen worden war.

Die ebenfalls im Köcher aufbewahrten vier Spitzen aus Hirschgeweih waren vielleicht als Ersatzpfeilspitzen gedacht. Mit dem 20,7 cm langen, vorne zusätzlich gespitzten Dorn einer Hirschgeweihstange häutete Ötzi, wie Blutspuren zeigen, Tiere. Die mitgeführten Sehnen und Schnüre können zum Reparieren und Festbinden gedient haben.

Insbesondere der unfertige Bogen, der beschädigte Köcher, die wenigen schußbereiten Pfeile und Ötzis gebrochene Rippen gaben Anlaß zu vielen Spekulationen. Der Innsbrucker Prähistoriker Konrad Spindler folgerte daraus, daß Ötzi kurz vor seinem Tod schweres Unheil erlebt haben muß, etwa im Kampf mit einem wilden Tier oder einem Menschen, bzw. daß er in den Bergen schwer gestürzt war. Da Ötzi nur Teile des Köchers bei sich hatte und der Tragegurt und die Verschlußklappe des Köchers fehlten, schloß der

Prähistoriker, daß der Gletschermann diese fehlenden Teile während eines hastigen Rückzugs zurücklassen mußte; eine solche panikartige Flucht sei nur dadurch zu erklären, daß jener von Menschen bedroht worden sei. Tatsächlich könnte eine solche Flucht aber auch so erklärt werden, daß ein wildes Tier den Mann verletzt, wenn auch nicht getötet hat. Ebenso ist es denkbar, daß bei einem Sturz von einem Felsen oder im Gletschereis einige Stücke so unglücklich davonsprangen, daß sie später nicht mehr zu bergen waren. Vielleicht aber sind der Rippenbruch und die Defekte an einigen Ausrüstungsteilen auch Resultate ganz verschiedener zeitlich auseinanderliegenden Ereignisse.

Was aber wollte Ötzi eigentlich so weit oben in den Bergen? Selbst die Täler in den Alpen waren vor etwa 5000 Jahren nur sehr dünn besiedelt. So nimmt man beispielsweise an, daß Ötzi ein Schamane oder Priester, ein Erzsucher, ein Händler, ein Jäger, ein Bauer oder ein Hirte gewesen sei, um seinen Aufenthalt in diesen unwirtlichen Regionen zu erklären. Seine Kleidung und Ausrüstung sprechen am ehesten dafür, daß Ötzi ein Hirte war. Seit etwa 4000 v. Chr. gab es im hinteren Ötztal bewirtschaftete Hochweiden für Kleinvieh (Ziegen und Schafe), die maximal einen Tagesmarsch vom südtirolerischen Vinschgau entfernt lagen. Im Vinschgau existierten zu Ötzis Zeiten Dörfer und Gehöfte, deren Bewohner Erbsen, Ölpflanzen wie Lein und Schlafmohn, Gerste und die drei Weizenarten Einkorn, Emmer und Nacktweizen anbauten. Weitere Nahrungsmittel wie Wildäpfel, Haselnüsse, Eicheln, Bucheckern, Himbeeren, Brombeeren, Hagebutte, Holunder und Schlehe und wahrscheinlich wildwachsende Gemüse- und Salatpflanzen und Pilze wurden gesammelt. Während Großvieh wie Schwein, Rind und möglicherweise sogar Pferde bei den Ansiedlungen blieb, wurden die Schafe und Ziegen in den warmen Monaten auf die Hochweiden des hinteren Ötztales getrieben. Da der Mann so gekleidet und ausgerüstet war, wie es ein Leben im Gebirge verlangte, muß man davon ausgehen, daß er mit diesen Regionen sehr vertraut war. Zwei an der Kleidung gefundene Getreidekörner und Reste eines Einkorns am Glutbehälter zeigen, daß Ötzi im engen Kontakt mit einer Ansiedlung im Tal stand und vielleicht in ihrem Dienste Ziegen und Schafe hütete. Jedoch müssen wir auch in Erwägung ziehen, daß Ötzi durch einen Unglücksfall Teile seiner Habe verloren haben könnte, die ihn vielleicht als umherziehenden Händler ausgezeichnet hätten. Zwar gehen die Auswertungen der Untersuchungen teilweise noch weiter, doch wird – und alles andere wäre ein unglaublicher Zufall nach den Jahrtausenden, die inzwischen vergangen sind – stets eine Unschärfe im Hinblick auf Ötzis Identität bestehen bleiben.

Mittlerweile wurde Ötzi nach Südtirol überführt; diese Aktion erforderte ein gewaltiges Polizeiaufgebot, weil ein paar Tiroler Separatisten die Öffentlichkeit mit wilden Attentatsdrohungen gegen den Gletschermann aufgeschreckt hatten. Seit April 1998 liegt er nun in einer Kühlkammer im eigens für ihn eingerichteten Archäologischen Museum in Bozen. Nachdem er mehr als 5000 Jahre ziemlich einsam im ewigen Eis zugebracht hat, erhält er nun täglich Besuch von Wissenschaftlern, Schulklassen und all jenen, die Spaß haben am Abenteuer Archäologie.

4. Troja und der „Schatz des Priamos"

Tagelang forschten die griechischen Helden, wie sie der gewaltigen Stadt Troja durch einen schlauen Winkelzug beikommen könnten, bis endlich Odysseus auf ein seltsames Mittel verfiel. „Hört Gefährten, wir zimmern ein Pferd von Riesengröße und schließen uns mit den tapfersten Kämpfern in seinem Bauch ein. Alle anderen sollen die Schiffe besteigen und nach der Insel Tenedos segeln, zuvor aber alles verbrennen, was unser Lager birgt. Die Troer werden meinen, wir seien, des Kampfes überdrüssig, in die Heimat zurückgekehrt; sie werden aus der Stadt hervorströmen und sorglos neugierig in der Ebene umherwandeln, sich vor allem aber dem hölzernen Pferd nähern. Unter diesem soll sich ein mutiger Mann versteckt halten, der sich, sobald er entdeckt wird, als Flüchtling ausgibt und den Troern das Märchen aufbindet, wir hätten ihn vor unserem Abzug den Göttern opfern wollen, er aber sei entkommen und habe sich unter dem hölzernen Roß versteckt. Und fragen sie ihn, was denn das Pferd zu bedeuten habe, so soll er sagen, es sei der Göttin Pallas Athene geweiht, der Todfeindin Trojas. Sein Bericht wird die Troer rühren, und sie werden ihn in die Stadt mitnehmen; dort muß er dann alles daransetzen, daß die durch unseren vermeintlichen Abzug Getäuschten das Ungetüm in die Mauern hineinziehen. Glückt dieser Plan, so warten wir die Nacht ab und steigen aus dem hölzernen Bauch. Wir schleichen durch die sorglos schlummernde Stadt, sprengen die Tore, damit die aus Tenedos zurückgekehrten Krieger ungehindert zu uns stoßen können, und überwältigen dann wir mit ihrer Hilfe endgültig den Feind." Also geschah es. [...]

Die Nacht wich dem strahlendsten Sonnentage. Herrlich erhob sich der Sonnengott Helios über der Skamandrischen Wiese und dem Meere, die Schatten wichen; doch in Troja hüllten Rauch und Staub die noch glimmenden Trümmer und die Berge von Leichen in Dunkelheit. Raubvögel und Raben umkreisten schreiend und krächzend die von den Griechen verwüstete Burg und die ausgebrannten Tempel.

(Nach Gustav Schwab, *Die Schönsten Sagen des Klassischen Altertums*)

＊

Zu Weihnachten des Jahres 1829 bekam der achtjährige Heinrich von seinem Vater Ernst Schliemann ein besonderes Geschenk, das Buch von Georg Ludwig Jerrer *Weltgeschichte für Kinder* (4. Auflage, Nürnberg 1828). Einige Tage später unterhielten sich der Vater, Pastor im mecklenburgischen Ankershagen, und sein Sohn über eine Illustration in diesem Buch, die das brennende Troja zeigte, aus dem Äneas mit seinem Vater Anchises auf den Schultern und seinen kleinen Sohn Askanius an der Hand flieht. Diese Abbildung zu sehen war nach Heinrich Schliemanns Autobiographie aus dem Jahre 1881, die in sein Buch *Ilios, Stadt und Land der Trojaner*, als Anhang integriert ist, das Schlüsselerlebnis, das sein Verlangen weckte, Troja zu finden. Schliemann schildert es folgendermaßen:

„Mit Betrübnis vernahm ich von ihm [dem Vater], daß Troja so gänzlich zerstört worden, daß es ohne eine Spur zu hinterlassen vom Erdboden verschwunden sei. Als [...] ich in dem Buche eine Abbildung des brennenden Troja fand, mit seinen ungeheuren Mauern und dem Skaiischen Thore, dem fliehenden Aineias, der den Vater Anchises auf dem Rücken trägt und den kleinen Askanios an der Hand führt, da rief ich mit voller Freude: ›Vater, du hast dich geirrt! Jerrer muß Troja gesehen haben, er hätte es sonst ja hier nicht abbilden können.‹ ›Mein Sohn‹, antwortete er, ›das ist nur ein erfundenes Bild.‹ Aber auf meine Frage, ob denn das alte Troja einst wirklich so starke Mauern gehabt habe, wie sie auf jenem Bilde dargestellt waren, bejahte er dies. ›Vater‹, sagte ich darauf, ›wenn solche Mauern einmal dagewesen sind, so können sie nicht ganz vernichtet sein, sondern sind wol unter dem Staub und Schutt von Jahrhunderten verborgen.‹ Nun behauptete er wol das Gegenteil, aber ich blieb fest bei meiner Ansicht und endlich kamen wir überein, daß ich dereinst Troja ausgraben sollte.“

Diese angebliche ‚Initialzündung‘ beim jungen Schliemann wurde zum Mythos und Schliemann selbst zum Prototyp des Archäologen. Doch wie die Forschung der letzten Jahre zeigen konnte, schuf Schliemann diese Saga selbst, und zwar im Alter von vierundfünfzig Jahren. Als (scheinbarer) Beweis galt neben seinem eigenen Bericht lange Schliemanns Exemplar des Buches mit seinem darin eingetragenen Namen – der aber war niemals mit der Schrift eines Kindes, sondern offenkundig von einem Erwachsenen geschrieben worden. Als ebenso fiktiv entpuppte sich die in der Einleitung seiner Biographie im Buch *Ilios* von 1880 vorgestellte angebliche Jugendliebe Minna Meincke, die Schliemann mit der Suche nach Troja verband: „Es stand zwischen uns schon fest, daß wir, sobald wir erwachsen wären, uns heiraten würden, und daß wir dann unverzüglich alle Geheimnisse von Ankershagen erforschen [...], zuletzt aber die Stadt Troja ausgraben wollten; nichts schöneres konnten wir uns vorstellen, als so unser ganzes Leben mit dem Suchen nach den Resten der Vergangenheit zuzubringen." Trotz dieser und vieler anderer Märchen gekonnter Selbstinszenierung gehört Schliemann zu den größten Entdeckern in der Geschichte der Archäologie.

Am 6. Januar 1822 wurde Johann Ludwig Heinrich Julius Schliemann von Luise Schliemann, verheiratet mit dem Pastor Ernst Schliemann in Neubukow in Mecklenburg, als fünftes von neun Kindern geboren. Schliemann erlebte unglückliche Jahre in der Kindheit (seine angeblichen glücklichen Jahre sind wiederum erst später erfunden). Seine Mutter starb bereits am 22. März 1831, und sein Vater wurde des Amtes enthoben, da er eine Liaison mit der Magd Sophia Schwarz pflegte, die noch zu Lebzeiten seiner Frau bereits seine Geliebte war.

Heinrich Schliemann schloß die Realschule am 26. März 1836 in Neustrelitz ab. 1836–1841 war er Lehrling- und Handlungsgehilfe in einem kleinen Krämerladen in Fürstenberg, der zunächst von Herrn Holtz und dann von Theodor Hückstädt geführt wurde. Nach einigen erfolgreichen Handelsaktivitäten in Rostock und Hamburg wollte Schliemann nach Venezuela auswandern. Am 28. November 1841 bestieg er die Dorothea, doch das Schiff ging schon nach einigen Tagen unter, und Schliemann strandete am 11. Dezember in Texel. Von dort aus kam er nach Amsterdam, wo er zunächst als Bürobote bei Hoyack und schon kurze Zeit darauf bei F. C. Quien arbeitete. Um beruflich aufsteigen zu können, investierte er viel Zeit und den größten Teil seines Verdienstes in das Erlernen von Sprachen. Denn wie er – wohl nicht ganz unzutreffend – in seinem Buch *Ithaka, der Peloponnes und Troja. Archäologische Forschungen* (Leipzig 1869) schreibt: „Nichts spornt mehr zum Studium an, als das Elend und die gewisse Aussicht, durch angestrengtes Arbeiten sich aus demselben befreien zu können." So lernte er zwischen 1842–1843 in jeweils sechs Monaten Englisch und Französisch und in je sechs Wochen Niederländisch, Spanisch, Italienisch und Portugiesisch. Dabei erlernte er eine Sprache nach der anderen und konzentrierte sich auf jede mit höchster Energie. Er las stets laut und lernte ganze Bücher auswendig, um schnell eine jede Sprache zu beherrschen, und verschwendete auch keine Zeit mit Versuchen, Übersetzungen anzufertigen. Schon am 1. März 1844 stellte sich dank seiner Sprachkenntnisse der erste Erfolg ein. Er wurde Korrespondent und Buchhalter in dem Comptoir der Herren B. H. Schröder & Co. in Amsterdam. Ende Januar 1846 gründete er für die Firma, nachdem er auch Russisch erlernt hatte, eine Niederlassung in St. Petersburg. Bereits 1847 wurde er russischer Staatsbürger und eröffnete dort ein eigenes Handelshaus.

Seine Geschäfte florierten, als im Jahr 1848 in Sacramento die ersten großen Goldfunde gemacht wurden und kurz darauf das Goldfieber ausbrach. Bald darauf ging der Bruder von Heinrich Schliemann, Ludwig, nach Kalifornien, das er im Mai 1849 erreichte. Wahrscheinlich veranlaßten die euphorischen Briefe des Goldsuchers Heinrich Schliemann, gleichfalls dort sein Glück zu versuchen. Als Heinrich Schliemann, nachdem alles wohlvorbereitet war, im April 1851 Kalifornien erreicht hatte, war sein Bruder bereits fast ein Jahr zuvor an Typhus (am 21. Mai 1850) gestorben. Er blieb bis zum März 1852 in Kalifornien und kehrte mit einem Gewinn von 60 000 Golddollar aus dem Goldhandel nach einem kurzen Aufenthalt in Mecklenburg nach St. Petersburg zurück. Dort heiratete er am 24. Oktober Katharina Lyschin, die Tochter eines bekannten Juristen und einer polnischen Adeligen. Nach anfänglichem Glück und der Geburt von drei Kindern (Sergej, 1855–1939?; Natalia, 1859–1869 und Nadeschda, 1861–1935) ließ er sich jedoch bereits 1869 von seiner Frau scheiden und verschwieg in der Folgezeit diese Verbindung.

Durch den Krimkrieg zwischen 1853 und 1856 erzielte er so große Gewinne, daß er ab 1856 mit dem Gedanken spielte, aus dem Handelsgeschäft ganz auszusteigen. 1864 konnte er diesen Traum verwirklichen und bereiste im Jahre 1866 einen großen Teil der Welt, neben Tunesien und Ägypten auch Indien, China, Japan sowie

Nord- und Südamerika. Auf der Überfahrt von Japan nach Kalifornien verfaßte er sein erstes Buch *La Chine et le Japon au temps présent*, das 1867 in Paris erschien. Im Frühjahr 1866 hatte sich Schliemann in Paris niedergelassen, wo er sich am 1. Februar unter anderen zum Studium der Archäologie an der Sorbonne einschrieb.

Weitere Reisen folgten, bis er schließlich 1868 zehn Tage Ithaka besuchte und auf den Spuren Homers mit dem Reiseführer von Murray *Handbook for Travellers in Greece* von 1854 und Homers Epen *Ilias* und *Odyssee* wandelte. Beide Werke sind wohl in der zweiten Hälfte des 8. Jahrhunderts v. Chr. verfaßt worden; die ältere Ilias besteht aus 15693, die jüngere Odyssee aus 12110 Hexametern, die in je 24 Gesänge unterteilt sind. Für Schliemann waren die Werke Homers zur „Bibel" geworden. An zwei Tagen führte Schliemann mit Hilfe von angeheuerten Arbeitern aus dem nächstgelegenen Dorf seine ersten Ausgrabungen durch und barg 20 Vasen aus vorgeschichtlicher Zeit. Er durchstöberte die Insel und fand nach seiner Überzeugung auf den Berg Aetos den Palast des Odysseus. Danach besuchte er für einige Tage die Peloponnes und insbesondere die immer noch sichtbaren Mauern von Tiryns und Mykene, die als solche auch bereits identifiziert worden waren. Über Athen, wo er am 25. Juli 1868 den Architekten Ernst Ziller traf, der ihm eine Broschüre über seine Ausgrabungen in der Troas gab, reiste er am 9. August zu den Dardanellen.

Zunächst zog es Schliemann zum Bali Dagi (Ballidagh), der in der Nähe vom Dorf Pinarbasi (Bunarbaschi) lag, wo die meisten Gelehrten seit den Erkundungen des französischen Archäologen Jean Baptiste Lechevalier (in den Jahren 1785 und 1786) Troja vermuteten. Er grub dort mit Hilfe von ein bis zwei Arbeitern für zwei Tage und war dann davon überzeugt, daß sich Troja woanders befinden müsse. Ausschlaggebend für ihn waren nicht nur die spärlichen Funde, sondern vor allem seine Autopsie des Geländes. Das, was er selbst sah, stimmte einfach nicht mit den Schilderungen Homers überein. So schien es ihm zum Beispiel unmöglich wegen des starken Gefälles den Hügel mit schnellen Schritten zu umrunden, wie es doch Achilleus getan haben soll, als er – glaubt man Homer – Hektor verfolgte.

Also begab sich Schliemann am 14. August nach Hisarlik. Der Hügel war mit Architekturresten und Scherben übersät und die Topographie entsprach den Beschreibungen der Ilias weit eher als sein letzter Grabungsort. Angetan von dieser Stätte, versäumte Schliemann den Dampfer nach Istanbul und mußte sich nochmals zwei Tage in Çanakkale einquartieren. Hier kam es zu der entscheidenden Begegnung mit dem Franzosen Frank Calvert, die Schliemann am 16. August in seinem Tagebuch festhielt: „Gestern machte ich die Bekanntschaft des berühmten Archäologen Frank Calvert, der annimmt, wie ich auch, daß sich das homerische Troia nirgends anders als in Hisarlik befand. Er riet mir dringend, dort zu graben." Schliemanns Entschluß war gefaßt, im nächsten Jahr im April in Hisarlik (Kleine Burg) zu graben.

Bei dem Gelände handelt es sich um einem 200 x 150 Meter großen Hügel, der zwischen Menderes und Dümrek liegt – den antiken Flüssen Skamander und Simoeis – etwa 6 Kilometer von der Ägäis und 4,5 Kilometer von den Dardanellen entfernt. Die Ruinen hatten sich im Laufe der zurückliegenden 4000 Jahre zu einem Hügel von mehr als 20 Metern aufgetürmt, da stets ein einzelnes Gebäude oder eine ganze Stadt nach ihrer Zerstörung durch Brand oder Krieg auf den Trümmern der älteren Bauten errichtet worden war. Heute können wir nicht weniger als 47 Bauphasen vom 4. Jahrtausend v. Chr. bis zum 6. Jahrhundert n. Chr. unterscheiden.

Im Winter korrespondierte Schliemann noch häufig mit Calvert, der schon seit Jahren die Troas erkundet und bereits 1863 in Hisarlik gegraben hatte, dann aber wegen Geldmangels die Grabungen nicht hatte fortführen können. Calvert hoffte nun mit Schliemanns Hilfe, weiter graben zu können. Später sollte Schliemann vergessen, wer ihn zum richtigen Ort geführt hatte.

Im Dezember des gleichen Jahres 1868 beendete Schliemann sein erstes Buch über ein archäologisches Thema, das im Jahre 1869 unter dem Titel *Ithaka, der Peloponnes und Troja. Archäologische Forschungen* in Leipzig erschien. Kaum hatte er das Buch abgeschlossen, wandte er sich am 26. Dezember 1868 mit einem Brief an Calvert, um zu erfragen, wie und womit man richtig graben solle. Calvert riet ihm, einen langen Schnitt durch den ganzen Hügel anzulegen und von dort aus weitere im rechten Winkel dazu abgehende Gräben.

Schliemann reiste jedoch zunächst Anfang 1869 nach St. Petersburg, wo man nach dem russisch-orthodoxen Ritus Heiligabend am 5. Januar feierte. Hier kam es zum endgültigen Bruch mit seiner Frau. Um die Scheidung einreichen zu können, ging Schliemann nach New York, wo er bereits zwei Tage nach seiner Ankunft, am 29. März, die amerikanische Staatsbürgerschaft erhielt, und zwar dank eines Leumundszeugen, John Bolan, der versicherte, daß Schliemann bereits seit mindestens fünf Jahren in den USA gelebt habe, was die Voraussetzung für die Erlangung der Staatsbürgerschaft war. Danach fuhr Schliemann gleich nach Indianapolis weiter, weil man sich dort ohne Umstände scheiden lassen konnte, auch wenn man noch nicht ein Jahr dort gelebt hatte. Beim Gericht legte er am 30. Juni einen russischen Brief vor, der von ihm übersetzt worden war und in dem er ,nachwies', daß seine Frau sich weigerte, ihm in die USA zu folgen – daraufhin wurde Schliemann von seiner Frau geschieden. Am 12. März schickte er seine zwei Bücher an die Philosophische Fakultät der Universität Rostock, wo man seine Topographietraktate über Ithaka als gelungen empfand und ihm in Abwesenheit am 27. April 1869 den Doktortitel zuerkannte.

Schliemann bat nun in einem Brief an seinen ehemaligen Lehrer des Neugriechischen in St. Petersburg, Theokletos Vimpos, der mittlerweile Erzbischof in Griechenland geworden war, um Vorschläge für mögliche Heiratskandidatinnen. Seine künftige Frau sollte Griechin sein und die Ilias in Altgriechisch rezitieren können. Schliemann erhielt daraufhin Fotos von drei Anwärterinnen, die diese ,Qualifikation' für eine glückliche Ehe erfüllten, und entschied sich für Sophia Engastromenos (1852–1932). In einem Brief vom 24. September 1869, der einen Tag nach der Hochzeit von Schliemann verfaßt worden ist, schrieb er ihr: „Wenn Sie mich heiraten, so ist es, weil wir zusammen ausgraben, uns gemeinsam an Homer begeistern wollen."

Zwischen dem 9. und 21. April 1870 begann Schliemann erste unerlaubte Grabungen auf der Westhälfte von Hisarlik und fand eine klobige Mauer, die er einem der Athena geweihten Tempel zuschrieb. Schliemann wollte nun den Grund kaufen, aber der osmanische Staat kaufte das Land selbst. Am 12. August erhielt Schliemann in Istanbul die Grabungserlaubnis unter der Auflage der Fundteilung zwischen dem Staat und dem Privatmann, während letzterer allein für die Pflege der Ruinen und die Aufwendung für die Grabungen aufzukommen hatte. Zwischen dem 11. Oktober und 24. November grub er dann in Hisarlik, am ersten Tag mit acht Arbeitern, am zweiten mit 35, am dritten mit 74 und dann teilweise mit bis zu 160 Arbeitern, im Schnitt mit 70–80 Griechen und sonntags mit Türken, um durch Heiligung des Feiertags auch nicht einen Tag zu verlieren. Doch er hatte viel zu wenig Gerätschaft dabei – unter anderen nur acht Schubkarren –, und die Ausgrabungen gingen daher sehr schleppend voran. Er ließ einen riesigen Graben anlegen, der den Hügel von Norden nach Süden durchschneiden, eine Länge von etwa 40 Metern, eine Breite von 20 Metern und eine Tiefe von 17 Metern erreichen sollte; diese archäologische Wahnsinnstat, die alle Fundkomplexe störte, wurde später der Schliemann-Graben genannt. In den letzten beiden Wochen fand er dank dieser ‚Methode‘ in tieferen Schichten Bronzegeräte, die er in den Texten Homers wiederzuerkennen glaubte.

Zwischen dem 1. April und dem 13. August 1872 fand die zweite, nun voll ausgerüstete und durchorganisierte Grabungskampagne statt. Ende Mai förderte Schliemann den ersten großen Fund zu Tage, einen 2 Meter langen und 86 cm hohen Marmorblock vom Athena-Tempel, der Helios in einem Viergespann zeigt und aus der Zeit um 300 v. Chr. stammt. Heimlich und unerlaubterweise ließ Schliemann das Relief nach Athen bringen und dort Gipsabgüsse anfertigen, die er dem Historiker Ernst Curtius nach Berlin und dem Archäologen Heinrich Brunn nach München schickte, die das Kunstwerk in allerhöchsten Tönen rühmten.

Am 19. Juli entdeckte Schliemann einen mächtigen, 12 Meter dicken und noch 6 Meter hohen Turm, den er als den großen Turm Trojas ‚identifizierte‘, von dem aus Andromache das Kampfgeschehen beobachtet haben sollte (*Ilias* 6, 386–387). Erst viel später mußte Schliemann eingestehen, daß es sich nicht um einen Turm, sondern um einen Schnittpunkt vieler Mauern handelte. Kurz danach kam eine Rampe mit einem imposanten doppelten Tor zum Vorschein, das Schliemann, ohne zu zögern, zu dem berühmten „Skäischen Tor" erklärte, durch das die Trojaner einst auszogen, von dem aus die Trojaner das Kriegsgeschehen beobachteten, vor dem Hektor starb und durch das schließlich Äneas flüchtete. Schliemann war sicher, Homers Troja entdeckt zu haben. Heute werden all diese von ihm ergrabenen Strukturen der 2. Schicht zugeordnet, die mindestens 1000 Jahre älter ist als jenes Troja, das Schliemann suchte und gefunden zu haben glaubte.

Zwischen dem 1. Februar und 17. Juni 1873 fand die dritte Kampagne statt. Am 31. Mai 1873 sah Schliemann unter der Befestigungsmauer in der Nähe eines großen Palastes einen großen kupfernen Gegenstand und dahinter Gold. „Um den Schatz der Habsucht meiner Arbeiter zu entziehen und ihn für die Wissenschaft zu retten, war die allergrößte Eile nötig, und, obgleich es noch nicht Frühstückszeit war, so ließ ich doch sogleich *paidos* [...] ausrufen, und während meine Arbeiter aßen und ausruhten, schnitt ich den Schatz mit einem großen Messer heraus, was nicht ohne die allergrößte Kraftanstrengung und die furchtbarste Lebensgefahr möglich war, denn die große Festungsmauer, welche ich zu untergraben hatte, drohte jeden Augenblick auf mich einzustürzen. Aber der Anblick so vieler Gegenstände, von denen jeder einzelne einen unermeßlichen Wert für die Wissenschaft hat, machte mich tollkühn, und ich dachte an keine Gefahr. Die Fortschaffung des Schatzes wäre mir aber unmöglich geworden ohne die Hilfe meiner lieben Frau, die immer bereit stand, die von mir herausgeschnittenen Gegenstände in ihren Shawl zu packen und fortzutragen." Dieser „Schatz des Priamos" umfaßte 8831 Objekte. Neben vielen einfacheren Stücken aus Kupfer und Bronze gab es sehr schönes goldenes Geschirr und Schmuck, darunter zwei Diademe, ein Stirnband, vier Ohrgehänge, Ketten und Armringe mit 8700 Goldperlen und mehrere Ohrringe. Später ließ sich Schliemanns Frau mit dem angelegten Schmuck abbilden (Abb. 7). Die Anwesenheit seiner Frau bei der Entdeckung war übrigens wieder eine der erfundenen Geschichten Schliemanns. Sophia war bereits drei Wochen vor dem sensationellen Fund wegen des Todes ihres Vaters nach Athen abgereist. Am selben Abend der Entdeckung wurde der Schatz bei einem der Calvert-Brüder heimlich versteckt und eine Woche später in einem Boot nach Syros geschafft. Am 26. Juni traf er in Athen ein und am 5. August erschien ein erster Bericht in der *Augsburger Allgemeinen Zeitung*. Anfang 1874 wurde der imposante Schatz mit den übrigen Funden in den *Trojanischen Altertümern* in Leipzig und Paris, im Frühjahr 1875 in London und 1876 in New York publiziert. Die deutsche und die französische Ausgabe enthielten 217 Tafeln. Schliemann stellte darin fünf Schichten vor: „vier uralte Nationen und die griechische Kolonie mit dem Skäischen Tor, der trojanischen Ringmauer und dem Palast".

Schliemann wollte zunächst den Schatz für 50000 Pfund an das British Museum oder den Louvre verkaufen. Im April 1874 wurde in Athen eine Zivilklage des Osmanischen Reiches gegen

Abb. 7: Sophia Schliemann mit „Priamosschmuck".

Schliemann wegen Verstößen gegen verschiedene Auflagen und Exportverbote erhoben, der im April 1875 mit einem Vergleich endete. Schliemann zahlte 50 000 Francs an die Hohe Pforte (die türkische Regierung) als Entschädigung. Zuvor hatte Schliemann den Schatz bei Verwandten und im Französischen Institut in Athen versteckt.

In den nächsten Jahren grub Schliemann in Griechenland in den berühmten Orten Tiryns, Orchomenos und Mykene, wo er wiederum sagenhafte Schätze in den Schachtgräbern fand. Doch kehrte er am 30. September 1878 wieder nach Hisarlik zurück, wo er bis zum 26. November arbeitete und in der Nähe des ersten großen Schatzes vier kleinere Schätze barg, die ihn in der Annahme bestärkten, dort den an den Priamos-Palast angrenzenden Bau gefunden zu haben. Im nächsten Jahr begleitete ihn bei der Kampagne zwischen dem 1. März und dem 4. Juni 1879 der berühmte Anthropologe Rudolf Virchow. Im November 1880 erschien dann Schliemanns damals sehr gerühmtes Buch *Ilios* in Leipzig, London und New York. Es umfaßte 880 Seiten mit einer ersten Profilzeichnung des Nord-Süd-Grabens.

Zwischen November 1877 und November 1880 waren die trojanischen Altertümer im South Kensington Museum in London zu sehen. Am 17. Januar 1881 trafen die 40 Kisten in Berlin ein, wo sie in eigenen Schliemann-Räumen ausgestellt werden sollten. Dafür dankte Kaiser Wilhelm I. persönlich dem Ausgräber am 24. Januar 1881; am 6. Mai erhielt Schliemann den Kronenorden zweiter Klasse und am 7. Juli 1881 wurde er der 40. Ehrenbürger von Berlin. Zunächst wurden die trojanischen Altertümer im Kunstgewerbemuseum ausgestellt, wobei Schliemann mit seiner Frau im Juni und Juli 1881 persönlich die Präsentation arrangierte. Am 7. Februar wurde die Öffentlichkeit zugelassen, nachdem Kaiser Wilhelm I. mit dem Kronprinzen die Ausstellung eröffnet hatte. Ab 1885 waren die Funde im Völkerkundemuseum zu sehen, wo Schliemann die Aufstellung wieder selbst organisierte und seit 1886 mit weiteren Schenkungen bereicherte.

Zwischen dem 1. März und dem 21. Juli 1882 grub Schliemann erneut in Hisarlik. Diesmal hatte er einen ausgewiesenen, jungen Architekten, Wilhelm Dörpfeld, bei sich, der vorher bereits in Olympia für seine Grabungstechniken Anerkennung gefunden hatte. Sie legten große, bis zu 30 Meter lange und 14 Meter breite Megaron-Häuser (Vorhallenhäuser) der zweiten Schicht, Toranlagen sowie hellenistische und römische Gebäude frei.

Eine letzte Ausgrabung erfolgte dann zwischen dem 1. März und dem 31. Juli 1890. Vor dem Süd-West-Tor fand man dabei in der Schicht VI mykenische Scherben und war sich nun klar, daß die gehobenen Schätze und großen Architekturreste der Schicht II um tausend Jahre älter sein mußten, während die Schicht VI erst der von Schliemann eigentlich gesuchte Schauplatz der bei Homer beschriebenen Ereignisse sein konnte.

Am 13. November 1890 mußte sich Schliemann in Halle an der Saale an den Ohren wegen großer Schmerzen und drohender Taubheit operieren lassen. Gegen den Rat der Ärzte verließ er am 12. Dezember die Klinik und reiste über Berlin und Paris nach Italien, wo er am 24. Dezember noch Pompeji besichtigte. Am 25. Dezember brach er in Neapel auf der Piazza della Santa Carità zusammen, doch kein Krankenhaus wollte ihn aufnehmen, weil man seine Identität zunächst nicht feststellen konnte. Schließlich fand man heraus, daß sich der Fremde im Hotel an der Piazza Umberto einquartiert hatte, und trug ihn in dieses Haus, wo der spätere Nobelpreisträger und Verfasser von *Quo Vadis*, Henryk Sienkiewicz, die Ankunft Schliemanns beobachtete und beschrieb: „Als ich an jenem Abend (in der Halle des Hotels saß), wurde ein Sterbender ins Hotel gebracht. Mit vornübergesunkenem Kopf, geschlossenen Augen, schlaff herabhängenden Armen und aschfahlem Gesicht wurde er von vier Personen hereingetragen. Sie gingen mit ihrer traurigen Last dicht an meinem Stuhl vorbei, und nach einer Weile kam der Hoteldirektor zu mir herüber und fragte: ›Signore, wissen Sie, wer dieser Kranke ist?‹ ›Nein.‹ ›Es ist der große Schliemann!‹" Am nächsten Tag, dem 26. Dezember bemühten sich acht Ärzte vergeblich, Schliemann zu retten. Er verstarb am selben Tag. Sein einbalsamierter Körper wurde nach Athen gebracht. Am 4. Januar 1891 wurde er im Beisein des griechischen Königs und vieler Prominenter am höchsten Punkt des Athener Zentralfriedhofs beigesetzt, wo er heute in dem prächtigen Mausoleum neben seiner Frau ruht, das von Ernst Ziller in den Jahren 1892 und 1893 errichtet worden ist.

Nach Schliemanns Tod finanzierten seine Frau Sophia 1893 sowie das Deutsche Reich und der Preußische Staat 1894 die Ausgrabungen in Troja unter der Leitung von Wilhelm Dörpfeld. Dörpfeld konnte neun Schichten freilegen, die er von unten nach oben zählte, und belegen, daß die Mauern von Troja VI gleichzeitig mit den Mauern von Tiryns und Mykene errichtet worden waren.

Zwischen 1932 und 1938 fanden dann unter der Leitung von Carl William Blegen von der Universität Cincinnati sieben Grabungskampagnen mit einer Dauer von drei bis vier Monaten statt.

Blegen argumentierte, daß es 46 verschiedene Bauphasen gab und daß das homerische Troja in der Schicht VII a liege, die zwischen 1300 und 1260 v. Chr. zu datieren sei. Die Gebäude der Schicht VII a waren durch Brand und mutwillige Zerstörung gekennzeichnet. Auffällig war, daß in der Schicht VII a gegen Ende der Besiedlungsperiode kleine Häuser zwischen großzügig angelegten Gebäuden errichtet worden sind. Es scheint ganz so, als ob eine äußere Bedrohung es notwendig gemacht hat, die gesamte Bevölkerung auch des Umlandes plötzlich in der Stadt selbst aufzunehmen und in den noch vorhandenen Baulücken kleinere Hütten bauen zu lassen. In vielen Gebäuden fand sich bei den Ausgrabungen auch eine ungewöhnlich hohe Anzahl an Vorratsgefäßen – gerade so, wie man es bei einer belagerten Stadt erwarten würde. Blegen sah daher in dieser Schicht das Troja Homers und glaubte, daß der trojanische Krieg tatsächlich stattgefunden habe; der mit Blegen befreundete Dörpfeld stimmte seiner Meinung zu.

Am 26. August 1939 wurden die berühmtesten Gold- und Silberfunde von Troja in eine koffergroße, mit „MVF (Museum für Vor- und Frühgeschichte) 1" gekennzeichnete und versiegelte Holzkiste verpackt und in den Tresor des Gropius-Baus gebracht, in dessen Gebäude die Schliemann-Sammlung seit 1931 ausgestellt worden war. Im zweiten Kriegsjahr, Ende 1941, wurde diese mit weiteren 32 Kisten im Tresorraum der Preußischen Staatsbank und im November 1941 im Flakturm-Bunker am Zoo deponiert. Die übrigen Funde von Troja waren in weiteren Kisten verstaut. Sie kamen nach Lebus an der Oder, nach Schönebeck bei Magdeburg oder blieben im Gropiusbau oder anderswo in Berlin, wo sie infolge der Kriegszerstörungen später nur als Fragmente wieder ausgegraben werden konnten. Einige Kisten waren mehrmals umgepackt worden und kamen möglicherweise auch mit anderen Gegenständen in andere Verstecke. Teilweise ist ihre Unterbringung daher nicht mehr nachzuvollziehen. Möglicherweise ist einiges nach West oder Ost verschleppt oder von dem einen oder anderen Soldaten als Souvenir mitgenommen worden. Viele der in Lebus versteckten Objekte wurden am Ende des Krieges sogar in Privathäusern untergebracht, wo sie zum Teil zerstört oder vergessen worden sind. 1948 konnte die Museumsdirektorin Gertrud Dorka mit einer Bonbonaktion wieder einige Stücke zurückerhalten: Sie versprach den Kindern im Tausch gegen die Objekte Bonbons und die Kinder brachten einiges – leider bisweilen wohl auch mutwillig zerbrochen, um für die größere Anzahl an Einzelfunden mehr Süßigkeiten zu bekommen. In den 50er Jahren wurden viele berühmte Kunstwerke und Objekte von den Alliierten wieder nach Berlin zurückgegeben. Die Kiste mit den trojanischen Schätzen blieb aber verschollen. Immer wieder wurden Gerüchte geschürt und die Schätze an den verschiedensten Orten der Welt vermutet.

Im April 1991 schrieben in der amerikanischen *ARTnews* der Moskauer Korrespondent der Zeitschrift, Konstantin Akinscha, und ein Konservator des Moskauer Puschkin-Museums, Grigori Koslow, daß die trojanischen Kunstwerke sich im Puschkin-Museum befinden müßten, doch keiner glaubte ihnen so recht. Erst als die beiden im April 1993 in der deutschen Zeitschrift *ART* eine Liste der in der Kiste aufbewahrten Objekte vorlegen konnten, die sie im Moskauer Zentralen Staatsarchiv für Literatur und Kunst aufgespürt hatten, wurde man hellhörig. Ausschlaggebend war neben der Liste ein Foto, das die Direktorin des Puschkin-Museums, Irina Antonowa, als junge Konservatorin zeigte, die gerade das Ausladen der Kisten beaufsichtigte. Doch damit wußte man noch nicht, wo der Inhalt der Kiste sich mittlerweile befand. Im Juni 1993 verkündete dann Boris Jelzin nach dem Genuß einiger geistiger Getränke bei einem Staatsbesuch in Athen, daß demnächst eine Ausstellung der Troja-Schätze in Athen geplant sei, und einige Tage später bestätigte der russische Kulturminister Jewgeni Sidorow, daß er trojanische Goldstücke in den Händen gehalten habe. Das Gold befand sich also in Moskau.

Später fand man heraus, daß die Kiste „MVF 1" mit weiteren Behältnissen noch bei der Eroberung Berlins im Flakturm-Bunker Zoo gelagert hatte. Am 26. Mai 1945 hatte der damalige Direktor des Museums für Vor- und Frühgeschichte, Wilhelm Unverzagt, die Kiste einer sowjetischen Militärkommission übergeben, die die Schätze nach Moskau transportieren ließ, wo sie am 12. Juli 1945 von Irina Antonowa im Puschkin-Museum entgegengenommen wurden. Ende Oktober 1994 durften dann Archäologen verschiedener Länder vor Fernsehkameras die trojanischen Goldschätze im Puschkin-Museum in Moskau begutachten und am 14. November viele der Bronzeobjekte anschauen, die in der Eremitage in St. Petersburg versteckt waren. Die bedeutenden Funde aus Troja ruhen immer noch in Rußland, sind aber jetzt der internationalen Öf-

Abb. 8: Troja VI, Burg in Rekonstruktion.

fentlichkeit zugänglich – was wichtiger ist als manche nationale Eitelkeit.

Seit 1988 finden in Troja wieder Ausgrabungen statt, die unter der Leitung von Professor Manfred Korfmann von der Universität Tübingen stehen und in den letzten Jahren eine Beteiligung von über 100 Wissenschaftlern aus 13 Ländern verzeichnen können. Mit ihrer Hilfe konnte eine noch viel genauere Feinchronologie erzielt und so zum Beispiel die Phase Troja VI in acht Bauphasen unterteilt werden, die sich in drei Hauptphasen untergliedern lassen: Troia VI-Früh 1700–1570 v. Chr.; Troia VI-Mitte 1570–1470 v. Chr. und Troia VI-Spät 1470–1250/30 v. Chr. Dank intensiver Untersuchungen konnte man zudem feststellen, daß der bisher erforschte Hügel zur Zeit von Troja VI nur die etwa 20 000 m² große Burg mit großzügig angelegten Straßen und Palästen umschloß (Abb. 8) und daß davor eine Unterstadt lag, die ihrerseits nochmals ungefähr 180 000 m² aufwies und die eigentliche Wohnstadt war. Der Niedergang der blühenden Stadt Troja VI ist im einzelnen noch unklar. Nur geringfügige Schäden lassen sich feststellen. War eine Naturkatastrophe – etwa ein Erdbeben – schuld oder ein Kampf, der aber nur wenige Spuren hinterließ, weil er ziemlich rasch entschieden worden ist? Wenn letzteres der Fall war, so stellt sich die Frage, ob die Zerstörer von außerhalb kamen, oder waren sie vielleicht selbst Trojaner, die eine Revolution entfacht hatten?

Erst spätere Ausgrabungen in der Unterstadt mögen diese Frage vielleicht klären helfen.

Sicher ist nur, daß in der Phase von Troja VII a (1250/1230–1180 v. Chr.) auch der Burgberg von vielen kleineren Gebäuden übersät war – Rückzug oder Niedergang? Gewiß ist die Stadt VII a mit Gewalt zerstört worden. In jenen Zerstörungsschichten fand man nämlich Reste von offenbar unbestatteten Toten und viele Fernwaffen wie Speerspitzen aus Bronze und Stein sowie Schleudersteine.

Ging Troja VI oder VII a also im Zuge des legendären „Trojanischen Krieges" unter? Für die antiken Schriftsteller war dieses Ereignis eine Tatsache, wenn auch der Zeitpunkt der Zerstörung Trojas durch die Griechen in den verschiedenen Texten durchaus voneinander abweicht. Der Geschichtsschreiber Douris von Samos (etwa 340–270 v. Chr.) datiert die Eroberung von Troja in das Jahr 1334 v. Chr., während der Historiker Ephoros von Kyme (4. Jahrhundert v. Chr.) mit 1135 v. Chr. den spätesten zeitlichen Extrempunkt stellt. Im groben stimmen also die meisten der dazwischen liegenden Angaben mit den modernen Forschungsergebnissen über das Ende von Troja VI oder noch mehr von Troja VII a überein. Mit Hilfe der Ausgrabungen konnten bisher jedoch die Angreifer noch nicht sicher identifiziert und damit auch keine definitive Stellungnahme zu der Frage ermöglicht werden, ob es den Trojanischen Krieg wirklich gegeben hat. Die Entdeckung der Unterstadt durch Manfred Korfmann gibt jedoch Anlaß zu der Hoffnung, daß wir in den nächsten Jahren eine Antwort erhalten. In jedem Fall hat der Troja-Mythos von der Antike bis zu Heinrich Schliemann und weiter bis in unsere Tage nichts an Faszination eingebüßt.

5. Santorin und die Geschichte vom versunkenen Atlantis

[...] An männlicher Nachkommenschaft aber erzeugte er [Poseidon] fünf Zwillingspaare und zog sie auf, zerlegte sodann die ganze Insel Atlantis in zehn Landgebiete und teilte von ihnen dem Erstgebornen des ältesten Paares den Wohnsitz seiner Mutter und das umliegende Gebiet, als das größte und beste, zu und bestellt ihn auch zum König über die anderen (Söhne); aber auch diese machte er zu Herrschern, indem er einem jeden die Herrschaft über viele Menschen und vieles Land verlieh. Auch legte er allen Namen bei, und zwar dem ältesten und Könige den, von welchem auch die ganze Insel und das Meer, welches ja das atlantische heißt, ihre Benennungen empfingen; nämlich Atlas ward dieser erste damals herrschende König geheißen. [...] (Platon, *Kritias*, 114 A)

[...] Vom Atlas nun stammte ein zahlreiches Geschlecht, welches auch in seinen übrigen Gliedern hochgeehrt war, namentlich aber dadurch, daß der jedesmalige König die königliche Gewalt immer dem ältesten seiner Söhne überlieferte, viele Geschlechter hindurch sich den Besitz dieser Gewalt und damit eines Reichtums von solcher Fülle bewahrte, wie er wohl weder zuvor in irgend einem Königreiche bestanden hat, noch so leicht künftig wieder bestehen wird, und war mit Allem versehen, was in der Stadt und im übrigen Lande herbeizuschaffen nötig war. Denn Vieles ward diesen Königen von auswärtigen Ländern her in Folge ihrer Herrschaft (über dieselben) zugeführt, das Meiste aber bot die Insel selbst für die Bedürfnisse des Lebens dar, zunächst Alles, was durch den Bergbau gediegen oder in schmelzbaren Erzen hervorgegraben wird, darunter auch die Gattung, welche jetzt nur noch ein Name ist, damals aber mehr als dies war, nämlich die des Goldkupfererzes, welches an vielen Stellen der Insel aus der Erde gefördert und unter den damals lebenden Menschen nächst dem Golde am höchsten geschätzt ward. Ferner brachte sie Alles, was der Wald zu den Arbeiten der Handwerker darbietet, in reichem Maße hervor und nährte reichlich wilde und zahme Tiere. Sogar die Gattung der Elephanten war auf ihr sehr zahlreich, denn nicht bloß für die übrigen Tiere insgesamt, welche in Sümpfen, Teichen und Flüssen, so wie die, welche auf den Bergen und welche in den Ebenen leben, war reichliches Futter vorhanden, sondern in gleichem Maße (auch selbst) für diese Tiergattung, welche die größte und gefräßigste von allen ist. Was überdem die Erde jetzt nur irgend an Wohlgerüchen nährt, sei es von Wurzeln oder Gras oder Hölzern oder hervorquellenden Säften oder Blumen oder Früchten, das Alles trug und hegte die Insel vielfältig; nicht minder die „milde Frucht" und die trockene, deren wir zur Nahrung bedürfen, und alle, deren wir uns sonst zur Speise bedienen und deren Arten wir mit dem (gemeinsamen) Namen der Gemüse bezeichnen; ferner die, welche baumartig wächst und Trank und Speise und Salböl (zugleich) liefert; ferner die schwer aufzubewahrende Frucht der Obstbäume, welche uns zur Freude und zur Erheiterung geschaffen ist, und was wir zum Nachtisch aufzutragen pflegen als erwünschte (neue) Reizmittel des angefüllten Magens für die Übersättigten – dies Alles brachte die Insel, die damals durchweg den Einwirkungen der Sonne zugänglich war, in vortrefflicher und bewundernswerter Gestalt und in der reichsten Fülle hervor. Indem nun Atlas und seine Nachkommen dies Alles aus der Erde empfingen, gründeten sie Tempel, Königshäuser, Häfen und Schiffswerften, und richteten auch das ganze übrige Land ein, wobei sie nach folgender Ordnung verfuhren. [...] (Platon, *Kritias*, 114D–115C)

[...] Späterhin aber entstanden gewaltige Erdbeben und Überschwemmungen, und da versank während eines schlimmen Tages und einer schlimmen Nacht das ganze streitbare Geschlecht bei euch scharenweise unter die Erde, und ebenso verschwand die Insel Atlantis, indem sie im Meere unterging. Deshalb ist auch die dortige See jetzt unfahrbar und undurchforschbar, weil der sehr hoch aufgehäufte Schlamm im Wege ist, welchen die Insel durch ihr Untersinken hervorbrachte. [...] (Platon, *Timaios*, 25D)

In dieser Weise und mit noch vielen weiteren Ausschmückungen erzählt der athenische Philosoph Platon in seinen Büchern *Timaios* (23D–25D) und *Kritias* (113C–121C), die zwischen 359 und 351 v. Chr. verfaßt worden sind, die berühmte Legende von dem versunkenen Atlantis – jener Sage, die Kritias angeblich von seinem

Vorfahren Solon überliefert worden ist. Danach bereiste Solon (um 590 v. Chr.) Ägypten und entdeckte im Neith-Tempel von Sais im Nildelta eine Säule, auf dem die Geschichte des schon zu dieser Zeit seit 9000 Jahren untergegangenen Atlantis niedergeschrieben war. Zusammen mit einem ägyptischen Priester übertrug Solon angeblich die Erzählung ins Griechische. Immer wieder stellte und stellt sich die Frage, ob es Atlantis tatsächlich gab oder ob alles nur ein geniales Phantasiegebilde Platons gewesen ist.

Seit der spektakulären Entdeckung von Akrotiri auf Thera erhofften sich viele Menschen, an dieser Stätte endlich das versunkene Atlantis zu Gesicht zu bekommen. Doch bevor wir uns der aufregenden Frage nach dem Wahrheitsgehalt der Geschichte widmen, müssen wir Akrotiri näher in Augenschein nehmen.

Als man 1859 damit begann, den Suez-Kanal anzulegen, verwendetete man die Asche von Santorin, um eine Zementart zur Errichtung des Hafens von Port Said zu mischen. Santorin ist heute die Bezeichnung für jene Gruppe von fünf beieinander liegenden Inseln, die in früherer Zeit noch eine einzige Insel bildeten. Bei der Gewinnung der Asche stieß man an der Südküste von Therasia, der nordwestlichen Insel von Santorin, auf verschiedene antike Mauern. Der Besitzer des Grundstückes M. Alaphouzos untersuchte diese Mauern im Jahre 1866. Doch schon kurz darauf, zwischen 1867 und 1870, nahm der französische Vulkanologe Ferdinand Fouqué, der zunächst nur wegen des Vulkanausbruchs des Jahres 1866 nach Santorin gekommen war, weitere archäologische Untersuchungen vor. Er entdeckte ein Haus mit sechs Räumen und weitere fünf Häuser, in denen sich große Mengen Keramik befanden. Fouqué identifizierte sie richtigerweise mit der vorgriechischen Zeit. Das 12 x 11 Meter große Sechszimmerhaus barg neben den Skeletten von drei Ziegen auch die Gebeine eines alten Mannes. 1870 begannen die beiden Franzosen H. Mamet und H. Gorceix in Balos nordöstlich von Akrotiri auf Thera mit weiteren Grabungen. Schon nach kurzer Zeit fanden sie 2 Meter hohe Mauern und ein erstes Wandmalereifragment, das eine Lilie zeigte. Sie mußten das Unternehmen jedoch wegen akuter Einsturzgefahr bald wieder abbrechen. In der Nähe von Balos entdeckten sie das Erdgeschoß eines weiteren Hauses, dessen Boden gepflastert und dessen Wände gelb bemalt waren. Eine Kammer war mit mehreren Vorratsgefäßen gefüllt, in einer zweiten kamen eine Kupfersäge und ein Olivenbaumstamm mit Zweigen zum Vorschein. Fouqué erkannte mittlerweile, daß die Gefäße ins 2. Jahrtausend v. Chr. zu datieren waren und einer bis dahin unbekannten Kultur entstammen mußten. Der französische Archäologe Louis Figuier war der erste, der damals, 1872, glaubte, an dieser Stelle Atlantis entdeckt zu haben.

Nach den nur kurzen Untersuchungen der Franzosen, deren freigelegte Ruinen größtenteils schon bald wieder infolge des Ascheabbaus verschwanden, gerieten auch die Funde von Santorin für über 20 Jahre in Vergessenheit. Erst als Robert Zahn im Jahre 1899 in Akrotiri grub, kam es erneut zu archäologischen Funden. Zahn entdeckte ein Haus, Reste von Fischernetzen, eine goldene Halskette und viele Scherben, unter anderem von einem Vorratsgefäß mit einer Inschrift, die man später dem Schrifttyp Linear A zuordnen sollte. Es handelt sich dabei um die früheste minoische Bilderschrift, die bis zum gegenwärtigen Forschungsstand noch nicht entziffert werden konnte. Trotz der vielversprechenden Entdeckungen forschte Zahn nicht weiter. Er war möglicherweise – ohne sich dessen bewußt zu sein – bereits auf die bedeutende Siedlung gestoßen.

Es mußten noch einmal über 60 Jahre vergehen, bis der griechische Archäologe Spyridon Marinatos 1967 mit seinen spektakulären Ausgrabungen begann. Ein Jahr zuvor hatte James Mavor von der Woods Hole Oceanographic Institution an verschiedenen Stellen von Santorin nach Spuren bronzezeitlicher Besiedlungen gesucht. Mavor nahm dabei Kontakt mit Marinatos auf, da er glaubte, daß es sich bei der auf Thera versunkenen minoischen Kultur um das legendäre Atlantis handelte, was er bereits im Jahre 1950 behauptet hatte.

Seit der Entdeckung von Knossos durch Sir Arthur Evans im Jahre 1900 konnte man davon ausgehen, daß noch vor der mykenischen Zivilisation auf Kreta und den nördlich angrenzenden Inseln bereits eine andere Hochkultur erblüht war, die nach Minos, dem ersten mythischen König von Kreta, die minoische Kultur genannt wird.

Mavor gelang es jedoch nicht, bemerkenswerte Funde zu machen. Als sich Mavor und Marinatos dann im Jahre 1967 auf Santorin trafen, übernahm der Grieche die Verantwortung für sämtliche Ausgrabungen auf der Insel. Marinatos erfuhr durch Zufall von einem alten Maurer, daß vor einigen Jahren der Boden einer

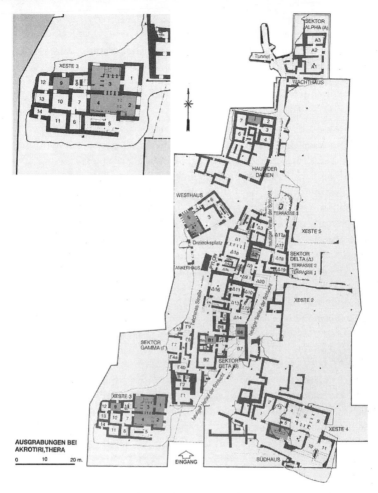

Abb. 9: Akrotiri, Stadtplan.

Eselshöhle eingebrochen war und dabei einen tiefer gelegenen
Raum zugänglich gemacht hatte. Das gleiche Ereignis hatte sich
bei einem weiteren Feld, das ganz in der Nähe lag, zugetragen.
Mavor und Marinatos fanden die Stelle und bemerkten, daß von
dort auch riesige Steinmörser stammten, die die ortsansässigen Bewohner als Tröge benutzten. Marinatos begann einen Suchgraben

89

bei der Eselshöhle anzulegen. Schon in 4 Metern Tiefe fand er erste bronzezeitliche Gefäße. Bereits am zweiten Tag legte man einen ganzen Vorratsraum frei, der, wie sich später herausstellte, zu einem zweistöckigen Komplex gehörte, dem sogenannten Gebäude Alpha. Dieses Gebäude umfaßte wahrscheinlich zwei Wohneinheiten (Abb. 9). In drei großen Vorratsräumen im Erdgeschoß des Komplexes fanden sich zahlreiche Gegenstände. Im Raum 1 lagerten unter anderem sieben große Vorratsgefäße, ein Schleifstein, ein Steinmörser und ein Steinbecken, in Raum 2 entdeckte man viele Tongefäße, Lampen, Steindreifüße, Schleifsteine, Gewichte und eine Tonkiste, in Raum 3 schließlich fand man Tongefäße, darunter ein braunes Gefäß mit Liliendekor und eine Gruppe von großen Bügelkannen zum Transport von Olivenöl. Neben Raum 1 gab es einen zusätzlichen Raum zum Mahlen von Weizen, was sich durch den Fund eines Mühlsteins, eines Weidenkorbs und einer Tonkiste zum Lagern von Körnern beweisen ließ.

An einem anderen Abschnitt stieß Marinatos auf den sogenannten Gebäudekomplex Delta, dessen hervorragend ausgearbeitete Fassade nur zum Teil eingefallen war. Die Sturzlage der gekonnt gearbeiteten Steinblöcke ergab, daß zwei gewaltige Erdbeben stattgefunden haben mußten. Eine massive Ascheschicht legt es nahe, diese mit dem Ausbruch des Vulkans vor mehr als 3000 Jahren in Verbindung zu bringen und darin den Anfang vom Ende der alten Hochkultur auf Santorin zu erkennen! Die Fassade des Hauses öffnete sich zu einem Hof, an den sich weitere Gebäude anschlossen. Wahrscheinlich umschloß das Gebäude ursprünglich vier Wohneinheiten. Marinatos förderte eine große Menge an Gegenständen zutage, darunter zahllose Gefäße für den Alltagsgebrauch, einen Herd und ein Wasserbecken (wohl aus einer Küche), Bronzevasen, Schreibzeug, einen schönen Siegelstein und eine Tontafel mit der bis heute nicht entzifferten Linear A-Schrift.

Nachdem Marinatos anfänglich das Gelände teilweise untertunnelt hatte, wurde seit 1968 nur noch ebenerdig abgetragen. Eine besondere Schwierigkeit ergab sich aus der Tatsache, daß die Tür- und Fensterrahmen ursprünglich aus organischem, daher vergänglichem Material gefertigt und inzwischen verschwunden waren; nur die Hohlräume waren geblieben. Marinatos ließ in die Hohlräume Beton gießen. Er konnte dadurch die ehemalige Form der Tür- und Fensterrahmen rekonstruieren und die noch erhaltenen

Wände stabilisieren. In der gleichen Weise war es nun möglich, auch hölzerne Möbelstücke wieder entstehen zu lassen.

1969 wurde ein weiteres Gebäude (Beta) ergraben, das beeindruckende Malereien in seinen Obergeschossen barg. Sie vermitteln einen lebendigen Eindruck der Lebensfreude und hohen Kultur der einstigen Bewohner. Eine Wandmalerei aus Raum 1 stellt zwei mit Lendenschurz bekleidete Kinder dar, die an der rechten Hand Boxhandschuhe tragen und außer zwei langen Zöpfen und zwei kürzeren Locken einen kahl geschorenen Kopf haben. Der Knabe im linken Bildteil unterscheidet sich deutlich durch sein Geschmeide (Ohrringe, Halsketten, Armbänder und Fußketten) von dem rechts dargestellten Knaben, der keinen Schmuck trägt. Die anderen drei Wände verzierten außerordentlich schöne Darstellungen von sechs lebensgroßen Antilopen. Am beeindruckendsten aber waren wohl die Malereien im Raum 6. Diese zeigen Affen, die an felsigen Hügeln herumklettern und dabei an die Landschaft um Akrotiri erinnern, ja vielleicht sogar auf die damalige Umgebung der Stadt verweisen. In den Räumen 2 und 6 wurden viele Tongefäße gefunden, darunter konische Trinkbecher, Kochtöpfe und aus Kreta importiertes Geschirr. Ob es sich dabei aber um Räume handelt, die für zeremonielle Mahlzeiten genutzt wurden, muß dahingestellt bleiben. Immerhin belegen die Importe einen entwickelten Handelsverkehr, in den die Insel eingebunden war.

Ein Jahr später kamen anmutige Malereien im Raum 2 des Gebäudes Delta zum Vorschein. Man erkennt eine sehr abstrakt gehaltene Felslandschaft und verschiedene Schwalben, die zwischen phantastischen großen Liliengewächsen umherfliegen. In der „Nord-Ost-Ecke" des Lilienzimmers tat sich eine weitere Öffnung zu einer Aushöhlung auf. Nachdem Marinatos die Hohlräume ausgegossen und die umliegende Asche entfernt hatte, kamen die Konturen eines hölzernen kleinen Stuhls und eines etwa 1,60 Meter langen und 68 cm breiten Holzbettes zum Vorschein. Auf dem Bett mußte, so die archäologische Rekonstruktion, sogar noch eine Decke gelegen haben, die unachtsam zurückgeworfen worden war – gerade so, als wenn der darin Schlafende das Bett nach dem Aufstehen nicht mehr gemacht hätte. War der letzte Schläfer nur nachlässig oder verließ er unter dem Eindruck einer Katastrophe das Bett fluchtartig und kehrte nie wieder zurück?

Die Enden des Bettes standen nicht auf dem Boden, sondern auf einer 10 cm hohen Schicht aus Vulkanasche, was bedeutet, daß man das Bett wahrscheinlich erst nach einer ersten Eruption aufgestellt hatte, bei der bereits Asche in das Haus eingedrungen war. Dieses Haus muß im Gegensatz zu anderen Häusern, die große Risse aufwiesen oder aber zum Teil schon eingestürzt waren, den ersten Ausbruch und das erste Beben unversehrt überstanden haben.

Im Jahre 1971 wurde der Rest des Komplexes Delta aufgedeckt, als man entlang der westlich gelegenen Straße grub, und Marinatos an dieser Stelle das „Westhaus" fand. Bemerkenswert war die aufwendige Toiletten- und Badeanlage im Erdgeschoß, wo sich eine Wanne und ein Dreifußkessel aus Bronze befanden, in dem heißes Wasser bereitgehalten werden konnte. Im zweiten Stock fanden sich Wohnräume, die mit beeindruckend schönen Malereien ausgeschmückt waren. Die Wandmalereien in einem Raum waren in drei Sektionen untergliedert. Der untere Teil täuschte verschiedenartige bunte Marmorinkrustationen vor. Der Mittelstreifen zeigt mehrere größere Figuren; zum einen zwei Fischer, die in ihren Händen an Schnüren aufgereihte Fische halten, und zum anderen eine reich mit Ohrringen, Armbändern und einer Halskette geschmückte Priesterin oder Opfergabenbringerin, die in ihren Händen ein Weihrauchgefäß hält. Im oberen Bereich waren die berühmten, ehemals 16 Meter langen Miniaturmalereien angebracht, die an den Nord- und Südwänden eine ungefähre Höhe von 43 cm und an den West- und Ostwänden lediglich eine Höhe von 20 cm aufweisen. Sie zeigen Schiffe und Küstenlandschaften mit fünf Städten, darunter möglicherweise Akrotiri. Man sieht Schiffe, die vor einer Stadt gekentert sind, sowie einen Teil der Schiffsbesatzung, die ertrunken im Wasser treibt. Auf dem Land ziehen Krieger aus, bewaffnet mit großen Schilden, Schwertern, langen Speeren und Helmen, die mit Eberzähnen bestückt sind. Oberhalb dieser Szene erkennt man Hirten, die Rinder, Schafe und Ziegen hüten. Vor ihnen steht ein Brunnen, von dem Frauen mit Amphoren Wasser holen und die dabei von vier Männern beobachtet werden. Jenseits zweier Städte liegt eine Flußlandschaft, die mit ihren Palmen und Papyrus-Stauden, verschiedenen exotischen Bäumen und Büschen, einem Löwen, einem Schakal und einem Hirsch sowie mit der Darstellung von Wildenten einen romantischen Eindruck hinterläßt. Eine große Seeflotte, bestehend aus einem kleinen Ruderboot und sieben Segelschiffen, die ihrerseits mit 18 bis 20 Rudern bestückt sind, beherrscht das Meer zwischen zwei Städten. An Bord befinden sich Soldaten. Ob die Szene auf ein historisches Ereignis anspielt, z. B. auf eine Eroberungsfahrt, die einst von Akrotiri ausging oder nur die facettenreiche ägäische Inselwelt mit ihren blühenden Städten und Schiffen verherrlicht, wissen wir nicht, weil wir keine lesbaren Schriftquellen zur Geschichte der Stadt besitzen.

Im anschließenden Raum fand sich eine weitere detaillierte Darstellung eines Schiffes, das mit großen Lilien und anderen Blumen in verschiedenen Vasen verziert ist.

Ebenfalls im Jahre 1971 stieß Marinatos nördlich des Gebäudes Delta auf das zweistöckige „Haus der Damen", so benannt nach den reizenden Wandmalereien in einem Raum im zweiten Obergeschoß. In einer felsigen Landschaft, mit Lilien ausgestaltet, bewegen sich zwei mit Ohrringen geschmückte Frauen in Röcken und Obergewändern. Die weiter nach vorn gebeugte Schönheit läßt dabei ihren großen Busen im Profil erscheinen. Rechts vor ihr steht eine weitere Frau, von der jedoch nur noch ein Teil des Rokkes und ihres Obergewandes zu sehen sind. Es ist nicht recht klar, welcher Beschäftigung die beiden Frauen in dieser Szene gerade nachgehen. Immer wieder wollte man eine religiöse Kleidungszeremonie erkennen, weil die links positionierte Frau ihre großen Brüste freigibt. Doch die damaligen Obergewänder besaßen nun einmal einen großen Ausschnitt, so daß bei einer Bewegung des Nach-vorne-Beugens die Brüste einer Frau eben leicht zum Vorschein kommen konnten. Es muß sich hierbei also nicht notwendigerweise um eine rituelle Entblößung und besondere Bekleidung gehandelt haben.

1973 legte Marinatos das teilweise zweistöckige Gebäude Xeste 3 mit der üppigsten Ansammlung von Wandmalereien auf Thera frei. Das Gebäude war mit 15 Räumen im Erdgeschoß besonders groß und zeichnete sich zusätzlich durch ein „Lustrationsbecken" und durch umliegende Bänke aus, wie wir sie sonst nur aus kretischen Palästen kennen. Insbesondere das „Lustrationsbecken" sorgte für viel Diskussionsstoff. Ein solches Becken meint bei den minoischen Bauten Kretas eine rechteckige Vertiefung in einem Raum, die über Stufen erreichbar ist. Sir Arthur J. Evans vermutete

Abb. 10: Akrotiri, Malerei im Gebäude „Xeste 3".

bei seinen Funden in Knossos, daß es sich dabei um Wasserbecken für kultische Reinigungszeremonien (Lustrationen) gehandelt haben müsse. Andere sahen in ihnen jedoch nur normale Bäder, die zum Teil aber keine Wasserleitungen aufwiesen und, wie in unserem Fall, nicht einmal wasserdicht waren. Die Vertiefungen müssen daher ganz unterschiedliche Funktionen gehabt haben. In unserem Raum 3 stand das Becken unterhalb der Ostwand. Diese Wand zeigte Malereimotive von einem Altar, der mit blutenden Doppelhörnern abschloß, die auf ein soeben getötes Opfertier hinweisen. Das Becken stand daher in diesem Fall wohl in Beziehung zum Altar und mag tatsächlich kultischen Zwecken gedient haben, sei es zur Verrichtung von bestimmten Zeremonien oder zur Aufnahme von Opfern. Die Malereien der Nordwand bestärken diese Vermutung. Darauf ist zu sehen, wie sich drei vornehm gekleidete Frauen, mit wertvollem Geschmeide geschmückt, dem Altar auf der Ostwand nähern. Die Frau ganz links, die durch ihren sehr hübschen, im Profil gezeigten Kopf hervorsticht, trägt einen reich verzierten langen Rock und ein durchsichtiges langärmeliges Obergewand, das oben mit Krokosblüten umschlossen ist (Abb. 10). Durch das Kleid schimmert ihre wohlgeformte linke Brust, während die rechte von einer herabfallenden Bordüre zum großen Teil verdeckt wird. In der leicht nach vorn gestreckten linken Hand hält sie eine Perlenkette. Vor ihr sitzt auf einer kleinen Erhebung eine zweite Frau mit einem Myrtenzweig im Haar. Mit der rechten Hand berührt sie den linken Fuß, dessen großer Zeh blutet. Die linke Hand berührt ihre etwas nach unten geneigte Stirn im Gestus des Schmerzes. Die rechte Frau schreitet zu den beiden anderen Figuren nach links, hat aber ihren Kopf zurückgewendet. Ihr Haar ist mit Ausnahme dreier langer Locken geschoren. Neben einem Rock und einem Oberkleid trägt sie einen langen transparenten Schleier, der mit roten Punkten verziert ist. Wahrscheinlich handelt es sich bei dieser Szene um eine religiöse Zeremonie, wofür auch die abgeschnittenen Haare sprechen würden. Die zu Raum 3 führenden Korridore scheinen die religiöse Thematik aufgenommen zu haben. Ein nackter Knabe und zwei etwas älter erscheinende nackte Jünglinge mit geschorenem Haar nähern sich einem Mann, der mit einer Art Lendenschurz bekleidet ist und mit beiden Händen einen großen Krug umfaßt. Der Knabe hält eine kleine Schale, einer der beiden Jünglinge ein langes Tuch und der dritte ein größeres Gefäß.

Im Obergeschoß des Raumes 3, an der Ostwand, befinden sich weitere kostbare Malereien, die eine Krokusernte in felsiger Landschaft zeigen, an der sich zwei Frauen beteiligen. An der Nordwand sieht man eine Frau einen Korb voller Blüten vor einer viel größeren weiblichen Gestalt ausschütten. Diese sitzt auf einem hohen Thron und ist von einem Greifen und einem Affen umgeben, der ihr einen Strauß von Krokussen überreicht. Auf dem Rücken und um den Kopf der Thronenden schlängelt sich eine Viper.

95

Wahrscheinlich stellt sie eine Göttin dar, die über alle Tiere herrscht. Von hinten nähert sich der Thronenden eine andere Frau, die auf ihrem Rücken einen Korb voller Blüten trägt. In einem sich anschließenden Nebenraum (Raum 3 b) sind zwei weitere pompös gekleidete Frauen dargestellt. Das Gebäude Xeste 3 bot Marinatos insgesamt die interessantesten Malereien mit einem offensichtlich stark religiös akzentuierten Inhalt. Aber auch hier stehen wir vor Motiven, über deren realen Hintergrund im Leben der Bewohner von Thera wir weiter nichts wissen.

Ein furchtbares Unglück gefährdete 1974 den Fortgang der Ausgrabungen: Der Chefausgräber Marinatos begutachtete von einer Mauer aus die Arbeiten, wo er oft zuvor schon gestanden hatte, als er rückwärts abrutschte und mit dem Kopf auf einen Stein in der Telchinen-Straße stürzte; bald darauf erlag er seinen Verletzungen. Von diesem Zeitpunkt an übernahm Christos Doumas die Grabungen, um die bislang nur teilweise ausgegrabenen Häuser vollständig freizulegen.

Die Häuser, die bisher zum Vorschein kamen, bestanden meist aus natürlich belassenen Steinen, die mit Ton und mit in die Wände eingezogenem Holz verbunden wurden. Bearbeitete Steine waren normalerweise nur für Ecken, Türen und Fenster vorgesehen. In der Regel gab es neben der Eingangstür ein Fenster zur Beleuchtung des Ganges und für den Blick nach draußen, um den Hausbewohnern zu ersparen, für diesen Zweck eigens die Tür öffnen zu müssen. Im Erdgeschoß waren die Fenster in der Regel klein, es sei denn, es handelte sich um Fenster für Werkstätten oder Geschäfte. Die oberen Etagen stattete man hingegen mit eher großen Fenstern aus. Im Erdgeschoß lagen meist die Küche, Werkstätten und Lagerräume, in den Obergeschossen die Wohnräume. Akrotiris Häuser haben viel mit kretischer Architektur gemeinsam, so z. B. die hölzernen Säulen auf Steinbasen, Steinmetzzeichen, Quadersteinfassaden, Türen mit Pfeilern, wenigstens einen Brunnen, einen großen Eingangsraum mit mehreren Zufluchten, zwei oder mehrere Etagen und vor allem prächtige Wandmalereien.

Die Wandmalereien entstanden auf die gleiche Weise wie schon auf Kreta. Zunächst wurde auf die Wände eine Schlamm-Stroh-Mischung aufgebracht, auf diese legte man eine etwa 1,5 cm dicke Leimgipsschicht und darüber eine oder mehrere 0,5 cm dünne Gipsschichten. Auf den so vorbereiteten – häufig noch feuchten –

Grund, trug man dann die Farben auf (Freskotechnik); doch auch trockene Wände wurden bemalt (Seccotechnik). Die mineralischen Farben, denen vermutlich Eiweiß als Festiger beigegeben war, wurden mit einer Kalk-Wasser-Lösung gemischt. Gelb wurde aus Tonerde, Weiß aus Kalkstein, Rot aus eisenhaltiger Erde oder aus Eisenerz, Blau aus Glaukophan oder aus Silizium, Kupferoxid und Kalziumoxid und Schwarz aus einem bisher unbekannten Mineral gewonnen.

Auch wenn wir wenig über die Kultur der Bewohner dieser Häuser wissen, so künden doch noch heute die wunderschönen Bilder an den Wänden von dem hohen ästhetischen Empfinden und der Lebensfreude der Menschen, nicht zuletzt aber auch von ihrem hohen Wohlstand, der erforderlich war, um sich eine solche Ausstattung leisten zu können. Aber ihr Glück war bedroht von den Urgewalten der Natur, und dies konnten die Menschen nicht übersehen. Mochten sie vor der Katastrophe den Ort verlassen oder dort gestorben sein – der rauchende Vulkan in ihrer Nähe war ein deutlich wahrnehmbares Menetekel: Dank der Ausgrabungen von Marinatos wissen wir ziemlich genau um den Verlauf des Untergangs von Akrotiri. Etwa 60 Jahre ehe der Vulkan ausbrach und alles Leben auf der Insel erlosch, wurde Akrotiri bereits durch ein heftiges Erdbeben erschüttert. Die Schäden konnten repariert werden, so daß auch das normale Leben zunächst weitergehen konnte. Doch etwa fünf Jahre vor der katastrophalen Eruption bebte die Erde auf der Insel immer häufiger. Es kam zu einem letzten größeren Erdbeben, das die Gebäude nachhaltig beschädigte. Während dieser Naturkatastrophen floh ein Teil der Bevölkerung auf andere Inseln. Als sich die Erde beruhigt hatte, kehrten einige Mutige aber immer wieder zurück. Zunächst mußte aufgeräumt, baufällige Gebäude abgerissen und andere repariert werden. In den kommenden Jahren stieg die Zahl der Rückkehrer offensichtlich sogar erheblich. Doch dann bebte die Erde erneut, Dämpfe und Gase stiegen aus jenen drei Vulkanen, die damals wahrscheinlich die Silhouette von Thera beherrschten. Die meisten der Bewohner verließen zum letzten Mal die Insel. Nur wenige, vor allem Kranke und Alte blieben in Akrotiri. Nun verstärkten sich die Vulkanausbrüche. Riesige Dampfwolken standen über den Bergen und die Vulkane spieen weiße Asche und Bimsstein, die die gesamte Insel 2 cm hoch bedeckte. Es verging nochmals Zeit, vielleicht sogar mehrere Wochen oder gar Monate, bis die Vulkane eine 10 cm hohe Asche- und Bimssteinschicht, vermischt mit Basalt und größeren Felsbrocken über die Erde legten. Der große Vulkan hatte seinen Schlot geöffnet – riesige Dampfsäulen entstiegen seinem Schlund, Asche, Bimsstein und Basalt regnete nun in Massen nieder –, die Erde bebte. Der Krater vergrößerte sich soweit, daß Meerwasser hineinströmte und mit der Asche vermengt wieder ausgespuckt wurde. Es wurden gewaltige Steinbrocken bei der Erweiterung des Schlots herauskatapultiert. Ein etwa 2 Meter großer Stein fiel direkt auf das „Haus der Damen". Der Vulkan stürzte in sich zusammen und fiel in seinen eigenen Schlot, der alles wieder auswarf und den Krater einen halben Kilometer groß und 700 Meter tief werden ließ. Dieser Zusammenbruch des Vulkans verursachte ein Erdbeben, das etwa die Stufe 10 der Richter-Skala erreicht haben muß. Enorme Explosionen und andauernde Ausbrüche waren die Folge. Der Lärm verbreitete sich als ungeheurer Donner in einem Umkreis von etwa 4800 Kilometern. Die Asche wurde in den Himmel geschleudert, die Sonne verschwand und der Staub wurde durch die Atmosphäre bis nach China und Grönland getragen. Der Ostteil Kretas war wahrscheinlich mit einer bis zu 4 cm dicken Ascheschicht bedeckt. Eine ca. 63 Meter hohe Flutwelle raste von Thera aus mit einer Geschwindigkeit von etwa 450 Kilometern in der Stunde auf die Ostküste Kretas zu, die sie nach 25 Minuten und mit einer Höhe von immer noch etwa 10 bis 20 Meter erreichte und verheerende Schäden anrichtete. Während auf Thera ‚die Welt unterging‘, brauchten die betroffenen Regionen Kretas doch immerhin viele Jahre, um sich von dieser Katastrophe zu erholen.

Das genaue Datum des Vulkanausbruchs ist bis heute sehr umstritten, wobei die Festlegung entscheidend für die gesamte historische Einordnung der Mittelmeerkulturen des 2. Jahrtausends v. Chr. ist. Die traditionelle Chronologie stützte sich vor allem auf die Geschichte Ägyptens, derzufolge das Ereignis um 1500 v. Chr. stattgefunden haben muß. Eine Stele des Pharaos Ahmose berichtet von einer Naturkatastrophe, die – setzt man sie in Beziehung zu kretischen Gegenständen, die in Ägypten gefunden wurden – nach der herkömmlichen Datierung in die angegebene Zeit fallen muß. Naturwissenschaftliche Ergebnisse belegen jedoch, daß der Vulkanausbruch zwischen 1645 und 1628 v. Chr. stattgefunden hat. Bohrungen im ewigen Eis Grönlands zeigen nämlich, daß dort um 1645 v. Chr. vulkanische Asche niederregnete, die aus Thera stammen muß; eine zweite Ascheschicht konnte erst wieder viel später nachgewiesen werden. Ebenso zeigen die Jahresringe von Pinien, die im Nahen Osten erhalten blieben, und von irischen Eichen, die im 17. Jahrhundert v. Chr. wuchsen, daß um 1628 v. Chr. die Natur einer starken Veränderung ausgesetzt war. Hieraus ergeben sich zwei Möglichkeiten: Entweder gibt es in der ägyptischen Geschichtsschreibung eine Lücke von mindestens 100 Jahren oder es gab noch einen weiteren uns unbekannten Vulkanausbruch, auf den zumindest die Ergebnisse in Grönland und die der erwähnten Baumuntersuchungen hinweisen. Doch beide Möglichkeiten erscheinen letztlich unwahrscheinlich, und wir können nur zukünftige Entdeckungen abwarten, die dieses Rätsel eines Tages hoffentlich lösen werden und damit auch zu einer eindeutigen Chronologie der Ereignisse verhelfen.

Wichtiger aber als alle Chronologien und wichtiger als unsere Freude an den herrlichen Malereien der einstigen Bewohner ist unser Bewußtsein für die Tragödie, die sich dort vor mehr als 3500 Jahren abgespielt hat – und die sich bis in unsere Tage in ähnlicher Form wiederholt: Überschwemmungen in Afrika, Schlammwüsten in Südamerika und Erdbeben in Kleinasien stürzen ganze Völker ins Elend, die unserer Hilfe bedürfen. Verglichen damit bleibt die Frage nach dem alten Atlantis eine hübsche Spielerei: War nun Akrotiri das geheimnisvolle Atlantis, das in einer ungeheuren Naturkatastrophe ausgelöscht wurde? Bis zu der Entdeckung von Akrotiri vermutete man Atlantis bereits an über 50 verschiedenen Orten, bei Helgoland und in den Anden genauso wie bei Cornwall und Madeira, bei den Azoren nicht weniger als bei den Bermudas und den Bahamas, bei den Kanarischen Inseln ebenso wie bei den Kapverdischen Inseln. Als Gründe für den Untergang dieser frühen Hochkultur wurden neben Vulkanausbrüchen und Erdbeben auch Meteoriteneinschläge und sogar die Explosion einer urzeitlichen Superbombe angenommen. Der Phantasie waren keine Grenzen gesetzt. Selbst nach rund 2350 Jahren, die seit den Tagen Platons vergangen sind, fesselt die Geschichte vom sagenhaften Atlantis die Menschen; welchem Schriftsteller kann man schon zu solch einem Erfolg gratulieren?

Es kann sicherlich angenommen werden, daß die Katastrophe von Thera einen dauerhaften Schock im Bewußtsein der Völker ausgelöst haben muß. Es bleibt jedoch die Frage, wie lange dieses Erlebnis im Gedächtnis der Menschen eingeschrieben blieb. Man kann sich zumindest vorstellen, daß eine derartige Katastrophe als Ereignis selbst noch zu Zeiten Platons bekannt gewesen sein mag. Es kommt hinzu, daß zu Lebzeiten Platons eine bedeutende Stadt auf Thera existierte und die Bewohner in ihrem Alltag wohl immer wieder auf Zeugnisse der alten, längst vergangenen Kultur gestoßen sind – einer Kultur, die von der Asche eines Vulkans bedeckt war. Ebenso können wir davon ausgehen, daß die Griechen des 4. Jahrhunderts v. Chr. immer wieder Überresten minoischer Stätten auf Kreta und mykenischer Ansiedlungen auf dem griechischen Festland begegneten. Die griechischen Mythen erzählten zudem von den großen Königen der Vergangenheit wie zum Beispiel von König Minos auf Kreta oder König Agamemnon in Mykene. Ob man jedoch im Bewußtsein der Griechen eine Verbindung zwischen einer der alten vergangenen Kulturen und einem Vulkanausbruch voraussetzen kann, bleibt ungewiß. Platon mochte aber durchaus gewußt haben, daß vor langer, langer Zeit nicht allzu weit von seiner Heimat entfernt eine Hochkultur bereits untergegangen war; vielleicht wußte er sogar, daß einst ein furchtbarer Vulkanausbruch auf Santorin stattgefunden hatte, bei dem eine blühende Stadt zerstört worden war. Wenn letzteres der Fall gewesen sein sollte, dann dachte Platon wahrscheinlich an Akrotiri, wenn er von Atlantis sprach. Alle anderen Punkte seiner Erzählung sind jedoch ausschließlich dem Genie des großen Philosophen zuzuschreiben. Konkrete Details in der Beschreibung von Platons Atlantis mit Befunden in Akrotiri in Beziehung zu setzen, liefe auf reine Spekulation hinaus.

6. Das Grab des Tut-anch-Amun

Der Arzt trat rückwärts aus dem Gemach, der Oberkörper aber blieb in Richtung auf das Krankenlager hin leicht nach vorn geneigt. In dieser Haltung blieb er, bis er auf dem Gang stand und die Diener die Tür vor ihm geschlossen hatten. Er wandte sich um und ging über die Steinfliesen auf einen der Ausgänge zu. Dunkelheit umfing ihn, und nur wenige Fackeln erhellten die Nacht. In der Ferne hörte er die Palastwachen halblaut Parolen und Kommandos rufen. Der warme Wind trocknete langsam den Schweiß auf seiner Stirn. Er hatte getan, was er vermochte, aber kaum, daß er bei dem Patienten eingetroffen war, rasch erkannt, daß der Pharao sich wohl auf den Weg zu seinen göttlichen Ahnen gemacht hatte.

Die Symptome seines Patienten waren dem Arzt häufig begegnet – Fieber und Erbrechen –, aber er fühlte wie so oft am Bett eines Kranken die eigene Hilflosigkeit. Die großen medizinischen Sammelwerke, in denen ägyptische Ärzte seit vielen hundert Jahren ihre wissenschaftlichen Erkenntnisse und Erfahrungen zusammengetragen hatten, halfen gerade bei schweren inneren Erkrankungen selten weiter. Alle Tränke, alle Einreibungen und alles Abbrennen von Räucherwerk wirkten in diesen Fällen nur, wenn es auch den Göttern gefiel. So durfte man sich am meisten von den Opfern versprechen – jedenfalls nicht weniger als von der Medizin, die man dem Kranken gab. Wenn es den Göttern beliebte – und man hatte ihnen allen reiche, geweihte Opfer dargebracht: Isis, Osiris, Amon, Re, Horus und vielen anderen –, würde der junge Herrscher, der sich auf seinem Lager krümmte, davonkommen. So hatte er auch zur Gattin des Pharaos, Anchesenamun, gesprochen, um ihr nicht die letzte Hoffnung zu rauben. Es sah aber kaum danach aus, als würde Tut-anch-Amun den Sonnenaufgang erleben. Vielleicht war dies die Rache des Sonnengottes Aton, der sich von dem sterbenden Pharao um seine einzigartige Stellung zugunsten der alten Götter gebracht sah. Morgen jedenfalls würde man wohl Anubis opfern, dem göttlichen Einbalsamierer und Schützer der Toten. Dann würde der Körper des Königs für die Ewigkeit vorbereitet und schließlich im Tal der Könige sein letztes irdisches Haus finden.

*

Als Howard als elftes Kind der Carters am 9. Mai 1874 in London das Licht der Welt erblickte, dachten seine Eltern gewiß nicht einmal im Traum daran, daß ihr jüngster Sohn einer der berühmtesten Archäologen der Geschichte werden sollte. Sein Vater, Samuel John Carter, war ein angesehener Tierbildmaler – wie hätte sein Howard in der stark nach Ständen geordneten victorianischen Gesellschaft da Archäologe werden sollen? Die kamen schon eher aus solchen Kreisen, die es sich leisten konnten, ihre Kinder in Oxford und Cambridge studieren zu lassen, und daran war bei den Carters nicht zu denken. So wurde Howard früh nach Swaffham in Norfolk/England geschickt, wo ihn zwei Schwestern seines Vaters aufzogen. Nur selten sah er seine Eltern, aber bei diesen Begegnungen lehrte ihn sein Vater die Kunst der Malerei. Als 15jähriger durfte Howard selbst für William George Tyssen-Amherst malen, und diese Chance sollte sein späteres Leben entscheidend prägen. William George Tyssen-Amherst besaß einen Landsitz, Didlington Hall, der nur etwa 16 Kilometer von Swaffham entfernt war. Dort unterhielt er eine der größten Sammlungen ägyptischer Kunst in England. Er und seine Frau Susan, eine geborene Mitford, waren sehr interessiert an Geschichte und Kultur des Reiches der Pharaonen. Der Vater seiner Frau, Admiral Robert Mitford, teilte diese Neigung, ja er hatte sogar ein kleines Büchlein über Ägypten *A Sketch of Egyptian History* verfaßt. In Didlington Hall wurde oft über Ägypten gesprochen, und viele Ägyptologen verkehrten dort als Gäste des Hauses. Als Carter im Sommer 1891 in Didlington Hall fest angestellt wurde, wohnte er zahllosen Gesprächen über das ferne Land bei und studierte die Sammlung seines Herrn. Durch Vermittlung der Familie Amherst lernte er den jungen Ägyptologen Percy E. Newberry kennen, der ihn mit Erlaubnis der Amhersts engagierte, um sich von Carter, dessen Kunstfertigkeit inzwischen recht erstaunlich war, Zeichnungen von ägyptischen Malereien aus dem British Museum anfertigen zu lassen. Dabei zeigte jener ein so großes Talent, daß er schon im September 1891 zu Ausgrabungen nach Ägypten geschickt wurde. Bei seiner Ankunft in Kairo lernte er den britischen Ägyptologen Sir Flinders Petrie kennen, bei dem er einige Tage übernachten durfte. Zunächst nahm er an der Seite Newberrys an der Erforschung des Grabes des Fürsten des Gazellengaus von Beni Hassan teil. Er sollte die eindrucksvollen Wandmalereien und Inschriften aus dem Mittleren Reich abpausen. Ende November ging es 30 Kilometer weiter in den Süden zu den Gräbern der Fürsten des Hasengaus bei El-Bersha, die erst gegen Ende des 2. Jahrtausend v. Chr. angelegt worden waren.

Im Februar 1892 kehrte Carter zu Sir Flinders Petrie zurück, der in Tell el-Amarna grub, jener um 1375 von dem Ketzerpharao Echnaton (Amenophis IV.) gegründeten Stadt, der dort zusammen mit seiner berühmten Mutter Nofretete regierte. Aber nur zwanzig Jahre blieb die neue Hauptstadt bewohnt. Denn als sein Nachfolger Tut-anch-Amun unter dem Druck der mächtigen Priesterschaft von der von Echnaton eingeführten monotheistischen Religion – in deren Zentrum der Glaube an Aton, die Sonne stand – lassen mußte, kehrte der Pharao wieder in die alte Hauptstadt Theben zurück, und die Stadt Amarna wurde aufgegeben. Die Amhersts hatten einen Teil der Ausgrabungsrechte erworben und entsandten nun Howard Carter dorthin als ihren Ausgräber. So wurde der junge Mann zunächst Assistent von Sir Flinders Petrie, um das Handwerk des Ausgräbers in einer Art Crashkurs zu erlernen. Sir Flinders Petrie war ein sehr harter und karger Mann, und als erstes hieß er Carter, sich eine eigene Hütte oder, besser gesagt, eine Schlafstelle zu bauen. Carter errichtete mit eigenen Händen aus Lehmziegeln eine Bleibe, die aus einem Zimmer bestand, und bekam wie bei Sir Flinders Petrie üblich Kisten als Mobiliar und für einen Monat Konserven, aus denen er sich selbst versorgen mußte. Nach einer Woche als Assistent Petries durfte Carter dann aber im Amherstbereich selbst als Ausgräber fungieren und erhielt als Helfer einige Arbeiter. Schon bald fand er mehr als tausend Fragmente von etwa 800 Gefäßen aus Griechenland, eine Glaswerkstätte und eine Bildhauerwerkstatt. Doch im Juni endete auch schon seine erste Saison als Ausgräber und er kehrte im Juli nach England zurück, um die Funde zu registrieren und am 19. September gemeinsam mit Sir Flinders Petrie eine Ausstellung über Amarna zu eröffnen, die beim Publikum sehr gut ankam.

Bis zum Herbst 1893 arbeitete Carter weiter an verschiedenen, archäologisch verheißungsvollen Stätten Ägyptens und kopierte von Oktober 1893 bis April 1895 in Deir el-Bahari unter der Leitung des Schweizers Edouard Naville, der für den britischen Egyptian Exploration Fund arbeitete, die Malereien, Reliefs und Inschriften des Totentempels der Hatschepsut (1473–1458 v. Chr.). Als er im November 1895 dort weiterzeichnen wollte, mochte Naville ihm dies nicht mehr gestatten. Er hatte erkannt, daß Carter sich sehr viel Wissen über die ägyptische Kunst angeeignet hatte und das Arabische perfekt beherrschte. Um das Talent des jungen Mannes nicht zu vergeuden, sollte Carter fortan die Oberaufsicht über die Arbeiter übernehmen, die mit dem Wiederaufbau des Tempels der Hatschepsut beschäftigt waren. 1899 konnten diese aufwendigen Arbeiten abgeschlossen werden.

Im selben Jahr wurde Gaston Maspero zum zweiten Mal Generaldirektor der ägyptischen Altertümerverwaltung. Er war auf Carter aufmerksam geworden und ernannte ihn am 1. Januar 1900 zum Inspektor für die Denkmäler von Oberägypten und Nubien. Carter kümmerte sich in dieser Funktion zunächst um die Sicherung der bisher sechs bekannten Königsgräber im Tal der Könige, das westlich von Luxor/Theben und etwa 700 Kilometer südlich von Kairo lag. Thutmosis I. (1504–1492 v. Chr.) war der erste, der dort sein Grab hatte anlegen lassen, und von da an blieb das Tal mit wenigen Ausnahmen 400 Jahre lang die Grablege der Pharaonen. Als erster Ausgräber war im Jahre 1815 der Italiener Giovanni Belzoni im Tal der Könige erschienen, der auch der „Starke Mann" genannt wurde, weil er zunächst als Muskelprotz im Zirkus aufgetreten war, bevor er Ingenieurwesen studiert hatte. Er wollte ursprünglich in Ägypten Wasserräder bauen, kam dort aber zur Archäologie und entdeckte für den englischen Konsul Henry Salt die Gräber von Ramses I. (1307–1306 v. Chr.) und Sethos I. (1306–1290 v. Chr.) im Tal der Könige.

In der 2. Märzwoche des Jahres 1900 begann Carter seine erste große Grabung. Er erinnerte sich, daß er zwei Jahre zuvor, im Jahre 1898, mit seinem Pferd auf dem Weg zur Hütte von Naville gestürzt war, weil sein Reittier in ein Loch getreten war – und wo ein Loch war, konnte in dieser Gegend ein Grab sein; tatsächlich ergaben bereits Carters erste Untersuchungen, daß hier das Grab des Nebhepetre Mentuhotep verborgen lag, des ersten Königs der 11. Dynastie (2061–2010 v. Chr.). Carter glaubte, kurz vor der Entdeckung des ersten königlichen Grabes zu stehen, das noch nicht bereits in der Antike von Grabräubern ausgeplündert worden war. Oft nämlich waren die reichen Gräber der Pharaonen bereits kurze Zeit nach ihrem Tode aufgebrochen und ihre Schätze gestohlen worden – nicht selten unter Mitwisserschaft und geflissentlicher Honorierung der korrupten pharaonischen Beamten, die eigentlich für die Bewachung der Totenstadt zuständig waren. Der Traum eines jeden Ägyptologen war deshalb, ein ungestörtes königliches Grab zu finden. Zunächst legten mehrere hundert von Carters Arbeitern einen 150 Meter langen Gang frei. Am Ende des Ganges befand sich ein Raum mit einem Sarkophag, in dem eine in Leinen gewickelte, 1,80 Meter hohe Statue des Königs lag. Im unteren Schacht des Grabes kam dann eine noch versiegelte Tür zum Vorschein. Carter war sich sicher, dank des noch nicht aufgebrochenen Siegels eine ungestörte Grabkammer vorzufinden. Für das bevorstehende große Ereignis lud Carter neben Maspero auch den Premierminister Mustafa Pascha, den englischen Gouverneur Lord Cromer und Sir Eldon Gorst (Cromers Nachfolger) ein. Als jedoch die Kammer in deren Anwesenheit geöffnet wurde, stand man zur allgemeinen Enttäuschung nur vor einigen Tonkrügen und Holzresten, ansonsten war die Kammer leer. Es handelte sich also entweder nur um ein Scheingrab des Königs – eine gegen die Grabräuber gerichtete Finte – oder es war als echtes Grab angelegt, jedoch unvollendet geblieben. Für Carter war es eine äußerst peinliche Situation, und er vergaß diese Schmach nie.

Im Jahre 1902 erhielt der amerikanische Millionär Theodore M. Davis die Erlaubnis, im Tal der Könige zu graben und heuerte Carter als Ausgräber an. Schon im nächsten Jahr entdeckte Carter das Grab von Thutmosis IV. (1401–1391 v. Chr.). Doch auch sein Grab war bereits in der Antike ausgeraubt worden, geblieben waren aber immerhin noch die schönen Wandmalereien, ein monumentaler Sarkophag, Fragmente eines Streitwagens, ein Handschuh des Pharaos, eine Gründungsgrube mit einem Alabasterschälchen der Königin Hatschepsut (1473–1458 v. Chr.) und vor dem Eingang ein Skarabäus mit dem Siegel der Königin. Kurz darauf legte Carter 65 Meter nördlich auch das Grab der Hatschepsut selbst frei. Ihr Grab war gleichfalls geplündert und nur der Sarkophag der Königin und Thutmosis' I. (1504–1492 v. Chr.) standen noch.

Gerade als Carter sich bestens mit dem Tal der Könige vertraut gemacht hat, mußte er es im Jahre 1903 wegen eines drohenden

Aufruhrs verlassen. Carter hatte nämlich versucht, mutmaßliche Räuber der Mumie von Amenophis II. (1427–1401 v. Chr.), die kurz nach ihrer Entdeckung im Tal der Könige im Jahre 1899 gestohlen und glücklicherweise schnell wieder ausfindig gemacht worden war, in Luxor vor Gericht zu bringen. Die Einheimischen schätzten das nicht, und Maspero mußte Carter zu dessen eigener Sicherheit als Inspektor für Mittel- und Unterägypten nach Sakkara versetzen.

In Sakkara kam es am 8. Januar 1905 zu einem unangenehmen und folgenreichen Ereignis für Carter. Fünfzehn betrunkene Franzosen weigerten sich, Eintritt für die Besichtigung des Serapisheiligtums in Sakkara zu bezahlen. Als Carter eintraf, kam es zu einer wilden Schlägerei zwischen den Wächtern und den Franzosen, die mittlerweile das Haus des ehemaligen Ausgräbers Auguste Edouard Mariette besetzt hatten. Stühle und Steine flogen, die Wächter setzten Schlagstöcke ein, es gab mehrere Verletzte. Dann traf die Polizei ein und konnte die Gemüter beruhigen. Die Franzosen beschwerten sich beim französischen Generalkonsul, der eine Entschuldigung von Carter forderte. Carter weigerte sich. Maspero war gezwungen, eine Lösung zu finden, weil Carter einerseits nicht nachgeben wollte, andererseits aber auch den Einsatz der Schlagstöcke nicht mißbilligt hatte. Maspero, der Carter sehr schätzte, mußte ihn erneut versetzen. Er beförderte ihn zum Chefinspektor von Unterägypten mit Sitz in Tanta. Doch Carter kündigte schon bald und ging nach Luxor, wo er von seinen Zeichnungen und vor allem vom Handel mit ägyptischen Altertümern lebte, die er an Touristen und Museumsleute verkaufte.

Dank der Vermittlung von Maspero lernte Carter im Jahre 1907 Lord Carnarvon kennen. Lord George Edward Molyneux Stanhope Herbert Carnarvon, der 5. Graf von Carnarvon, war am 26. Juni 1866 geboren. Er war ein großer Sammler von Antiquitäten, ein hervorragender Schütze, Jäger und passionierter Halter von Rennpferden. Er bereiste die Meere mit seiner Segelyacht, und bereits als 21jähriger hatte er einmal die Welt umsegelt. Er liebte Autos und war einer der ersten Besitzer eines solchen Vehikels in England – mit der beachtlich niedrigen Zulassungsnummer 3. Im Jahre 1901 erlitt er schwere Verletzungen bei einem tragischen Autounfall bei Bad Schwalbach im Taunus und litt fortan unter starken Atembeschwerden. Die Ärzte empfahlen ihm längere Aufenthalte in südlichen Ländern, und so reiste er seit 1903 immer wieder nach Ägypten, wo er sich der Geschichte des Landes widmete und 1906 mit ersten eigenen Ausgrabungen begann. Die Altertümerverwaltung ließ ihn an einer Stelle in Theben graben, von der sie annahm, daß der Lord nicht viel Schaden anrichten konnte. Er fand tatsächlich auch nur ein unfertiges Grab, dessen ganzer Inhalt aus einer Katzenmumie bestand, doch war er von seinen Fund so enthusiasmiert, daß er auch weiterhin graben wollte – sein Ehrgeiz als Archäologe war geweckt, ein Seelengift, das rasch wirkt und ein Leben lang anhält.

Durch die Bekanntschaft mit Carter erhielt der Lord eine Grabungslizenz für die Gräber bei Deir el-Bahari, und Carter wurde als Ausgräber engagiert. Ihr erster großer Fund war das Grab des Tetiky, eines Prinzen der 18. Dynastie (1550–1319 v. Chr.). Zwei Kammern waren mit Malereien ausgeschmückt; man barg viele Uschebtis (Statuetten von Menschen aus Ton, Holz oder Stein, die – im Jenseits zum Leben erweckt – den Verstorbenen dienen sollten), welche in kleinen Holzsärgen lagen.

Im Jahre 1914 erhielt Lord Carnarvon dann die Genehmigung, im Tal der Könige zu forschen, Maspero hatte ihm ohne Zögern die Konzession bewilligt. Für ihn war klar, wie er dem Adligen auch mitteilte, daß man dort nichts mehr finden könne. Es war eine der letzten Amtshandlungen von Maspero, denn im Jahr 1914 annektierte Großbritannien Ägypten und setzte in dem Protektorat neue Amtsträger ein. Trotz des Ausbruchs des 1. Weltkriegs konnte Howard Carter im Oktober 1914 mit den Grabungen im Tal der Könige beginnen. Kurz darauf fand er ein gestörtes herrschaftliches Grab, das er Amenophis I. (1525–1504 v. Chr.) zuschrieb, was nach heutiger Sicht aber falsch und vielmehr der Königsmutter Ahmes-Nofertari zuzuordnen ist. Danach legte er das geplünderte Grab Amenophis III. (1391–1353 v. Chr.) vollständig frei, das bereits 1798 von französischen Archäologen aus dem Corps Napoleons entdeckt worden war. Er barg immerhin noch einige sehr schöne Fragmente von Uschebtis sowie einen steinernen Kopf des Königs.

Kurz darauf wurde er in Kairo für das Militär als Übersetzer eingesetzt, überwarf sich aber schon nach einigen Monaten mit seinen Vorgesetzten und konnte im Oktober 1915 wieder im Tal der Könige an die Arbeit gehen.

Eines Tages baten Einheimische Carter um Hilfe, weil Grabräuber beim Durchwühlen einer Anlage in den Felsen der benachbarten Bergzüge von einer anderen Suchmannschaft gestört worden waren und sich nach einem Kampf hatten zurückziehen müssen, nun aber auf Rache sannen. Carter sammelte umgehend einige Arbeiter, und gegen Mitternacht kamen sie an den Ort, wo die Grabräuber zugange waren. Er durchtrennte das Seil, mit dem sich die Plünderer in die Grube hinabgelassen hatten und kletterte todesmutig allein an einem eigenen Seil in den Schacht hinab, wo er die erschrockenen acht Plünderer durch sein plötzliches Erscheinen einschüchterte und aufzugeben zwang. In den nächsten Tagen grub er selbst an dieser Stelle und fand ein für Hatschepsut geplantes, aber nicht vollendetes Grab.

Ab November 1917 begann er, das Gebiet zwischen den Gräbern von Ramses II. (1290–1224 v. Chr.), Merenptah (1224–1214 v. Chr.) und Ramses VI. (1151–1143 v. Chr.) vom Schutt zu befreien, weil er annahm, daß man einst dort das Grab von Tut-anch-Amun (1333–1323 v. Chr.) angelegt hätte. Tut-anch-Amun (zu deutsch „das lebende Bild des Amun") war wahrscheinlich der Sohn Echnatons. Er hatte bereits als Junge den Thron bestiegen und verstarb im Alter von nur ungefähr 18 Jahren. Carter hatte mehrere Indizien zusammengetragen, daß das Grab des Tut-anch-Amun im Tal der Könige liegen müsse. Davis hatte wenige Jahre zuvor im Tal der Könige unter einer Felsspalte einen Fayencebecher mit dem Namen des jungen Pharaos und ganz in der Nähe in einem Schachtgrab einen zerbrochenen hölzernen Kasten mit dem Namen Tut-anch-Amuns geborgen. In einem anderen Felsloch förderte Davis Tonscherben und mit Leinwandbündeln gefüllte Tongefäße des Tut-anch-Amun zutage, die möglicherweise bei den Bestattungszeremonien für den Pharao verwendet worden waren.

Als Carter in seinem gewählten Dreieck ausgrub, legte er bald einige altägyptische Arbeiterhütten vor dem Grab Ramses VI. frei und suchte dann weiter entfernt von diesen; hätte er an der ursprünglichen Stelle weitergearbeitet, so hätte er den Zugang zum Grab Ramses VI. blockiert, das aber sehr gerne von Touristen besucht wurde. In den nächsten Jahren kamen meist nur Scherben zutage. Nur im Februar 1920 fand Carter eine kleines Versteck, in dem dreizehn sehr schöne Alabastergefäße mit den Namen von Ramses II. und seinem Sohn Merenptah lagen.

Die – aufs Ganze gesehen – Erfolglosigkeit Carters drohte nun Konsequenzen nach sich zu ziehen, denn im Sommer 1922 hatte sein Förderer und Auftraggeber Lord Carnarvon den Entschluß gefaßt, bei der anstehenden Begegnung mit Carter auf seinem Schloß in Highclere/Berkshire ihm zu erklären, daß er die Ausgrabungen abbrechen wolle. Erst nach einer hitzigen Debatte ließ sich Lord Carnarvon darauf ein, noch eine allerletzte Saison im Tal der Könige zu graben. Carter begann am 1. November 1922 mit ungefähr 100 Arbeitern vor dem Grab Ramses VI., dort wo er bereits die Arbeiterhütten aus dem 12. Jahrhundert v. Chr. freigelegt hatte. Am 3. November waren diese Behausungen entfernt, und am nächsten Tag kam unter einer der Hütten eine erste, dann eine zweite und dann weitere Stufen zum Vorschein. Es war klar, daß sie zu einem Grab führen mußten. Sollte auch dieses wieder gestört oder unvollendet sein? Wem mochte es gehört haben? Am 5. November waren alle 16 Stufen freigelegt und Carter stand vor der ersten versiegelten Tür im Verwaltungsbezirk des Königsfriedhofs im Tal der Könige. Carter ließ das Ganze wieder zuschütten und den Platz bewachen. Am nächsten Tag telegrafierte er von Luxor aus an Lord Carnarvon nach England: „Habe endlich wunderbare Entdeckung im Tal gemacht. Stop. Großartiges Grab mit unbeschädigten Siegeln. Stop. Bis zu Ihrer Ankunft alles wieder zugeschüttet. Gratuliere. Ende." Lord Carnarvon antwortete sofort und kündigte sein Eintreffen zum 23. November an.

Am 24. November wurden die Treppen wieder ausgegraben. An der Tür sahen sie nun zwei Siegel mit den Namen von Tut-anch-Amun. Die Siegelung des oberen Teiles der Tür zeigte jedoch, daß Grabräuber schon einmal in diesen Teil eingebrochen haben, aber die Wächter den Eingang vor über 3000 Jahren nochmals zugemauert haben mußten. Carter hoffte nun, daß zumindest nicht alles geplündert worden war, bevor man das Grab erneut versiegelt hatte.

Am nächsten Tag wurde die Tür abgebaut und ein etwa 7,60 Meter langer, mit Schutt verschlossener Gang geleert. Am Sonntag, den 26. November, entdeckte Carter dann eine zweite Tür, die er und sein Assistent Arthur Pecky Callender mit einer Eisenstange durchstießen. Heiße Luft strömte ihnen entgegen. Carter hielt eine Kerzenflamme in den Luftzug, um zu sehen, ob giftige Gase darin vermischt waren. Dann schaute er in die Öffnung. Erst allmählich

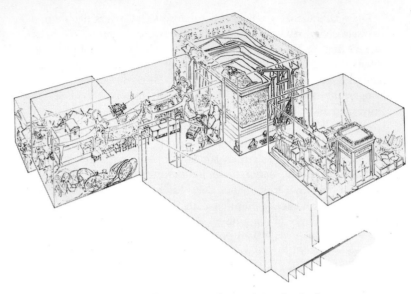

*Abb. 11: Tal der Könige, Rekonstruktion des Grabes,
Grab von Tut-anch-Amun.*

konnte er die durcheinandergewürfelten Gegenstände erkennen:
Goldene Liegen, Stühle, Statuen, Wagenräder, Truhen, Vasen und
verschiedene Geräte. Nach einer Weile fragte Lord Carnarvon:
„Können sie etwas sehen?" Carter mußte schlucken und antwortete dann: „Ja, wunderbare Dinge." Sie erweiterten das Loch und
nun konnte auch Lord Carnarvon die Schätze erblicken. Da aber
kein Sarg zu sehen war, konnte dieser Raum nur eine Vorkammer
gewesen sein. Die Spannung stieg.

Am nächsten Tag konnte die Tür zur Vorkammer entfernt werden (Abb. 11). Eine wahre Pracht entfaltete sich vor ihren Augen.
An der dem Eingang gegenüberliegenden Wand dominierten drei
nebeneinandergestellte, imposante, vergoldete hölzerne Ritualbän-
ke, die zwischen 1,80 und 2,37 Meter lang und 0,91 bzw. 1,50 Meter hoch waren. Sie waren von zwei Tiergestalten eingefaßt – einem
Löwen, einer Kuh mit Sonnenscheibe und Kleeblattfell als Symbol
der Göttin Mehetweret (der großen Nilflut) und einem Mischwe-
sen aus Löwe, Krokodil und Nilpferd für Ammut, den „Allesver-
schlinger". Unter dem Bett des Ammut lag ein außergewöhnlich

reich verzierter Stuhl, der sogenannte „Goldene Thron", der zu den spektakulärsten Gegenständen des Grabes zählt. Carter beschrieb ihn auf folgende Weise: „Die Rückenlehne ist mit einem schweren Goldbelag überzogen und reich mit Glas, Fayence und eingelegten Steinen geschmückt. Sie ist das Herrlichste an diesem Thron, und man kann ohne Zögern behaupten, daß es sich um das schönste Tableau handelt, das je in Ägypten gefunden wurde. Dargestellt ist eine Palasthalle mit blumenbekränzten Säulen, einem Fries von Königsschlangen und einem Zierstreifen aus althergebrachten Motiven. Durch ein Loch in der Decke sendet die Sonne ihre lebensspendenden, schützenden Strahlen. Der König selbst sitzt in ungezwungener Haltung auf einem Thron mit Kissen; sein Arm liegt lässig über der Lehne. Vor ihm steht die mädchenhafte Königin, die anscheinend letzte Hand an sein Gewand legt. In einer Hand hält sie ein kleines Gefäß mit Salbölen, mit der anderen salbt sie zärtlich seine Schulter oder betupft seinen Kragen mit wohlriechenden Essenzen." Gegenüber dem Thron lagen vier vergoldete hölzerne Streitwagen und überall im Raum verstreut Waffen, Möbelstücke und Kisten, die unter anderem mit Kleidern, Kosmetika, Werkzeugen und Nahrungsmitteln gefüllt waren. Am rechten Ende des Raumes standen sich zwei eine Tür umrahmende, 1,90 Meter hohe, teilweise vergoldete und bemalte hölzerne Wächterfiguren gegenüber, die in der linken Hand einen langen Stab und in der rechten einen Amtsstab hielten.

Als man sich den Wächterfiguren näherte, erkannte man auch, daß die Tür unten ein so großes Loch aufwies, daß ein Kind hätte hindurchklettern können. Es waren also schon Grabräuber vor ihnen auch in der möglichen Grabkammer selbst gewesen. Später stellte sich sogar heraus, daß die Plünderer zweimal kurz nach Tut-anch-Amuns Tod in dessen Grab eingedrungen waren. Einmal hatten sie die wertvollen Öle und das andere Mal leicht zu entwendende Schmuckstücke geraubt.

Am 30. November berichtete erstmals die *Times* von der sensationellen Entdeckung. Sofort bewegten sich Hunderte von Reportern und Schaulustigen in Richtung Tal der Könige. Am 3. Dezember erreichte schon ein großer Troß die Stätte, und Carter sah sich gezwungen, die Grabung mit einer Barrikade zu versehen, um sich vor dem Andrang zu schützen. Immer mehr Reporter und Touristen trafen ein. Die Hotels in Luxor waren komplett ausgebucht, und selbst die inzwischen in den Gärten aufgestellten Zelte reichten nicht mehr aus, die Besuchermassen aufzunehmen. Fotoapparate, Filme und Bücher über Ägypten waren im Nu in Luxor ausverkauft. Das Telegrafenamt konnte die Fülle der Anfragen und Aufträge nicht mehr bewältigen, die Flut an Post verdreifachte sich in den nächsten Tagen. Lord Carnarvon und Carter beschlossen, einen Exklusivvertrag mit der *Times* zu schließen, um die anderen Reporter loszuwerden. Doch das half ihnen nicht – auch die übrigen Reporter blieben, ja, ihre Zahl stieg noch, und sie versuchten mit allen Mitteln an Informationen zu kommen. Es sollte das längste Medienspektakel in der Geschichte der Archäologie werden.

Großes Kopfzerbrechen bereitete Carter auch die Masse an entdeckten Gegenständen. Jedes Objekt mußte dokumentiert, fotografiert, restauriert und nach Kairo gebracht werden. Carter wollte schließlich bei diesem einmaligen Fund behutsam vorgehen. Er schloß zunächst die Ausgrabung, um all dies vorbereiten zu können und brach nach Kairo auf. Kurz vor seiner Abfahrt erhielt er noch ein Glückwunschtelegramm vom Leiter der ägyptischen Abteilung des Metropolitan Museum of Art in New York, Albert M. Lythgoe, der ihm gleichzeitig seine Hilfe anbot, die Carter dankend annahm. So kam er unter anderem zu dem hervorragenden Fotografen Harry Burton, den sehr guten Zeichnern Lindsley Hall und Walter Hauser und zu dem exzellenten englischen Konservator Arthur Cruttenden Mace, der sein Labor in der Grabkammer König Sethos II. einrichten durfte; Alan Gardiner und James Breasted entzifferten die Hieroglyphen.

Als Carter am 19. Dezember wieder im Tal der Könige eintraf, wurde er umlagert von Reportern. Am 22. Dezember veranstaltete er für sie und einige ägyptische Autoritäten eine letzte Führung, bevor man begann, die Funde zu dokumentieren und aus der Kammer zu bringen.

Erst nach fast drei Monaten waren die Objekte der Vorkammer ausgeräumt und die nächste versiegelte Mauer konnte am Freitag, den 16. Februar 1923, in Anwesenheit von Lord Carnarvon, seiner Tochter Lady Eveleyn Herbert und hohen Beamten und Repräsentanten Ägyptens, Großbritanniens, Frankreichs und der USA abgebaut werden.

Die Augenzeugen erblickten einen goldüberzogenen großen Holzschrein, der 5 Meter lang, 3,30 Meter breit und 2,75 Meter hoch war und fast die gesamte Sargkammer einnahm. Von der Sargkammer aus konnten sie direkt zur angrenzenden sogenannten Schatzkammer gehen, die der schakalköpfige Anubis bewachte, der göttliche Einbalsamierer und Schützer der Friedhöfe. Am Sonntag, den 18. Februar wurde dann eine offizielle Öffnung der Sargkammer im Beisein der belgischen Königin, einiger Prinzen anderer Länder, hoher Politiker, Diplomaten und Wissenschaftler veranstaltet. Zwischen dem 19. und 25. Februar erhielt dann schließlich die Presse Zugang.

Am 6. März wurde Lord Carnarvon von einem Insekt, wahrscheinlich einem Moskito, ins Gesicht gestochen. Als er sich dann im Hotel in Luxor rasierte, riß die entstandene Pustel auf und begann zu bluten. Lord Carnarvon desinfizierte die kleine Wunde aber nicht. Eine Fliege setzte sich darauf und verunreinigte wahrscheinlich die Stelle. Der Lord erlitt eine Blutvergiftung und starb nur drei Wochen später am 5. April 1923 morgens um 2.00 Uhr in Kairo. Zur gleichen Zeit gab es in Kairo angeblich einen Stromausfall und der Hund von Lord Carnarvon starb in Highclere. So entstand der Mythos vom Fluch des Pharaos, von dem die Sensationspresse und zahlreiche zweifelhafte Okkultisten bis heute faseln.

Wenige Tage nach dem Tod des Lords beendete Carter die Grabungssaison, verkaufte aus eigenen Beständen noch einige Antiken und schickte am 14. Mai die ersten 89 Kisten mit Funden aus dem Grab zum Kairoer Ägyptischen Museum. Das Grab wurde mit enormen Mengen an Gestein verschlossen.

Am 16. Oktober traf Carter erneut in Luxor ein und ließ zunächst den Eingang wieder freilegen. Am 19. November wurden die Untersuchungen in der Sargkammer aufgenommen. Zunächst öffnete man die Tür eines vergoldeten Schreins und stellte fest, daß darin ein zweiter folgte – gerade wie bei einer Matrjoschka-Puppe. Seine Siegel waren noch nicht erbrochen und man konnte davon ausgehen, daß die weiteren inneren Teile von antiken Grabräubern unberührt geblieben waren. Schließlich fand man nicht weniger als vier übereinandergestülpte, vergoldete Holzschreine, die zuerst sorgsam entfernt werden mußten, wobei der innerste aus einem Stück gefertigt worden war und mehrere Tonnen wog. Zwischen den zweiten und dritten Schrein hatten die ägyptischen Zeremonienmeister des Todes mehrere Bogen und Pfeile und einen großen

Straußenfederfächer gelegt. Drei Monate benötigten die Ausgräber, um die Schreine fachmännisch auseinanderzunehmen.

Im Februar tauchte ein unbekannter Mann namens La Fleur auf, ein kanadischer Professor für Englische Literatur, den Carter so sympathisch fand, daß er dem bereits an einer Grippe leidenden Gast erlaubte, das Grab zu besichtigen. Am frühen Morgen des nächsten Tages starb La Fleur unerwartet, und abermals begann das Gerede vom Fluch des Pharaos.

Am 12. Februar konnte endlich in Anwesenheit eines kleinen exklusiven Kreises der steinerne Sarg selbst geöffnet werden, der auf die hölzernen Schreine folgte. Man hob mit einer Winde die 25 Zentner schwere Deckplatte langsam ab und stieß auf zwei übereinandergelegte Leinentücher, die Carter behutsam entfernte. Es erschien ein prächtiger, vergoldeter Holzsarkophag, der auf der Oberseite die Formen und Züge des Königs wiedergab. Die Hände waren über der Brust gekreuzt. Die rechte Hand hielt einen goldenen, edelsteinbesetzten Krummstab und die linke eine goldene Geißel.

Am 13. Februar war eine Führung für die ägyptische Presse und die Familienangehörigen der Wissenschaftler der Ausgrabung vorgesehen. Am Morgen erhielt Carter jedoch die Anweisung von Marcos Bey Henna, dem Minister für öffentliche Arbeiten, und von Pierre Lacau, dem Generaldirektor der Altertümerverwaltung, daß die Familienangehörigen nicht in das Grab dürften und um dies zu gewährleisten, würden zusätzlich aufgestellte Polizisten das Grab bewachen. Carter und sein Mitarbeiterstab waren außer sich. Sie verfaßten gemeinsam einen Protestbrief und beschlossen, die weiteren Forschungen am Grab einzustellen. Carter wollte in Übereinstimmung mit Lady Carnarvon die ganze Affäre gerichtlich klären lassen. Dabei sollte auch endgültig die heikle Frage geklärt werden, welcher Anteil an den Funden den Carnarvons zukäme. Normalerweise war zwischen dem ägyptischen Staat und den Findern eine Teilung üblich, doch seit der größeren Unabhängigkeit Ägyptens im Jahre 1922 hatte Pierre Lacau als Generaldirektor der Altertümerverwaltung einen Erlaß herausgegeben, in dem es unter anderen hieß, daß unberührte Gräber vollständig Eigentum Ägyptens bleiben sollten, bei gestörten Gräbern hingegen, die in Ägypten ja die Regel waren, ein gewisser Anteil an die Finder ginge. Am 8. März wurde die Gerichtsverhandlung eröffnet.

Am 11. März wollte man durch einen Vergleich eine Lösung herbeiführen, doch als in einer hitzigen Debatte Lady Carnarvons Anwalt, Sir John Maxwell, die am Grab erschienenen Beamten als plötzlich auftauchende „Banditen" bezeichnete, wurden die Verhandlungen von Seiten der ägytischen Behörden abgebrochen.

Carter reiste Ende März nach England und absolvierte zwischen dem 23. April und 2. Juli eine Vortragsreise in den USA und Kanada. Erstmals feierte er überall große Erfolge. Am 8. und 9. Mai war er sogar als Gast des amerikanischen Präsidenten Calvin Coolidge ins Weiße Haus geladen.

Aber immer noch wußte man nicht, wie es in Ägypten weitergehen sollte. Am 13. September trafen sich Carter und Lady Carnarvon mit Sir John Maxwell und dem neu hinzugezogenen Rechtsanwalt Georges Merzbach, der ihnen riet, in einem Brief an Marcos Bey Hanna, den Minister für öffentliche Arbeiten, darauf zu drängen, daß Carter wieder die Arbeit aufnehmen könne und die Lady ihrerseits zwar auf Ansprüche an den Funden verzichten würde, aber „nach Beendigung der Arbeit der Anteil der Gegenstände, auf die Lord Carnarvons Testamentsvollstrecker nach den Konditionen der ursprünglichen Konzession einen rechtmäßigen Anspruch haben, durch zwei unabhängige Archäologen von anerkanntem Ruf festgesetzt werden sollte". Die ägyptische Seite zeigte sich mit diesem Vorschlag einverstanden, und so kehrte Carter am 15. Dezember nach Ägypten zurück, wo sich jedoch die politischen Verhältnisse geändert und die Regierung gewechselt hatte. Die neue Regierung hatte beschlossen, daß künftig alle Funde in Ägypten zu bleiben hätten. Es folgten neuerlich zähe Verhandlungen, bei denen man sich schließlich darauf einigte, daß die Carnarvon-Erben und Carter auf Ansprüche verzichten, die Regierung aber Lady Carnarvon wegen der enormen Ausgaben ihres Mannes in der Vergangenheit ausnahmsweise einige repräsentative Gegenstände als Entschädigung überlassen würde. Dies wurde in einem Brief der Regierung vom 13. Januar 1925 bestätigt, aber schließlich wurden die Aufwendungen am 3. Juli 1930 in bar mit der Summe von 35 979 Pfund beglichen. Carter konnte auf alle Fälle endlich die Untersuchungen, d. h. vor allem die Sicherung der Schreine und anderer Gegenstände aus der Grabkammer, fortsetzen, was er bis zum Sommer tat.

Am 11. Oktober begann Carter sich schließlich der vier Sarko-

Abb. 12: Howard Carter öffnet den zweiten Sarg von Tut-Anch-Amun.

phage anzunehmen. Zunächst wurde der steinerne abgenommen, dann der bereits beschriebene erste vergoldete Holzsarg, und am 23. Oktober der zweite ähnliche aufgebaute Sarg, auf dem der Kopf des Königs mit dem Nemes, einem blaugoldgestreiften Leinentuch, verziert war (Abb. 12). Als der Deckel des zweiten Sarges gelöst war, kam ein rotes Leintuch zum Vorschein und danach ein 1,85 Meter langer Sarg aus purem Gold. Am 28. Oktober wurde auch dieser Deckel abgehoben. Man stand endlich vor der in Leinen gewickelten Mumie des Königs, dessen Kopf nochmals von einer überaus prächtigen Maske aus Gold bedeckt war. Auf der Mumie lag noch ein Blumengebinde.

Am 11. November trafen die Ärzte, Dr. Douglas E. Derry von der medizinischen Fakultät der ägyptischen Universität in Kairo und Dr. Saleh Bey Hamdi vom ägyptischen Gesundheitsamt ein, um die Mumie zu untersuchen. Zuerst wurden die Leintücher aufgetrennt und gelöst, wobei man 101 Objektgruppen barg, die häufig aus vielen Teilen bestanden – meist aus purem Gold – darunter viele Amulette und Schmuckstücke wie ein Diadem, Ketten, elf

Arm- und dreizehn Fingerringe aus purem Gold. Ferner fand sich ein goldener Dolch mit kunstvoll gefertigtem und mit Halbedelsteinen und Glas besetztem Griff, darüber hinaus ein Dolch mit einer hethitischen Eisenklinge – vielleicht hatten Gesandte aus dem alten Hethiterreich einst diesen Dolch mit der ungewöhnlichen Klinge aus dem ansonsten zu dieser Zeit noch nicht bearbeiteten, harten Metall dem Pharao überbracht. Am Körper des Toten lagen zwei goldene Gürtel und an den Schenkeln die Uräusschlange, das Symbol der Schlangengöttin Buto – der Amme des Gottes Horus – und Unterägyptens, und der Geier, das Symbol der Nechbet und Oberägyptens, sowie goldene Sandalen. Die Mumie selbst war 1,63 Meter groß, was bedeutete, daß Tut-anch-Amun zu Lebzeiten etwa 1,66 Meter groß gewesen sein muß. Die Todesursache des jungen Herrschers konnte nicht geklärt werden. Am 18. November waren die Untersuchungen an der Mumie des Königs beendet. Den Rest der Kampagne, die bis Mai dauerte, widmete Carter den Objekten der Sargkammer.

Am 27. September des folgenden Jahres kehrte Carter nach Ägypten zurück, und im Oktober konnte die Saison eröffnet werden. Am 23. Oktober wurde die wieder eingewickelte Mumie in den äußeren Sarg gebettet und dieser in den Sarkophag gestellt; so geborgen, fand der König nun schon zum zweiten Mal in seinem Grab die ‚letzte Ruhe‘. Dann konnte Carter endlich anfangen, die anschließende Schatzkammer auszuräumen, die er beim Eindringen in die Sargkammer im Februar 1923 mit Holzbrettern hatte abriegeln lassen, damit sie bis zu einer eingehenden Erforschung ungestört bleiben sollte. Am Eingang wachte eine schwarze Statue des schakalköpfigen Anubis, der auf einem goldenen Schrein stand, der auf einen Schlitten gebettet war. Vor der Statue stand eine Schilffackel auf einem Sockel, der die magische Inschrift trägt: „Ich bin es, der den Sand hindert, die geheime Kammer zu ersticken, und der denjenigen zurückweist, der ihn zurückweist mit der Wüstenflamme. Ich habe die Wüste in Flammen gesetzt, ich bin schuld, wenn der falsche Weg genommen wird. Ich bin da zum Schutz des Osiris (des Toten).“

Auf der anderen Wandseite standen wertvoll geschmückte Truhen, die Schmuck und Edelsteine enthielten. Auf der gegenüberliegenden Seite lagen weitere Kästen, die unter anderem Statuetten des Pharaos bargen. Dazwischen gab es viele weitere Gegenstände, darunter zwei Jagdwagen, Kisten mit Uschebtis, mehrere Holz-schiffe, deren Bug immer nach Westen zeigte, wo die alten Ägypter die Unterwelt – im Land der untergehenden Sonne – angesiedelt hatten. In zwei vergoldeten Särgen fand man je einen sechs bzw. sieben Monate alten Fötus, vermutlich früh verstorbene Kinder Tut-anch-Amuns. Hätte eines der beiden das Licht der Welt er-blickt und wäre erwachsen geworden, hätte es Tut-anch-Amun in der Regentschaft folgen können, und es wäre vielleicht nie zur Herrschaft der mächtigen Ramessiden, der 19. Dynastie ägypti-scher Pharaonen, gekommen.

Den größten Schatz enthielt aber ein bis fast zur Decke reichen-der vergoldeter Holzschrein, an dessen Außenseiten jeweils die vergoldete Holzstatuette einer Göttin – Isis, Neith, Nephthys und Selket – stand, die die Eingeweide des Königs schützen sollte. In dem Schrein stand ein weiterer Schrein, und zwar aus Alabaster, dessen Ecken wiederum mit den vier reliefierten Schutzgöttinnen verziert waren. Der sehr feine Albasterschrein war innen in vier Rechtecke unterteilt, in denen vier Alabasterkanopen (Urnen für die Eingeweide) eingeschnitten waren, deren Deckel den Kopf des Königs mit Nemes und einem Diadem mit der Uräusschlange und dem Geier als Symbole seiner Herrschaft über Unter- und Ober-ägypten zeigten. In diesen Kanopen stand jeweils wieder ein gol-dener 39 cm großer Miniatursarg mit der Darstellung des Königs auf der Vorderseite; darin lag dann jeweils eines der Organe, die, wie innen beigeschrieben, von den vier Söhnen des Horus – dem Sohn des Osiris, der die Totenopfer für seinen Vater darbringt – beschützt werden sollten, und zwar die Leber von Amset, die Lun-gen von Hapi, der Magen von Dua-Mutef und die Gedärme von Kebeh-Senuef.

Im Dezember 1926 wurden die letzten Gegenstände aus der Schatzkammer ins Labor gebracht, wo sie für das Kairoer Ägyp-tische Museum präpariert wurden. Am 30. November 1927 konnte Carter beginnen, die Seitenkammer zu untersuchen. Sie schloß an den Vorraum an und war durch eine versiegelte Gipswand ver-schlossen, die aber bereits vor über 3 000 Jahren im unteren Teil aufgebrochen war. Das Inventar lag ziemlich wirr durcheinander; es fand sich darunter ein Stuhl, ein Bett, Schiffe, kleine Figürchen, Körbe, verschiedenartige Kisten und Gefäße. Dieses Chaos war wohl die Folge der lang zurückliegenden Einbruchsversuche;

wahrscheinlich hatten später die Beamten das Grab rasch wieder verschlossen, um den Toten nicht über Gebühr zu stören.

Am 10. November 1930 konnten die letzten der über 5 000 geborgenen Gegenstände aus dem Grab gebracht werden; im März 1932 wurde das Labor im Tal der Könige abgebaut. Die wichtigste Entdeckungsarbeit Ägyptens war nach zehn Jahren harter Arbeit, vielen diplomatischen Auseinandersetzungen und dem unendlichen Kleinkrieg mit der Presse für Carter endlich abgeschlossen. Zugleich endete damit auch Carters archäologische Tätigkeit. Er lebte weiterhin im Sommer in London und ansonsten in Ägypten. Eine echte wissenschaftliche Würdigung wurde ihm in Großbritannien niemals zuteil. Schon bald kümmerte sich keiner mehr um ihn. Am 2. März 1939 starb Carter als 65jähriger in London an Herzversagen. Wir wissen nicht, wie viele Menschen Tut-anch-Amun auf seinem letzten Gang begleitet haben, aber es werden mehr gewesen sein als bei seinem Entdecker: Als man Howard Carter auf dem Putney-Vale-Friedhof in London zu Grabe trug, fanden sich ganze neun Trauergäste ein.

7. Auf der Suche nach dem Palast der Kleopatra

Alexandria, schreibt ein Besucher aus den fünfziger Jahren des ersten vorchristlichen Jahrhunderts, lasse an Schönheit, Größe, Reichtum, Komfort und Luxus alle anderen Städte weit hinter sich (Diodor 17, 52, 5). Kann man das Verlangen, diese Stadt der Städte zu sehen, besser zum Ausdruck bringen als durch den Brief eines kleinen zornigen Jungen an seinem Vater, dessen grammatische Schwächen seiner Empörung keinen Abbruch tun? (Joachim Hengst, *Griechische Papyri aus Ägypten*, München 1978, Nr. 82) „Das hast Du schön gemacht, nicht mitgenommen hast Du mich mit Dir in die Stadt. Wenn Du mich nicht mit Dir nach Alexandria nimmst, dann werde ich Dich weder einen Brief schreiben noch spreche ich mit Dich, noch wünsche ich Dich Gesundheit. Wenn Du nach Alexandria gehst, nehme ich keine Hand von Dir und grüße Dich nie wieder. Wenn Du mich nicht mitnehmen willst, wird es so!"

Sogar Rom, damals Zentrum der Macht im Mittelmeergebiet, stand in seiner Zivilisation und Kultur hinter Alexandria zurück. Als in Rom noch überwiegend Ziegelbauten gebräuchlich waren, prangte die ägyptische Residenz längst in marmorner Pracht. Großartige Tempel, Paläste, Säulengänge, Statuen und Brunnen säumten zwei 30 m breite, einander kreuzende Straßenzüge. Ein fast anderthalb Kilometer langer Steindamm, *Heptastadion*, verband das Festland mit der kleinen Insel Pharos, wo der 130 m hohe gleichnamige Leuchtturm, das Wahrzeichen Alexandrias, stand, von den Zeitgenossen als eines der Weltwunder gepriesen. Nicht weniger berühmt war die gewaltige Bibliothek im *Mouseion*, welche die Ptolemäer im Laufe von zwei Jahrhunderten zusammengetragen hatten. Auf nahezu einer halben Million Papyrusrollen barg sie die Literatur der Antike. Damit überragte Alexandria alle anderen Städte der bekannten Welt auch an intellektueller Bedeutung. Neben der Bibliothek besaß die Stadt die besten wissenschaftlichen Institute, Observatorien, botanische und zoologische Gärten, wodurch die bedeutendsten Wissenschaftler der Zeit angezogen wurden.

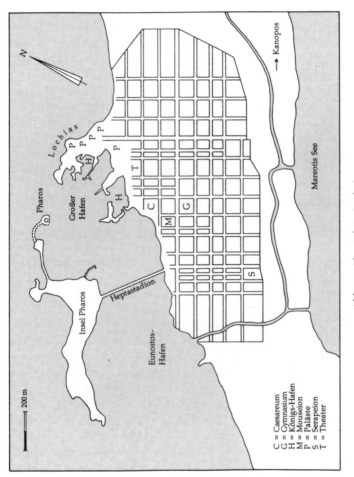

N

Pharos

Lochias

Insel Pharos

Großer Hafen

Heptastadion

Eunostos-Hafen

Mareotis See

→ Kanopos

200 m

C = Caesareum
G = Gymnasium
H = Königs-Hafen
M = Mouseion
P = Paläste
S = Serapeion
T = Theater

Abb. 13: Alexandria, Stadtplan.

Am Meer gelegen, mit eigenem Hafen, bildete die Palast- und Gartenanlage der Könige innerhalb Alexandrias eine Stadt für sich. Der riesige Komplex der Palastanlagen hatte sich im Laufe der Zeit immer weiter in die Stadt hineingefressen; ursprünglich umfaßte er ein Fünftel des Stadtgebietes, schließlich ein Drittel. Die Pracht der Gebäude, der Luxus ihrer Ausstattung und die Üppigkeit der Parkanlagen galten als Inbegriff königlicher Machtentfaltung. Mit ihrer Grabstätte in der Nähe derjenigen Alexanders hielten die Ptolemäer die Erinnerung an den einstigen Herrscher der Welt aufrecht.

Aber es gab auch das andere Alexandria: die Vorstadt Kanopos, am Ende eines Kanals gelegen, der das Villenviertel durchfloß. Eigentlich war es ein heiliger Bezirk des Gottes Serapis, in Wahrheit aber die größte Vergnügungsstätte der Welt. Wer sich amüsieren und ausleben wollte, kam nach Kanopos. Hier gab es Schlemmerlokale und Freudenhäuser für jeden Geschmack und Geldbeutel. Hier kauften sich die Reichen die Tänzerinnen und Lustknaben zu mitunter horrenden Summen, wie Caesar das tat, der sich angeblich weigerte, sie seinem Kassenverwalter überhaupt zu nennen (Sueton, *Caesar* 47). Hier gab es Tanz und Theater von der großen Bühne bis zum vulgären Schmierentheater. Wer Kanopos nicht kannte, der kannte das Leben nicht! Wer nie in Alexandria gewesen war, der wußte nichts von den Freuden der großen Welt!

(Manfred Clauss, *Kleopatra*, München [2]2000, S. 13–14)

Alexandria, die ägyptische Metropole nahe dem westlichen Ausläufer des Nildeltas, war in den letzten drei vorchristlichen Jahrhunderten die reichste Stadt im Mittelmeerraum. Bereits bei ihrer Gründung durch Alexander den Großen im April (dem 7. oder 16.) des Jahres 331 v. Chr. maß ihr Grundriß eine Länge von 5,4 Kilometern und eine Breite von mindestens 1,2 Kilometern. Ein rechtwinklig angelegtes Straßensystem durchzog die Stadt (Abb. 13). Zwei große, etwa 30 Meter breite, sich kreuzende Hauptstraßen, die von Säulenhallen umrahmt waren, luden auch in der höchsten Sonnenglut zum Flanieren ein. Etwa 2000 Zisternen und der mehrere Kilometer lange „Kanopische" Kanal, der vom Nil bis zur Stadt führte, sicherten die Wasserversorgung. Alexandria beherbergte in der Folgezeit viele berühmte Bauwerke, unter anderen das Mausoleum Alexanders des Großen, den etwa 130 Meter hohen Leuchtturm Pharos (eines der ‚Sieben' Weltwunder), die Bibliothek, die mit zwischen 490 000 und 700 000 Buchrollen die größte der Antike war, den Tempel des Serapis (eines der größten Heiligtümer der Antike) und das ein Fünftel der gesamten Stadtfläche einnehmende Palastareal der Dynastie der Ptolemäer, deren Herrschaft über Ägypten im Jahre 323 v. Chr. durch Ptolemaios I., einen makedonischen General Alexanders des Großen, begründet wurde und mit der berühmten, mit allen Reizen einer Frau ausgestatteten Kleopatra VII. im Jahre 30 v. Chr. zu Ende ging. Nahe dem Palast Kleopatras VII. lag das bereits zu ihren Lebzeiten erbaute Mausoleum, in dem sich jene dramatischen Ereignisse abspielten, die noch heute die Menschen bewegen. Als ihr großer Gegenspieler Octavian, der spätere Kaiser Augustus, am 1. August des Jahres 30 v. Chr. Alexandria einnahm, verschanzte sich die Königin im Mausoleum mit ihren zwei treuen Gefährtinnen Ira und Charmion. Ihr Gemahl Marc Anton war in der Stadt, als er vernahm, daß Kleopatra Selbstmord begangen habe. Er wollte ihr umgehend in den Tod folgen und bat seinen Sklaven Eros, ihm zu helfen, doch dieser tötete nur sich selbst, und so stürzte sich Marc Anton ohne dessen Hilfe ins Schwert. Im Sterben erfuhr er, daß die Königin doch noch lebte. Man trug ihn zu ihr ins Mausoleum, wo er dann – hoffentlich in ihren Armen (?) – verstarb. Octavian ließ die drei Ägypterinnen gefangennehmen, erlaubte ihnen aber, Marc Anton im Mausoleum zu bestatten und das Grab zu pflegen. Da Octavian nicht wie Caesar und Marc Anton dem Charme Kleopatras erlag, denen sie ein respektive zwei Kinder geboren hatte, und zudem der Königin nach einem von Oktavian geplanten Triumphzug in Rom die Erdrosselung – als grausame, aber von Rom an unterworfenen Feinden vollzogene Strafe – drohte, entschied sich die 39jährige Königin für den Freitod. Am 12. August 30 v. Chr. legte Kleopatra in ihrem Mausoleum wahrscheinlich eine oder mehrere Giftschlangen an ihren Arm – und nicht etwa an ihre Brust, wie die neuzeitlichen Maler den Vorgang wegen seiner zweifelhaften erotischen Komponente darzustellen pflegen. Ihre beiden treuen Dienerinnen folgten ihr in den Tod. Trotz der Enttäuschung Octavians, der nur allzu gerne Kleopatra in seinem Triumphzug zur Schau gestellt hätte, gewährte er dem letzten Wunsch der Königin Erfüllung und ließ sie neben Marc Anton bestatten.

Seit langem träumen unzählige Menschen davon, die Grabmäler von Alexander dem Großen, von Kleopatra und Marc Anton, die Königspaläste, den Pharos und die Bibliothek zu finden, und so lesen wir regelmäßig in der Presse Berichte einer spektakulären Entdeckung wie jene vom Palast der Kleopatra, des Pharos, der Bibliothek oder des Grabes Alexanders des Großen. Doch was ist dran an diesen Meldungen? Was haben die verschiedenen Untersuchungen der letzten Jahre in Alexandria zutage gefördert? Wieviel weiß man heute wirklich von dem antiken Alexandria?

Als Napoleon am 1. Juli 1798 Alexandria eroberte, begleiteten ihn nicht nur Soldaten, sondern auch 167 Wissenschaftler, die erstmalig die sichtbaren Überreste der einstigen Metropole zeichneten und einen genauen Plan anlegten. Diese Dokumentation ist noch heute von größter Bedeutung, weil Alexandria im 19. Jahrhundert derart anwuchs (1807 zählte die Stadt noch etwa 7000 und 1874 bereits 270000 Einwohner), daß viele antike Ruinen unter den errichteten Gebäuden verschwanden. Als Trost bleibt, daß man bei diesem ‚Bauboom‘ die Ruinen in großer Eile nur mit Erde überdeckte und darüber die Häuser errichtete. Beim Abriß solcher Bauten muß man also nur tiefer (oft allerdings bis zu 10 Meter) graben, um auf antike Spuren zu stoßen. Gerade das Gebiet, wo einst die meisten königlichen Paläste gestanden haben müssen, wurde auf diese Weise aufgeschüttet und überbaut.

Lediglich die markantesten antiken Denkmäler wurden bei diesen ständigen Stadterweiterungen des 19. Jahrhunderts verschont, aber dann größtenteils verschleppt. So kamen die zwei 20,87 Meter und 21,20 Meter hohen und 186 bzw. 200 Tonnen schweren, sogenannten „Nadeln der Kleopatra“ als diplomatische Geschenke 1878 nach London an die Uferpromenade der Themse und 1881 nach New York in den Central Park. In Wirklichkeit handelt es sich bei den „Nadeln“ um zwei Obelisken des Pharaos Thutmosis III. (1504–1450 v. Chr.) für den Tempel des Sonnengottes Re in Heliopolis, die Augustus im Jahre 13/12 v. Chr. vor dem Caesareum hat aufrichten lassen – jenem möglicherweise unter Kleopatra als Palast begonnenen Bau, der unter römischer Herrschaft angeblich das schönste und größte Heiligtum zur Verehrung der römischen Kaiser im Osten des Reiches mit riesigen Höfen, Säulenhallen, Bibliotheken und Gärten war.

Der Londoner Obelisk hat viele vergebliche Versuche erlebt,

nach London verschifft zu werden. Gleich nach der Eroberung Alexandrias durch die Briten am 21. März 1801 wollte die Marine den Obelisken als Siegesmonument nach London bringen. Seeleute bauten eine Rampe bis zum Osthafen, doch kurz vor der Einschiffung erreichte sie der Befehl, wichtigere Dinge zu erledigen. 1819 und 1831 schenkte der ägyptische Vizekönig Mohammed Ali erneut den Briten den Obelisken, doch erst als Erasmus Wilson, ein reicher Mediziner, den teuren Abtransport zahlte, setzte man 1877 das Unterfangen in die Tat um. Man konstruierte dafür eigens einen riesigen schwimmenden Eisencontainer, in den man den Obelisken legte und im Schlepptau hinter einem Schiff bis in die Bucht von Biscaya zog, wo am 14. Oktober 1877 die dicken Taue in einem Sturm brachen, wobei sechs Seeleute, deren Namen (William Askin, James Gardiner, Joseph Benbow, Michael Burns, William Donald, William Patan) noch heute wegen ihres heldenhaften Rettungsversuchs unter dem Obelisken mit einer Gedenktafel verewigt sind, ihr Leben ließen und das Schiff den Behälter mit dem Obelisken verlor. Erst einige Tage später barg ein anderes englisches Schiff den führerlosen Transporter, gab das „Fundgut" aber erst nach guter Bezahlung zurück. Schlußendlich kam der Obelisk in London an und wurde 1878 am Themseufer aufgerichtet.

Auf weniger problematische Weise gelangte auch der mit Hieroglyphen übersäte, 3,14 Meter lange, aus grünem Brescia gefertigte, sogenannte Sarkophag des Alexander, der in einer Gedenkstätte im Hofe der Attarin-Moschee stand, nach London und dort ins British Museum. Nach der Entzifferung der Hieroglyphen durch Jean François Champollion im Jahre 1822 konnte man zwar erkennen, daß der Sarkophag einst für den letzten ägyptischen Pharao Nektanebos II. (361/360–343 v. Chr.) bestimmt war, doch auch noch heute kommt man immer wieder auf die alte These zurück, eigentlich sei es Alexanders Sarkophag gewesen, um ein windiges Argument zu besitzen, wo letztlich das Grab des großen Makedonen liegen müßte. Warum der Sarkophag des letzten Pharaos bereits in der Antike nach Alexandria kam, läßt sich wahrscheinlich mit dem Verweis auf dynastisches Gedankengut erklären. Möglicherweise wollten die makedonischen Herrscher mit der Präsenz des letzten der Pharaonen die eigene Stellung als Nachfolger der ägyptischen Herrscher untermauern – wenn auch in legendenhafter Form, so wie es uns der spätantike Alexanderroman vor

Augen führt. Danach wäre Nektanebos II. bei der Eroberung Ägyptens durch den Perserkönig Artaxerxes III. im Jahre 343 v. Chr. nicht gestorben, sondern nach Makedonien geflüchtet und hätte dort mit der makedonischen Königin Olympias Alexander den Großen gezeugt.

In Alexandria selbst befindet sich heutzutage nur noch die sogenannte Pompeius-Säule, deren Schaft aus einem 30 Meter hohen Monolithen aus Rosengranit besteht. Sie war aber keine Grabsäule für den in Ägypten ermordeten Pompeius den Großen – den Gegenspieler Caesars, wie man im Mittelalter annahm, sondern eine Ehrensäule für den römischen Kaiser Diokletian (284–305 n. Chr.), der Alexandria einem Gegenkaiser entriß. Der Statthalter von Ägypten, Publius, pries mit diesem Monument im Jahre 298 n. Chr. Diokletian als Herrscher des Reiches. Auf der Säule ragte eine überlebensgroße Statue des Kaisers empor. Im 18. und 19. Jahrhundert war es für Reisende eine Attraktion, mit Hilfe eines Seiles, das am Kapitell befestigt wurde, auf die Säule zu klettern oder hochgehievt zu werden. Besonders beliebt waren auch Picknicks für einen erlauchten Kreis auf der Säule, wie zum Beispiel für die königliche Familie von Savoyen!

1863 erhielt der Astronom und Kartograph Mahmud el-Falaki vom ägyptischen Vizekönig Khedive Ismail den Auftrag, für Kaiser Napoleon III. einen Plan Alexandrias zu erstellen, weil der Franzose ein Buch über Caesar schreiben wollte. Dafür ließ el-Falaki an 200 Stellen kleine Suchgrabungen durchführen. 1865 hatte er diese Prospektionen abgeschlossen und konnte ein Jahr später den Plan vorlegen, der 1867 bei Napoleon III. eintraf. Napoleon konnte aber nach seiner Abdankung im Jahre 1870 den dritten Band seines Werkes über Caesar nicht mehr schreiben. Glücklicherweise fand el-Falaki bei einem offiziellen Besuch im Jahre 1872 in Kopenhagen einen Verleger. Dank dieser Veröffentlichung sind uns immerhin neben einigen Gebäuden vor allem wichtige Straßenzüge des antiken Alexandria bekannt. 1898 und 1899 konnte der Deutsche Ferdinand Noack im Auftrage des Stuttgarter Industriellen Ernst von Sieglin durch weitere Untersuchungen einige Straßen in dem Plan ergänzen.

1894 und 1895 versuchte der Engländer D. G. Hogarth in Kom-el-Dikka beim römischen Odeion (einem theaterähnlichen Gebäude für musikalische und schauspielerische Aufführungen) sein Glück. Wegen des Fehlens wichtiger Funde riet Hogarth jedoch von weiteren Ausgrabungen ab. Von nun an unternahmen neben der deutschen Ernst von Sieglin-Expedition, die zwischen 1898 und 1908 vor allem Teile der Katakomben von Kom es-Schukafa erforschte, nur noch die italienischen Direktoren des 1892 gegründeten Griechisch-Römischen Museums in Alexandria – Giuseppe Botti (1892–1904), Evaristo Breccia (1904–1932) und Achille Adriani (1932–1939 und 1947–1952) – Notgrabungen.

Auf diese Weise entdeckte man 1907 im Römisch-Katholischen Friedhof das sogenannte Alabastergrab, so benannt nach den ungewöhnlich dicken und großen Platten aus Alabaster, die den Innenraum eines 2,63 x 3,45 Meter großen Vorraums zu einem monumentalen Grab vom Anfang des 3. Jahrhunderts v. Chr. schmücken. Leider ist nur noch dieser Teil erhalten. Die Ausmaße und das Material des Vorraums sprechen dafür, daß das Grab für einen sehr wohlhabenden Verstorbenen angelegt worden ist. Handelte es sich diesmal vielleicht um das legendäre Grab Alexander des Großen, wie es Adriani annahm, der dort nochmals 1936 erfolglos nach zusätzlichen Indizien graben ließ, um diese These zu belegen? Immerhin hat man bis heute nicht weniger als dreihundert Mal behauptet, das Grab Alexanders gefunden zu haben.

Nach den antiken Schriften wurde Alexander der Große nach seinem Tod am 13. Juni 323 v. Chr. in Babylon mumifiziert. In den folgenden zwei Jahren fertigte man einen prächtigen, goldenen, 4 x 6 Meter großen Leichenwagen, in dem die in einen goldenen Sarg gebettete Mumie von 64 Maultieren bis nach Memphis in Unterägypten gezogen worden sein soll, wo sie, so die Überlieferung, in Sakkara, der Nekropole – zu deutsch: Totenstadt – der damaligen Hauptstadt, zunächst ein Mausoleum erhielt. Einige Jahre später wurden die sterblichen Überreste in die neue Hauptstadt Alexandria überführt und im Jahre 215 v. Chr. in einen gläsernen Sarg in das vom König Ptolemaios IV. (221–204 v. Chr.) errichtete neue monumentale Familienmausoleum umgebettet. Dies befand sich im Palastareal und sah im Laufe der Jahre so bedeutende Besucher wie Octavian (30 v. Chr.) und die römischen Kaiser Vespasian (69 n. Chr.), Hadrian (130/131 n. Chr.) und Caracalla (215/216 n. Chr.). Octavian, der spätere Kaiser Augustus, soll bei seiner Besichtigung ungeschickterweise, als er den Leichnam mit einem goldenen Kranz und Blumen würdigen wollte, die Nase des großen Königs abgebrochen haben. In der Spätantike wurde die Grabstätte verschlossen. Der Aufbewahrungsort Alexanders geriet in Vergessenheit. Sicher ist sich die Forschung mittlerweile nur, daß weder die Attarin-Moschee noch die Nebi-Daniel-Moschee, wie häufig angenommen, als letzte Ruhestätte in Frage kommen, weil die antiken Quellen besagen, daß das Mausoleum nordöstlich der zwei sich kreuzenden Hauptstraßen Alexandrias lag, deren Schnittstelle sich jedoch eindeutig weiter östlich befunden hatte. Die Zuordnung zur Attarin-Moschee basiert vor allem auf einem Text von Leo dem Afrikaner (1494/95–1552), demzufolge fromme Moslems dorthin zum Sarkophag Alexanders pilgerten, während der Schrein in Wirklichkeit aber dem bereits erwähnten letzten ägyptischen Pharao Nektanebos II. (361/360–343 v. Chr.) gehörte. Regelrechte Verehrung erfuhr der tote Alexander auch im Islam, weil er nach einer Auslegung der 18. Sure des Koran als der Prophet Dhu'l-Karnain galt, der als Herrscher bis an die Grenzen der Welt gezogen war. Im Jahre 1850 erstaunte der phantasievolle Bericht des Ambrosius Schilizzi das interessierte Publikum, der angeblich in einen verborgenen Gang unter der Nebi-Daniel-Moschee eingedrungen sei, wo er die Mumie Alexanders in einem gläsernen Sarg hätte liegen sehen, ehe ihn moslemische Wächter des Ortes verwiesen hätten.

Doch zurück zum Alabastergrab. Daß hier Alexander seine letzte Ruhestätte gefunden haben soll, darf man bezweifeln, denn dieses Grab lag außerhalb der Stadtmauern. Zwar mußten normalerweise nach griechisch-römischer Tradition die Toten tatsächlich außerhalb der Stadt beerdigt werden – und so entstanden im Altertum entlang der Ausfallstraßen regelrechte Totenstädte –, doch für Helden und gottähnliche Wesen machte man schon einmal eine Ausnahme und erlaubte ihre Bestattung auch in den Städten der Lebenden. Alexander der Große und die Könige Ägyptens erfüllten zweifellos diese Kriterien und wurden wie wertvolle Reliquien im Mittelalter verehrt und behütet. Das Alabastergrab muß also wohl ,nur' einem reichen Bürger der Stadt gehört haben; immerhin läßt es den Reichtum der alten Königsgräber erahnen.

Neben dem Alabastergrab entdeckten die italienischen Museumsdirektoren vor allem weitere prachtvolle Grabanlagen wie jene von Mustafa Pascha, Kom es-Schukafa, Schatby, Anfuschi, Hadra und Mustafa Kamal, die zu den größten Attraktionen Alexandrias zählen. Besonders eindrucksvoll sind die zwischen 1933 und 1935 im Osten entdeckten sieben Grabanlagen von Mustafa

Pascha, die erst aus dem ausgehenden 3. und dem 2. Jahrhundert v. Chr. stammen. Am besten erhalten ist das Grab I. Um einen zentralen Hof in reicher dorischer Ordnung mit einem Altar für Totenopfer gruppieren sich die verschiedenen Grabkammern. Im Süden des Hofes bewachen sechs Sphingen, Löwenwesen mit Frauenköpfen, drei Eingänge, und über dem Mitteleingang befindet sich ein Wandgemälde von opfernden Frauen und Reitern.

Besonders reich mit Skulpturen geschmückt ist auch der dreistöckige Gräberkomplex von Kom es-Schukafa aus dem 1. und 2. Jahrhundert n. Chr., der bis zu 20 Meter tief unter der Erde liegt. Im Eingangsbereich stehen die lebensgroßen Statuen des verstorbenen Besitzers und seiner Frau mit ihren beeindruckenden Porträts. Themen der griechischen und ägyptischen Götterwelt bilden den Skulpturenschmuck, wobei göttliche Gestalten die Verstorbenen ins Totenreich geleiten und dort schützen sollen. An den Wänden verstreut, erkennt man die Attribute griechischer Götter, wie etwa den Heroldsstab für den Götterboten und Totengeleiter Hermes, den Thyrsosstab für den Weingott Dionysos und den mit einem Kopf der furchtbaren Gorgo Medusa versehenen Schild für Athena, die Göttin der Weisheit und des Krieges. In den seitlichen Nischen opfert jeweils ein ägyptischer Priester vor dem stiergestaltigen Gott Apis (in den der sterbende Osiris eingeht und als toter Apis zum unsterblichen Unterweltsgott Osiris wird) und vor Isis, der Schwester des Osiris und zaubermächtigen Göttin sowie Beschützerin der Toten. In der Hauptnische mumifiziert dann der schakalköpfige Anubis – der göttliche Einbalsamierer und Schützer der Friedhöfe – einen Verstorbenen. Der falkenköpfige Horus, der Sohn des Osiris, der die Totenopfer für seinen Vater darbringt, und der ibisköpfige Thot, der Mond- und Wissenschaftsgott und zugleich Schützer des Osiris, assistieren Anubis bei dieser heiligen Handlung. Unter diesen Reliefs stehen die Marmorsarkophage, die mit Girlanden, Weintrauben, Stier- und Gorgoköpfen verziert sind und die Hoffnung auf ein glückliches Leben in der Unterwelt und den Schutz vor bösen Mächten ausdrücken sollen. Weitere, später hinzugefügte Grabkammern schließen sich an. Im sogenannten Grab des Caracalla erschienen durch die veränderte Feuchtigkeit erst vor wenigen Jahren wieder die verblaßten und bis dahin nicht mehr wahrnehmbaren Wandmalereien, die dann durch Ultraviolett-Licht noch besser kenntlich gemacht werden konnten. Neben einer Szene – ähnlich der zuvor beschriebenen – mit Anubis, Horos und Thot, die darüber hinaus mit Darstellungen von Isis und Nephthys ausgeschmückt ist, stehen unter dem ägyptischen Fries die griechischen Göttinnen der Jagd, Artemis, des Krieges, Athena, und der Liebe, Aphrodite. Der rechte Teil der Szene ging jedoch verloren, weil man bei der Entdeckung der Kammer ja nichts erkennen konnte und dann die Wand aufstemmte, um zu einem weiteren Grab zu gelangen. Durch UV-Lampen entdeckte der französische Archäologe Empereur zusammen mit Anne-Marie Guimier-Sorbets und Mervatte Seif el-Din auf einer gegenüberliegenden Wand nochmals die gleiche Szene in vollständig erhaltenem Zustand. Es handelt sich dabei um die Entführung der Jungfrau Persephone durch den Unterweltsgott Hades, der die angesichts des Geschehens entsetzten Göttinnen beiwohnen. Das Thema war in der Antike für Grabgestaltungen beliebt. Die Geschichte erzählt, wie die lange vergeblich nach ihrer verschwundenen Tochter suchende Mutter Demeter, die Göttin der Fruchtbarkeit, in ihrer Trauer die Sorge für die Kulturpflanzen vergaß und eine Dürre drohte, die auch die Götter bedroht hätte, weil sie in diesem Falle doch auch keine Opfer mehr von den Menschen erhalten hätten. Demeter erfuhr dank ihrer Verweigerungshaltung daraufhin nicht nur den Aufenthaltsort ihrer Tochter, sondern erreichte auch, daß Persephone zumindest die Hälfte des Jahres wieder das düstere Totenreich, in das sie der Unterweltsgott Hades verschleppt hatte, verlassen durfte. Diese versinnbildlichte Erlösungshoffnung teilten wohl jene Verstorbenen, deren Gräber so ausgeschmückt waren.

Der 2. Weltkrieg beeinflußte auch den Fortgang der archäologischen Forschungen. Der Italiener Botti war in einem Lager für Italiener und Deutsche interniert, die in Ägypten lebten. In der Zeit zwischen 1943 und 1945 grub der Engländer Alan Rowe als Direktor des Museums in Alexandria im Heiligtum des Serapis. Er stand damit in der Nachfolge der Grabungskampagnen von Giuseppe Botti (1891–1899) und Evaristo Breccia (mit Unterbrechungen zwischen 1904 und 1920) und dem deutschen Hermann Thiersch aus der Ernst von Sieglin-Expedition. Das Heiligtum des Serapis wurde wahrscheinlich bereits um 300 v. Chr. unter Ptolemaios I. (305–282 v. Chr.) für den neuen ägyptisch-griechischen Allgott auf dem Hügel Rhakotis errichtet, der einzigen bedeutenden Erhebung Alexandrias. Serapis vereinte in sich Elemente des ägyptischen Unterweltgottes Osiris und des griechischen obersten Gottes Zeus, des Unterweltgottes Hades und des Weingottes Dionysos. Berühmt war die im Tempel stehende kolossale Kultstatue des Serapis, die von dem Künstler Bryaxis, einem Schüler des Skopas, geschaffen worden war. Der Gott saß majestätisch auf einem Thron, hielt in der linken Hand ein Szepter und legte die Rechte auf den dreiköpfigen dämonischen Hund Kerberos, der den Eingang zur Unterwelt bewachte, über die Serapis gleichfalls herrschte. Auf dem Kopf trug er als Krone den Kalathos, einen zylinderförmigen Korb, in dem man Getreide aufbewahrte und der Fruchtbarkeit symbolisierte. Serapis war in seinen unterschiedlichen ‚Zuständigkeitsbereichen‘ ein besonders wichtiger Gott im ptolemäischen Ägypten. Sein Heiligtum maß 173,30 x 76 Meter in den vorchristlichen und 273,70 x 105,50 Meter in den nachchristlichen Jahrhunderten, bis es durch aufgebrachte Christen – die wenig Toleranz gegenüber Andersdenkenden und deren Kulturgütern pflegten, seit ihre Religion zur Staatsreligion der Römer geworden war – im Jahre 391 zerstört wurde. Es gehörte zu den größten Tempelanlagen in der Antike, doch außer der sogenannten Pompeius-Säule, die im Hof des Tempelareals steht, sind nur wenige Architekturfragmente erhalten. Den einzigen wichtigen Fund auf diesem Gelände bildeten zwei Reihen von zehn Gründungstafeln aus Gold, Silber, Bronze, Fayence, Nilschlamm und Glas, deren Texte in Griechisch und in Hieroglyphen unter Ptolemaios III. (246–221 v. Chr.) und Ptolemaios IV. (221–205 v. Chr.) abgefaßt worden sind. Sie wurden am 27. August 1943 an der Südost-Ecke der Begrenzung des Temenos (des Heiligen Bezirks) entdeckt, wo sie vor der Errichtung der Umfassungsmauer deponiert worden waren. Am 28. und 30. Oktober 1945 fanden sich noch weitere Gründungstafeln an der Südost-Ecke des Tempels und der Südwest-Ecke des Temenos. Die beiden Herrscher hatten sich durch diese Tafeln an den Ecken des Heiligtums und des Tempels als Stifter der Anlage bzw. ihres Ausbaus während deren Erweiterungsphase verewigt. Schon im 19. Jahrhundert entdeckte man unterhalb des Heiligtums zwei lange unterirdische Gänge, in denen der Stiergott Apis verehrt worden war, wie eine lebensgroße Statue des Stieres aus schwarzem Basalt aus der Zeit Hadrians bezeugt.

Seit 1992 sucht ein Team des Europäischen Institutes für Unterwasserarchäologie und der ägyptischen Abteilung der Antikenverwaltung für Unterwasserarchäologie unter der Leitung von Franck Goddio den Palast und das Mausoleum von Kleopatra VII. – der „berühmten" Trägerin dieses Namens. Nach der literarischen Überlieferung muß ihr Grabmal in der Nähe des antiken Hafens gelegen haben.

Am 21. Juli des Jahres 365 n. Chr. zerstörte eine riesige Flutwelle – vielleicht infolge eines Seebebens – die Küsten des südlichen Mittelmeeres. Ein allgemeiner Anstieg des Wasserspiegels war das Resultat, so daß Teile des Hafens von Alexandria und kleinere Inseln mit Palästen und möglicherweise Teile des Areals der königlichen Paläste und Mausoleen versanken.

Zunächst begann man 1992 das Terrain des Osthafens von Alexandria zu erforschen – ein schwieriges Unterfangen, weil das Gewässer durch den Dreck der Großstadt derart verschmutzt ist, daß die Sicht im Wasser sehr eingeschränkt wird. Dank der Unterstützung des französischen ELF-Konzerns konnten modernste Bathymetrie- und Magnetresonanz-Messungen angewendet werden, durch welche die unterschiedlichen Meerestiefen und mit etwas Glück auch von Menschenhand geschaffene Monumente festgestellt werden können. Bei den Magnetresonanz-Messungen wird das geomagnetische Feld untersucht, das sich von etwa 20000 Gammas am Äquator bis zu 60000 an den beiden Polen ändert. Landschaftlich verschiedene geologische Zusammenhänge können zusätzlich Schwankungen bis zu 10000 Gammas erzeugen. Untergegangene Denkmäler können oft dank dieser Methode erkannt werden, wenn man die dadurch erzeugte, vergrößerte Strahlenzahl von der des natürlichen lokalen Magnetfeldes und der durch das Eingreifen des Menschen zusätzlich hervorgerufenen – wie auch bei einer Stadt von den Dimensionen Alexandrias – unterscheiden kann. Die Untersuchungen ergaben, daß das östliche Gebiet des Hafens sehr unterschiedliche Tiefen und Strukturen aufwies, die verheißungsvoll schienen.

So begann 1996 und 1997 das Team von Goddio die ersten Unterwassergrabungen, unterstützt von der Liechtensteiner Hilti-Stiftung. (Die Förderung der Kulturwissenschaften durch private Geldgeber gewinnt in dem Maße stark an Bedeutung, als die eigentlich zuständigen staatlichen Stellen zunehmend zu der Auffassung gelangen, daß zum Erhalt einer Gesellschaft vor allem eine effiziente Bürokratie und eine ebensolche Technokratie erforderlich sei, während die Kultur – abgesehen von ein paar politisch instrumentalisierbaren Renommierprojekten – einen eher entbehrlichen Kostenfaktor darstelle.) Zwischen Juni und November erfolgten in den beiden Jahren etwa 7 000 Tauchgänge von jeweils etwa 100 Minuten Länge. Besonders aufwendig waren die Ortungen von kleinsten Gebäuderesten, weil die Architekturteile meist unter weißem Sand und Kalkablagerungen liegen, die bis zu 60 cm stark sind und entfernt werden müssen. Wegen der durch die Wasserverschmutzung reduzierten Sichtmöglichkeiten der Taucher mußten zudem modernste, bis dato nur vom Militär eingesetzte Lotsignalsysteme zur Einmessung verwendet werden. Insgesamt wurden schließlich etwa 1 300 Objekte registriert und gereinigt.

Die Unterwassergrabungen verhalfen erstmalig in diesem Bereich zu topographischen Erkenntnissen über den Verlauf des Küstenstreifens, der vorgelagerten Inseln und Riffe und der drei östlichen Häfen in der Antike. Es stellte sich heraus, daß damals der Zugang zu diesen östlichen Häfen sehr schwierig gewesen sein muß, weil noch viele Riffe und kleinere Inseln vorhanden waren, durch die nur eine einzige schmalere und ausreichend tiefe, kanalartige Rinne bis zu den drei Ankerplätzen führte. Diese problematische Geländestruktur läßt erahnen, wie wichtig der berühmte Leuchtturm von Alexandria für die Seeleute gewesen sein muß, der tags und nachts als Orientierungshilfe diente, um auf halbwegs sicherer Fahrt die Häfen zu erreichen. Auch änderten die Winde je nach Jahreszeit ihre Richtung, was die Navigation nicht gerade erleichterte. Im Sommer (Juni-September) kommen die Winde meist von Nordwest, im Oktober bis Mai häufig auch von Osten. Stieg das Wasser an der ägyptischen Küste auch bereits in der Antike zu bestimmten Zeiten bis zu einem Meter Höhe, so war der Zugang etwa für die Dauer eines Vierteljahres sehr erschwert. Zudem war das Wetter vom Oktober bis April so unbeständig, daß man damals die Schiffahrt nur von Mai bis September betrieb. Da viele Waren für den westlichen Mittelmeerraum, insbesondere Italien – für das Ägypten die Funktion einer Kornkammer erfüllte –, bestimmt waren und zum Beispiel eine Fahrt bis Rom etwa 2–3 Wochen dauerte – hin und zurück etwa die doppelte Zeit –, konnten also nur zwei größere Fahrten im Jahr unternommen werden.

Hatten die Seeleute erst einmal die östlichen Häfen erreicht, so fanden sie aber besonders gut geschützte und komfortabel errichtete Anlagen vor.

Im Südosten lag zunächst ein 500 x 320 Meter großer Hafen mit einem 80 Meter langen und 15 Meter breiten Pier in der Mitte. Der nordöstliche Teil seiner Fläche war durch eine 350 Meter lange und 150 Meter breite Halbinsel gegen das offene Meer abgeschlossen, von der mehrere unterschiedliche, bis zu 90 Meter lange und 25 Meter breite Molen abgingen und von der am Nordwest-Ende

Abb. 14: Alexandria, Taucher in Aktion vor Sphinx.

134

ein 180 Meter langer und 18 Meter breiter Wellenbrecher den nördlichen Teil des Hafens schützte. Besonders in jenem Bereich, wo die Halbinsel mit dem Küstenabschnitt zusammenging, wurden viele bearbeitete Architekturteile gefunden, unter anderen 45–100 cm dicke Säulen, Säulenbasen, Kapitelle und Blöcke aus Granit, ein dreiseitig mit Hieroglyphen versehener Granitblock, eine 80 cm hohe und 1,60 Meter lange Sphinx aus Kalzit (Abb. 14) und ein 35 cm hoher Marmorkopf (wahrscheinlich der Antonia Minor, 36 v.–37 n. Chr.). Die Funde veranlaßten Goddio, in dem Komplex die durch

Schriftquellen überlieferte Halbinsel Timonium zu sehen, auf der einst ein Poseidontempel sowie Markt- und Warenhäuser lagen.

Der südwestliche Teil des Hafens war durch eine 350 Meter lange und bis zu 70 Meter breite Insel zum Meer hin abgeschlossen, die am Nordwest-Ende eine 340 Meter lange und 30 Meter breite Mole besaß. Am östlichen Ende der Insel fand man eine hölzerne, 5,20 Meter lange und 80 cm breite Mole, die aufgrund der dendrochronologischen Untersuchungen – also mittels der Bestimmungen des Alters anhand der beim Bau verwendeten Hölzer – bereits zwischen 450 und 350 v. Chr. errichtet worden sein muß; sie diente somit bereits den Bewohnern der kleinen Siedlung, die dort schon vor der Stadtgründung existiert hatte.

Die Datierung eines Bauwerks mittels der Dendrochronologie basiert darauf, daß jedesmal die je nach den Wetterverhältnissen unterschiedlich ausfallenden Jahresringe der Bäume registriert und in eine Abfolgereihe gebracht werden, so daß man, wenn man genügend erhaltene Baumstämme zur Verfügung hat, den Zeitpunkt der Abholzung des einzelnen Baumes feststellen kann, der irgendwo als Bauholz verwendet wurde. Ägypten mit seinem trockenen Klima hat glücklicherweise viele Holzreste bewahrt, die für Untersuchungen von Objekten mit genügend erhaltenen Jahresringen häufig erfolgreich zur zeitlichen Einordnung herangezogen werden können. In anderen Weltgegenden hingegen zersetzt sich Holz als organisches Material im Laufe der Jahrhunderte oder gar Jahrtausende schon leichter, so daß es nur vereinzelt zur Altersbestimmung herangezogen werden kann.

Etwa in der Mitte des Westküstenstreifens der Insel entdeckte Goddios Mannschaft in einem etwa 50 auf 60 Meter breiten, von Menschenhand angelegten Terrain 95–110 cm dicke, große Säulen aus Rosengranit, zwei Sphingen aus grauem Granit (1,50 Meter lang und 70 cm hoch) und Diorit (1,40 Meter lang und 75 cm hoch). Beide zeigen das Porträt eines späten Ptolemäerkönigs, die eine möglicherweise jenes des Ptolemaios XII. (80–58 und 55–51 v. Chr.). Darüber hinaus fand er eine 1,50 Meter hohe Statue eines Priesters aus grauem Granit, der den Kanopus – ein Gefäß für die Eingeweiden eines Verstorbenen – des Unterweltsgottes Osiris mit beiden Händen trägt, wahrscheinlich aus dem 3.–1. Jahrhundert v. Chr. stammt und ursprünglich etwa 1,70 Meter hoch war. Alle diese Statuen deuten daraufhin, daß es einst auf der Insel ein Heiligtum gegeben hat. Goddio setzt die Insel mit dem berühmten Eiland Antirhodos gleich, auf dem der legendäre Palast der Kleopatra stand. Ob dies wirklich so ist, bleibt fraglich, solange keine aussagekräftigen Funde zum Vorschein kommen.

Nordöstlich des ersten Hafens schloß sich dann der 7 Hektar große Innere Hafen an, der durch eine 110 Meter lange und 20 Meter breite Mole in zwei Becken unterteilt ist, dessen nördliches wahrscheinlich mit dem königlichen Hafen gleichzusetzen ist, der als letzter erreichbarer Hafen auch am schwersten zugänglich und für die königliche Flotte reserviert war.

Wahrscheinlich liegen unter den versunkenen und versandeten Bereichen sehr viele interessante Reste, die in Zukunft noch spektakuläre Funde und Erkenntnisse erwarten lassen. Doch bis jetzt können wir nur staunend vor den monumentalen Hafenanlagen, Skulpturen und Architekturteilen stehen. Die in der Presse von Goddio immer wieder deklarierte ‚Entdeckung der Königlichen Paläste‘ ist anhand der bisherigen Entdeckungen allerdings nicht nachzuvollziehen und eher aus ihrer angestrebten Wirkung auf die Öffentlichkeit zu verstehen.

Im März 1994 wollte die bekannte ägyptische Regisseurin Asma el-Bakri einen Film über das Griechisch-Römische Museum von Alexandria drehen und auch Aufnahmen antiker Denkmäler im Gewässer beim Fort Kait Bey schießen, wo man ungefähr den Standort des Pharos – also des berühmten antiken Leuchtturms – vermutet. Als Ratgeber betreute das Drehteam Jean-Yves Empereur, der seit 1992 diverse Notgrabungen in Alexandria leitet. Im ruhigen und klaren Wasser – dort ein extrem seltenes, höchstens alle paar Jahre für einige Tage anzutreffendes Phänomen – sichteten sie viele interessante Blöcke und Fragmente von Sphingen. Sie stellten auch rein zufällig fest, daß man gerade in der Nähe bis zu 20 Tonnen schwere, riesige Blöcke als Wellenbrecher im Meer versenkte. Die Regisseurin erkannte mit Empereur die Gefahr für die unter Wasser liegenden Antiken und konnte mit Hilfe der Medien die Behörden dazu bewegen, Empereur dort Notgrabungen vornehmen zu lassen. Das französische Team sollte noch im Herbst des Jahres 1994 mit den Arbeiten beginnen, jedoch standen Empereur keine Mittel mehr zur Verfügung. Nicolas Grimal, der Direktor der Französischen Schule in Kairo, konnte Empereur aber – ganz unerwartet – das notwendige Geld doch noch beschaffen, als wegen des Terroranschlages auf Touristen im Hatschepsut-Tempel bei Luxor die dort geplanten französischen Ausgrabungen aus Sicherheitsgründen nicht durchgeführt werden konnten und so dieses Geld ‚frei‘ wurde. Empereurs Untersuchungen begannen also im Gewässer beim Fort Kait Bey.

Das Fort Kait Bey wurde zwischen 1477 und 1479 als Schutz gegen den drohenden Ansturm der Türken errichtet. An dieser Stelle oder in dessen Nähe muß der legendäre Leuchtturm gestanden haben, der seinen Namen von der Insel Pharos erhielt, die schon kurz nach 331 v. Chr. durch das Heptastadion – einen etwa 1 260 Meter langen Damm – mit dem Festland verbunden worden war. Nach den Pyramiden des Cheops und des Chephren war der Leuchtturm mit einer Höhe von etwa 130 Metern das höchste Bauwerk der Antike und zählte zu den sogenannten ‚Sieben‘ Weltwundern. (Die Zahl der Weltwunder schwankt; ein kleines, informatives und sehr unterhaltsames Buch hat Kai Brodersen darüber geschrieben: *Die sieben Weltwunder. Legendäre Kunst und Bauwerke der Antike*, München [2]1998.) Der Name Pharos wurde zum Synonym für alle Leuchttürme, und noch heute bedeutet „Pharos" in seinen verschiedenen Ableitungen in vielen Sprachen „Leuchtturm". Das antike Original wurde zwischen 297 und 283/282 v. Chr. erbaut und von Sostratos von Knidos den Rettenden Göttern zum Wohl der Seefahrer geweiht. Sostratos war wahrscheinlich der Architekt, aber nicht eigentlich der Stifter des 800 Talente (etwa 20 800 kg Silber) teuren Gebäudes – eine Summe, die wohl kaum eine andere Person als der König, in unserem Falle also wohl Ptolemaios I. (305–282 v. Chr.) bzw. Ptolemaios II. (282–246 v. Chr.), zur Verfügung stellen konnte. Die Ungewißheit der Zuweisung an den wahren Bauherrn führte vermutlich auch zur Entstehung der Legende, daß der reiche Sostratos auch sehr weise gewesen sei. Dies soll sich darin gezeigt haben, daß er – um nicht den Neid des Königs Ptolemaios II. hervorzurufen – die in Marmor gemeißelte Inschrift, die Sostratos selbst pries –, hat verputzen und darauf ein Lob auf den König anbringen lassen; der Putz aber sollte, wie Sostratos klug voraussah, im Laufe der Zeit abfallen und seine eigene Marmorinschrift und damit seinen eigenen Ruhm der Nachwelt wieder erkennbar machen – eine schöne Anekdote, wenn auch um sechs Ecken herum gedacht.

Der Leuchtturm stand auf einer 340 Meter langen, rechteckigen Terrasse. Über einem etwa 71 Meter hohen, quadratischen Unterbau erhoben sich ein etwa 34 Meter hoher, achteckiger Mittelbau und ein mindestens 9 Meter hoher, runder Oberbau mit der Monumentalstatue des Zeus Soter (Zeus der Retter) als Abschluß.

Der Pharos muß überdurchschnittlich stabil gebaut gewesen sein. Er überlebte sowohl die furchtbare Flutwelle vom 21. Juli 365 n. Chr., die den ganzen südlichen Mittelmeerküstenstreifen verwüstete und zu einem allgemeinen Ansteigen des Meeresspiegels führte, als auch viele schreckliche Erdbeben; erst im Jahr 796 bebte die Erde so stark, daß das obere Drittel des Turmes herabstürzte. 950 und 956 kamen weitere Risse durch Erdbeben hinzu, so daß man sich dazu durchrang, den Pharos um 22 Meter abzubauen, um nicht das ganze Gebäude zu gefährden. 1261 fiel ein weiterer Teil herunter, aber erst am 8. August 1303 zerstörte ein großes Erdbeben auch noch die verbliebenen Reste – das Gebäude hatte also fast 1600 Jahre gehalten; welchem modernen Bauwerk würden Sie zutrauen, eine solche Lebensspanne zu erreichen? Etwa 150 Jahre später wurde dann das Fort Kait Bey errichtet, wobei Teile des Leuchtturms wiederverwendet wurden, wie noch heute sichtbare, in der Festung verbaute Trümmer und monumentale Architekturfragmente belegen. Auch wenn sich die Wissenschaftler einig sind, daß sich der Pharos einst beim Fort Kait Bey erhob, ist der genaue Standort immer noch sehr umstritten. Stand der Pharos an der Stelle von Fort Kait Bey oder nur in dessen Nähe im Wasser, weil sich der Erdboden im Laufe der Zeit gesenkt hatte und ehemals das Mittelmeer in Ägypten einen niedrigeren Wasserstand aufwies? Sind die antiken Fragmente im Wasser vor Fort Kait Bey Teile der Basis des Pharos oder sind sie nur bei den diversen Beschädigungen des Turmes dorthin gefallen? Empereur hoffte darauf, dank der Unterwasserausgrabungen eine Antwort geben zu können.

Schon 1961 waren auf Bitten des Archäologen Kamal Abu el-Saadat zwei Fragmente einer monumentalen Rosengranit-Statue einer ptolemäischen Königin in Gestalt der Isis durch die ägyptische Marine aus dem Gewässer vor Fort Kait Bey geborgen worden. Vom Knie bis zum Kopf mißt die Statue immer noch stattliche 7 Meter; ursprünglich besaß sie eine Höhe von 12 Metern. 1968 registrierte die britische Archäologin Honor Frost im Meer gelegene Stücke, konnte sie aber nicht bergen.

Seit 1994 hat das Unterwasser-Archäologenteam von Empereur etwa 3000 Architekturelemente und Skulpturen aus Stein entdeckt, darunter 60 cm dicke Säulen aus prokonnesischem Marmor von den Inseln im Marmarameer – der Verbindung zwischen dem Bosporos und dem Mittelmeer –, bis zu 2,30 Meter dicke Säulen aus Rosengranit aus Aswan, sechs Papyrussäulen aus Heliopolis von Ramses II. (1290–1224 v. Chr.), korinthische Kapitelle aus grauem Granit und Rosengranit, Fragmente von drei Obelisken (einer aus Rosengranit und zwei aus Kalzit) aus der Zeit des Pharaos Sethos I. (1304–1290 v. Chr), 25 Sphingen aus Kalzit, Rosengranit und grauem Granit – die älteste von Pharao Sesostris III. (1877–1839 v. Chr.) und die jüngste von Psammetichos II. (595–588 v. Chr.) –, die meisten aus Heliopolis, und mehrere Fragmente einer monumentalen Statue aus Rosengranit eines ptolemäischen Königs, dessen Torso vom Knie bis zum Hals allein 4,55 Meter hoch ist, 17 Tonnen wiegt und ursprünglich etwa 12 Meter hoch gewesen sein muß. Die Königsstatue lag einst neben der weiblichen Monumentalstatue, die bereits 1961 aus dem Wasser gehoben werden konnte. Zwei weitere Köpfe von ptolemäischen Königen und ein weiblicher Oberkörper, die zu drei anderen Monumentalstatuen aus Rosengranit gehörten, wurden ebenfalls gefunden. Zudem entdeckte man sechs Sockel für vergleichbare Monumentalstatuen; auch wurden viele Steinplatten, Torpfeiler und Sturze – Abschlußsockel von Türen und Toren – registriert, wobei der größte Block aus Rosengranit besteht, 11,50 Meter hoch und über 70 Tonnen schwer ist. Mehrere dieser gigantischen Architekturelemente waren in zwei bis drei Teile geborsten, als wenn sie von großer Höhe herabgefallen wären.

Diese monumentalen Blöcke und Statuen interpretiert Empereur wegen ihrer Größe und ihrem Gewicht als Teile des Pharos. Doch ob dies wirklich so ist, bleibt fraglich, weil der Archäologe für diese Überlegung keinen echten Beweis liefern kann. Schließlich wurden die Architekturelemente und Plastiken auf alle Fälle von Steinbrüchen, die mehrere hundert Kilometer weit entfernt waren, dereinst nach Alexandria transportiert. Viele der spektakulärsten Blöcke gelangten auch auf Umwegen nach Alexandria, weil sie ursprünglich, wie im Fall der Denkmäler aus Heliopolis, zunächst woanders standen. Die beachtlichen Dimensionen und Gewichte der Steine müssen also nicht auf ihren ursprünglichen

Standort verweisen. Ausführlichere Grabungen sollten in Zukunft den Beweis erbringen können, ob diese kunterbunt zusammengewürfelt wirkenden Teile wirklich zu einem einzigen Gebäude gehörten. Eine Inschrift könnte dann vielleicht ein starkes Indiz sein, ob sie dem Pharos zuzuordnen sind. Ob dies jemals gelingen wird, ist mehr als fraglich. Unbezweifelbar aber ist angesichts der eindrucksvollen, monumentalen Funde Empereurs die Pracht und Größe des antiken Alexandria. Uns davon eine Ahnung vermittelt zu haben, bleibt das Verdienst Empereurs – und zweifellos eine Sternstunde der Archäologie.

8. Qumran und die Schriftrollen vom Toten Meer

Die Herrlichkeit Gottes in Jerusalem zeugt von Gottes erwählender Gnade. Mit dem Menschen, dessen Worte bewahrt werden, ist Mose gemeint. Weil allein Gott rettet und nicht menschliche Kraft, ist es nötig, sich schnell vom Bösen abzuwenden.

Jerusalem ist die Stadt, die Gott erwählt hat
von jeher und für immer.
Denn der Name Gottes ist ausgerufen über ihr,
und seine Herrlichkeit ist erschienen
über Jerusalem und Sion.
Wer kann den Namen Gottes aussprechen,
und wer kann all sein Lob in Worte fassen?
Gott erinnert sich seines Volkes
In seinem gnädigen Willen
und bringt ihm Erlösung,
um ihm zu zeigen das Glück seiner Erwählten
und jubeln zu lassen sein Volk.

Und er schuf euch einen Menschen,
dessen Worte sie bewahrten.
Sie richten sich an alle Kinder Israels.
Nicht deine Hand wird dich retten, sondern die Kraft
    eures Gottes,
der Gutes tut und die Bösen haßt.
Wie lange noch wirst du der Bosheit anhängen?

Die Adressaten des Sängers sind, ähnlich wie bei Jesus in Matthäus II, 25-28, die Einfältigen und Unverständigen. Der Psalm bietet einen andersartigen Schöpfungsbericht: Gott hat mit einem Eid die Welt geschaffen, dadurch erhält sie ihre Stabilität. Die Öffnungen der Gewässer hat Gott (nach unten hin) verschlossen, damit sie nicht auslaufen. Der Kalender ist hier wichtig wegen der Früchte der verschiedenen Jahreszeiten.

Über die Taten Gottes sinne ich nach,
und dies ist für mich Belehrung.
Und die Einfältigen werden verstehen,
und die Unverständigen werden begreifen.
Wie mächtig ist Gott! Er schuf wunderbare Werke.
Mit einem Schwur hat er Himmel und Erde gemacht,
und durch ein Wort seines Mundes all ihre Heere.
Er schuf Wasserläufe und verschloß die Öffnungen von
    Flüssen,
Teichen und jedem Strudel.
Er schuf die Nacht, die Sterne und ihre Bahnen
und ließ sie leuchten.
Er schuf Bäume und jede Beere des Weinstocks
und alle Früchte des Feldes.
Und er schuf Adam mit seinem Weibe.
Durch seinen Atem richtete er sie auf,
damit sie regierten über alles auf der Erde.
Und er ordnete die Monate, die heiligen Feste und die
    Tage,
nach deren Ablauf wir die Früchte essen, die er
hervorbringt.

(Klaus Berger, *Psalmen aus Qumran. Gebete und Hymnen vom Toten Meer*. Frankfurt am Main und Leipzig 1994, S. 80. 128. Dies sind zwei Beispiele jener Texte, die aus den Höhlen von Qumran stammen; ihre Verfasser sind unbekannt.)

✳

Zwischen 1946 und 1956 wurden in elf Höhlen in der Nähe der Ruinenstätte Qumran, die am Nordwestufer des Toten Meeres liegt, Fragmente von fast 900 Schriftrollen aus den ersten vorchristlichen und dem ersten Jahrhundert n. Chr. geborgen. Es handelt sich dabei um bedeutende Funde zur jüdisch-christlichen Geistesgeschichte. Gerade die Sensationsliteratur aber sorgte für törichte Aufregung, als deren Autoren grundstürzende theologische Folgen der Textinhalte für das Christentum erkennen wollten und unterstellten, der Vatikan würde aus religionspolitischen Gründen einen Teil der Rollen unter Verschluß halten. Doch was hat es wirklich mit den Rollen auf sich? Wurden sie von der Sekte der Essener – einer über Palästina verstreut lebenden jüdischen Gemeinschaft – verfaßt? In welcher Beziehung stand diese zum Christentum? Bevor wir uns all diesen interessanten Fragen widmen können, müssen wir zunächst die spannende Entdeckungsgeschichte und die Aussagen der Funde genauer unter die Lupe nehmen.

Um die mysteriöse Entdeckung der ersten Schriftrollen vom Toten Meer ranken sich viele Geschichten. Am bekanntesten ist wohl das Märchen von der Ziege, die sich im November oder Dezember des Jahres 1946 in einer Höhle bei Qumran verirrt haben soll. Der nach ihr suchende Beduinenhirte Mohammed ad-Dib stieg in eine Höhle und stieß auf Tonkrüge, in denen sieben Schriftrollen aufbewahrt waren. Wahr ist an dieser Erzählung, daß Mohammed ad-Dib wirklich der Finder war – wenn auch nicht eigentlich auf der Suche nach seiner Ziege. Der Beduine interessierte sich zunächst nur für das Leder, das die Buchrollen hielt. Er wollte sinnvollerweise daraus Riemen für seine Sandalen schneiden, stellte aber fest, daß das alte Leder zu brüchig war für diesen Zweck. So übergab er seiner Familie die Schriften. Man veräußerte bei einem Besuch des nahegelegenen Marktes von Bethlehem in der zweiten Aprilwoche des Jahres 1947 vier der sieben Rollen für 64,80 Dollar an den syrischen Christen Khalil Iskander Schahin, genannt Kando, der in Bethlehem einen Gemischtwarenladen und ein Schuhgeschäft besaß. Schahin verkaufte seinerseits am 19. Juli den größten Teil für 97,20 Dollar an den syrisch-orthodoxen Metropoliten, den Erzbischof von Jerusalem, Mar Athanasius Yeschua Samuel. Der Metropolit, der diese Texte weder lesen noch deren Alter einschätzen konnte, erhielt so den vollständigen, 7,34 Meter langen

Abb. 15: Metropolit Athanasius mit der Jesaja-Rolle von Qumran.

und auf Leder in 54 Kolumnen geschriebenen Text des Buches Jesaja (Abb. 15), den Kommentar zum Buch Habakuk, elf Textkolumnen über das Bundeserneuerungsfest und die Zwei-Geister-Lehre sowie die Anordnungen für das Zusammenleben einer Sekte; es handelt sich dabei um eine sogenannte Sektenregel, und fragmentarische Ausschmückungen der Genesis in Aramäisch. Dieser Text wurde 1956 entrollt und konnte erst vor einigen Jahren mit Hilfe modernster Computertechniken zum ersten Mal vollständig gelesen werden. Doch diese Fragmente stellten nur ein Teil der von den Beduinen entdeckten Schriften dar.

Am 23. November 1947 telefonierte ein armenischer Antiquar von der Jerusalemer Altstadt mit Eliezer Lipa Sukenik, Professor für Archäologie an der Hebräischen Universität Jerusalem. Der Armenier wollte ihn fragen, um was es sich bei den beschrifteten Pergamentfragmenten handelte, die er einen Tag zuvor von dem Bethlehemer Schuster Schahin erhalten hatte. Sich zu treffen war in diesen Tagen äußerst schwierig, denn man erwartete jeden Moment die Entscheidung der UNO, daß Palästina in zwei Staaten geteilt werden sollte. Da bei einer solchen Erklärung militärische Auseinandersetzungen zu befürchten waren, wurden die feindlichen Lager von den Briten bereits durch Stacheldrähte getrennt. Da keiner von beiden einen Passierschein besaß, trafen sie sich am nächsten Tag am Zaun und der Antiquar zeigte ihm aus der Ferne einige Fragmente. Der Professor ahnte Großes, konnte jedoch nichts Genaues sagen und bat den Händler, sofort in Bethlehem weitere Belege zu holen, während er selbst sich um einen Passierschein bemühen wollte. Am 27. November erhielt er von jenem den nächsten Anruf, daß er weitere Fragmente besorgt habe. Sukenik ging sofort zu ihm in die Altstadt und erkannte, daß es sich um sehr alte hebräische Texte handeln mußte. Er wäre am liebsten gleich nach Bethlehem gefahren, doch er unterließ es aus Rücksicht auf seine Familie: Die Gefahr war zu groß. Als Sukenik aber am 28. November hörte, daß die UNO erst im Laufe des nächsten Tages abstimmen würde, beschloß er gegen jede Vernunft, rasch noch nach Bethlehem zu fahren, denn er wußte, daß nach der Teilung Bethlehem für ihn unerreichbar werden würde. Am 29. November 1947 fuhr er also frühmorgens klammheimlich von der Jerusalemer Altstadt mit dem Bus nach Bethlehem und besuchte Schahin, der vor seinen Augen aus drei Tonkrügen jeweils eine

Schriftrolle hervorzog. Der Professor war überwältigt und versprach dem Schuster, nach eingehender Prüfung innerhalb von 48 Stunden definitiv den möglichen Kauf zu bestätigen. Mit dem kostbaren Gut kehrte er nach Jerusalem zurück und als er die Rollen zuhause genauer untersuchte, erfuhr er von seiner Familie von der Teilung Palästinas und der Gründung des Staates Israels. Obwohl inzwischen die Kämpfe ausgebrochen waren, übergab er am nächsten Tag dem Armenier das Geld für Schahin. Die Rollen enthielten eine schlechte Kopie des Buches Jesaja, die zweiten 30 Lobpreisungen des Gründervaters der religiösen Sekte und die Visionen eines zukünftigen, 40jährigen Krieges, in dessen Verlauf die gläubigen Juden alle anderen töten würden. Sukenik erkannte bald das ungefähre Alter der Texte.

Der Metropolit hingegen wußte von dem wirklichen Wert seiner Rollen noch nichts. Sukenik hörte von den vier Rollen des Bischofs, doch konnte er sie sich nicht ansehen, weil er durch die Teilung Jerusalems nicht mehr zum St. Markus-Kloster in der Altstadt gelangen konnte, wo Athanasius die Rollen aufbewahrte. Erst am 25. Januar 1948 erhielt Sukenik die Rollen und wollte sie sofort für 2 000 Pfund (etwa 25 000 DM) kaufen, doch fand er keinen Sponsor und sein Haus, das er gerne verpfändet hätte, wollte damals angesichts des drohenden Krieges niemand erwerben. So mußte er die Rollen am 6. Februar frustriert zurückgeben. Der Metropolit wandte sich nun an das Amerikanische Archäologische Institut zur Erforschung des Orients in Ost-Jerusalem. Die Wissenschaftler erkannten sogleich die Bedeutung der Rollen und informierten Athanasius, der sie nun für eine Million Dollar anbot. Wegen der Kriegsgefahr ließ der Metropolit die Rollen in die USA bringen, wohin er später nachfolgte, und das war ein weiterer Glücksfall, denn einige Monate darauf wurde das Kloster wirklich angegriffen und teilweise zerstört. Zwischen 1948 und 1954 schlummerten die Rollen in einem Schließfach des Hotels Waldorf Astoria in New York. In den USA interessierte sich keiner für sie, und so offerierte der Priester schließlich die Funde am 1. Juni 1954 im *Wall Street Journal*. Mit Hilfe des New Yorker Industriellen Samuel Gottesman konnten die Texte für den israelischen Staat zum Preis von 250 000 Dollar erworben werden. Die Rollen bilden heute die Glanzstücke des Jerusalemer Museums „Schrein des Buches", das 1965 erbaut wurde.

Professor Sukenik konnte diesen Erfolg leider nicht mehr erleben. Er verstarb im Jahre 1953 in der Meinung, daß die Texte für immer für Israel verloren seien und er sie nicht habe retten können. Auch seine drei Rollen konnten erst 1954 vollständig veröffentlicht werden. Immerhin konnte Sukenik noch den größten Teil selbst publizieren.

Am 28. Januar 1949 gelang es dem belgischen UNO-Hauptmann Philippe Lippens mit Hilfe einiger Beduinen die Höhle (Höhle 1), wo die Rollen verborgen waren, zu lokalisieren. Sie befindet sich etwa 1,3 Kilometer nördlich von Qumran. Zwischen dem 15. Februar und 5. März 1949 untersuchten der Direktor der Jordanischen Altertümerverwaltung, G. Lancaster Harding, und der Leiter der Jerusalemer Französischen Bibelschule (L'École Biblique de Jérusalem), Pater Roland de Vaux, die Höhle. Sie kamen aber zu spät, alles war bereits wild durchwühlt. Trotzdem fanden sie noch kleine Fragmente von etwa 70 Texten und Tonscherben von Gefäßen und Lampen aus dem ersten vorchristlichen und dem ersten nachchristlichen Jahrhundert. Weitere Textfragmente aus der Höhle wurden den Beduinen für umgerechnet 12 DM pro Quadratzentimeter abgekauft.

Im Herbst und Winter 1951 tauchten dann Texte auf dem Jerusalemer Markt auf. Pater de Vaux fand schnell heraus, daß die Schriften vom etwa 20 Kilometer südwestlich von Qumran gelegenen Wadi Murabba'at stammten, und mit Hilfe der Polizei kam er den Beduinen auf die Spur, die sich aus dem neuen Fundort bedienten. Es handelte sich diesmal um vier Höhlen; zwei davon bargen Texte, darunter zwei Briefe, die von Simon Bar Kochba, dem Anführer des 2. Jüdischen Aufstandes gegen die Römer, zwischen 132 und 135 n. Chr. persönlich diktiert worden waren.

Zwischen dem 10. und 29. März 1952 durchkämmten Roland de Vaux, Dominique Bathélemy, Józef Tadeusz Milik und Henri de Contenson nochmals die Umgebung der Höhle 1 von Qumran. Neben einigen Fragmenten in einer zweiten Höhle (Höhle 2), die in der Nähe von Höhle 1 lag, kamen dann am 20. März in Höhle 3, die etwa 2,3 Kilometer nördlich von Qumran liegt, neben weiteren Fragmenten eine 2,42 Meter lange Rolle aus Kupfer zutage, die lange nicht geöffnet werden konnte und daher die Phantasie interessierter Kreise besonders bewegte. Nachdem die Rolle dann scheibchenweise in mühseliger Kleinarbeit zersägt worden war, wurde klar, daß es sich um eine antike Schatzkarte mit 64 Orten handelte, deren Angaben jedoch – leider – nicht seriös waren.

Im Sommer 1953 entdeckten Beduinen eine vierte Höhle, doch Pater de Vaux kam ihnen diesmal schneller auf die Spur, und vom 22. bis 29. September 1952 wurden in Höhle 4 zahllose Fragmente direkt für die Wissenschaft gesichert. Es handelte sich um „tägliche Gebete", Beschwörungshymnen, Weisheitstexte, die Kriegsrolle, himmlische Gesänge zum Sabbatopfer, Weisungen an Jonathan, einen Kommentar zum Text des Propheten Nahum und aramäische Henochbücher. In einer fünften und sechsten Höhle, nur wenige hundert Meter von Qumran entfernt, förderte man weitere und weniger bedeutende Fragmente von etwa 30 Schriftrollen zutage.

Gleichzeitig wurde 1955 eine auch für die Beduinen reizvolle Vorsichtsmaßnahme zur Rettung bereits verschwundener oder in Zukunft möglicherweise vom Verschwinden bedrohter Texte eingeleitet: Jeder beschriftete Quadratzentimeter wurde für die beachtliche Summe von 2,80 Dollar angekauft, zunächst vom Staat Jordanien; und als immer mehr Texte auftauchten, erfolgte der Ankauf auch mit Genehmigung Jordaniens von ausländischen Institutionen, vor allem solchen aus den USA, England, Frankreich und Deutschland. Die Erlaubnis war unter der Bedingung erteilt worden, daß die Schriften bis zur gemeinsamen Veröffentlichung im Rockefeller Museum in Ost-Jerusalem, das damals ein Teil Jordaniens war, verbleiben und von ausgewählten Spezialisten aus mehreren Ländern und verschiedener Religionszugehörigkeit bearbeitet werden sollten. Am Ende wurden auf diese Weise Fragmente von etwa 600 Schriften zusammengetragen, die von den römisch-katholischen Priestern Abt Józef T. Milik aus Polen, Abt Jean Starcky aus Frankreich, Monsignore Patrick W. Skehan aus den USA, dem Lutheraner Claus-Hanno Hunziker aus Hamburg, dem Anglikaner John Strugnell aus Schottland, dem Methodisten Frank M. Cross aus den USA und dem Agnostiker John Marc Allegro aus Großbritannien publiziert worden sind.

Nach wenigen weiteren Funden von Fragmenten in den Höhlen 7–10 zwischen dem 2. Februar und 6. April 1955, wurde zwischen dem 18. Februar und 28. März 1956 nochmals ein letzter großer Fund mit etwa 23 Schriftrollen in der Höhle 11 geborgen. Die wichtigsten Schriften waren aber wieder zuerst von Beduinen entdeckt und verkauft worden, so zum Beispiel die Rolle mit den beiden letzten Büchern des Psalters (Psalm 90–150) und einige zusätzliche Psalmen: Diese konnten 1960 erworben und 1965 publiziert werden. Ähnliches galt für die 9 Meter lange „Tempelrolle" mit der Beschreibung des Jerusalemer Tempels nach der Vorstellung Gottes und das Gesetzes-Corpus Deuteronomium (12–26) mit erweiterten Ausführungen, die im Juni-Krieg 1967 gegen eine Entschädigung von 105 000 Dollar bei dem uns bereits bekannten Schuster Schahin in Bethlehem durch den Staat Israel beschlagnahmt wurden.

1993 veröffentlichten Emanuel Tov und S. J. Pfann auf Mikrofiche die Gesamtheit aller Texte: *The Dead Sea scrolls on microfiche. A comprehensive facsimile edition of the texts from the Judaean Desert,* Leiden 1993. 1994 kam durch F. Garcia Martinez die Publikation aller übersetzbaren Texte in Englisch, und 1995 und 1996 folgte die Edition von Johann Maier in Form eines dreibändigen Werkes auf Deutsch.

Die meisten der damals gefundenen Texte sind in Hebräisch, viele auch in Aramäisch und nur wenige, die alle aus der Höhle 7 kommen, in Griechisch abgefaßt. Die Schriftrollen sind überwiegend aus Lederbogen zusammengesetzt, seltener aus Papyrus. Nur die Schriftrolle vom Buch Jesaja ist fast vollständig; von neun Schriftrollen ist mehr als die Hälfte erhalten, 200 hingegen sind so fragmentarisch, daß diese Textbruchstücke ohne echten Aussagegehalt sind. Zwei Drittel der Schriftrollen wurden wahrscheinlich schon vor 150 v. Chr. abgefaßt, die meisten jedoch spätestens im 1. Jahrhundert v. Chr. Ein Drittel aller Schriftrollen enthalten biblische Texte, von denen die meisten mit insgesamt 20–30 Exemplaren aus den Büchern Deuteronomium, Jesaja und Psalter stammen. Alle Bücher des Alten Testaments mit Ausnahme des Buches Esther sind in Qumran vertreten. Viele der aufgefundenen Texte sind tausend Jahre älter als die bis dahin bekannten mittelalterlichen Abschriften. Das Weisheitsbuch des Jesus Sirach, das Buch Tobit, das Jubiläenbuch und Teile der Henochbücher kennen wir nun erstmalig in der hebräischen oder aramäischen Ursprache. Vorher waren sie nur in äthiopischen (Henochbuch) und syrischen (Jubiläenbuch) Übersetzungen überliefert. Andere religiöse Werke – etwa 120 an der Zahl – waren vorher unbekannt, darunter Kommentare zu Targumim und Midraschim, Hymnen, Segensworte, Weisheitstexte, Gemeinderegeln, Orakeltexte, die Weisung an Jonathan. Weitere Abhandlungen waren zwar schon vorhanden, aber falsch zugeordnet. Am wichtigsten waren dabei mehrere Exemplare eines „Gigantenbuches", das man bislang dem berühmten Religionsstifter Mani, der im 3. Jahrhundert n. Chr. lebte, zugewiesen hatte. Jetzt ist klar, daß es sich um ein jüdisches Werk handelt.

Die größte Diskussion lösten die bis dahin unbekannten Schriften einer religiösen Gruppierung aus, die sich selbst als die „Gemeinde des Erneuerten Bundes" bezeichnete.

In der sogenannten Sektenregel (1QS) werden die Menschen in „Kinder des Lichts" und „Kinder der Finsternis" geschieden. Gute und böse Geister versuchen ständig, den Menschen für sich zu gewinnen. Der gute Geist besitzt Weisheit, Erbarmen, Demut, Gnade. Der gute Mensch wird die bösen Geister besiegen und wohltuende Werke vollbringen. Am Ende der Welt wird Gott kommen und die Guten zu sich nehmen.

Jährlich erfolgten Aufnahmezeremonien für die Novizen, die in den Bund eintreten wollten. Sie wurden darauf ein Jahr vorbereitet und strengen Regeln unterworfen. Am Tag der Aufnahme bekannte sich jedes Mitglied zu den verbindlichen Glaubensgrundsätzen und der Einhaltung der Gesetze. Nachdem die Novizen ihre Sünden bekannt und ihre Gelöbnisse verkündet hatten, wurden sie von den Priestern gesegnet. Damit waren sie entsühnt und in die Gemeinschaft aufgenommen.

Die sogenannte Gemeinschaftsregel (1QSa) bietet uns wertvolle Einblicke in die Stationen im Leben eines Mitglieds und den Aufbau des Bundes. Im Alter zwischen 10 und 20 Jahren wurden die Jugendlichen in die Gesetze des Bundes eingeführt und mußten keusch bleiben. Mit 20 Jahren wurden sie als ‚reif' erklärt, sollten nun zwischen Gut und Böse unterscheiden können und damit in die Gemeinschaft als Mitglied aufgenommen werden. Von diesem Zeitpunkt an konnten sie in den Rat der Gemeinschaft gewählt werden und mit 30 Jahren auch in Führungspositionen aufsteigen. Das Volk wurde in Einheiten zu 1000, 100, 50 und 10 unterteilt. Bei Zusammenkünften gab es eine strikte Sitz- und Tischordnung, die den Rang der Mitglieder dokumentierte.

Die sogenannte Damaskusschrift prangert zunächst die Verfehlungen Israels an, die in der Zeit nach Abraham, Isaak und Jakob begangen worden sind. Dann – so die Schrift weiter – sandte Gott den „Lehrer der Gerechtigkeit", der zugleich der Begründer des

Neuen Bundes war. Sein Gegenspieler war der „Frevelpriester". Nach dem Tod des „Lehrers der Gerechtigkeit" wanderten seine Anhänger nach Damaskus aus, nach welcher Stadt die Schrift auch benannt worden ist, weil ihre Lehren in Israel unverstanden blieben. In der neuen Heimat lebten sie nach strengen Vorschriften, deren Inhalte uns weitere wichtige Aufschlüsse über die Gemeinschaft liefern: Männer durften nur einmal verheiratet sein. Die Ehegattin durfte nicht mit dem Gatten verwandt sein. Die Mitglieder trugen Sorge für Arme, Witwen und Waisen und sollten Nächstenliebe walten lassen. Es gab zehn Richter der Gemeinschaft im Alter zwischen 25 und 60 Jahren. Priester bildeten die Spitze der Sekte. Der Sabbat mußte strikt eingehalten werden; man sollte nicht nur nicht arbeiten, sondern zum Beispiel auch nicht unnötig sprechen. Das religiöse Jahr bestand aus 364 Tagen und nicht wie allgemein im Judentum aus 354 Tagen. Durch die andersartige Einteilung des Jahres unterschieden sich die Mitglieder der „Gemeinde des Erneuerten Bundes" auch in der Abhaltung des Sabats und der Feiertage von den übrigen Juden und entfremdeten sich dadurch auch vom kultischen Verhalten der Hauptströmung des Judentums.

Die Schriften der „Gemeinde des Erneuerten Bundes" dokumentieren insgesamt eine hierarchisch aufgebaute religiöse jüdische Gemeinschaft, die nach sehr strengen Regeln lebte und sich vom allgemeinen Judentum entfernt hatte.

Nichts in den Schriften weist jedoch darauf hin, daß die Gemeinschaft mit Jesus Christus oder der frühen christlichen Gemeinde zu tun hat, wie es oft in der Sensationsliteratur dargestellt worden ist. So behaupteten Michael Baigent und Richard Leigh in ihrem etwa eine Million Mal verkauften Buch *Verschlußsache Jesus. Die Qumranrollen und die Wahrheit über das frühe Christentum*, München 1991, daß der Bruder Jesu, Jakobus, der „Lehrer der Gerechtigkeit" und seine Gegenspieler die Apostel gewesen seien. Übersehen wird dabei aber, daß der „Lehrer der Gerechtigkeit" bereits in Schriften aus dem 2. Jahrhundert v. Chr. erwähnt wird und daher niemals mit Jakobus identisch sein kann. Die von den beiden Autoren unterstellte Verschleppung der Veröffentlichung der Schriften durch den Vatikan ist gleichermaßen unsinnig. Bei der Masse an Fragmenten war natürlich eine gewisse Zeit erforderlich, um eine fachlich vertretbare Edition ihrer Gesamtheit erarbeiten zu können. Dies ist ja auch mittlerweile geschehen und stellt eine große herausgeberische Leistung dar, die nicht geschmälert werden darf. Noch abwegiger scheint das Buch *Jesus von Qumran: sein Leben – neu geschrieben*, Gütersloh 1993, in dem Barbara Thiering vertritt, daß Jesus mit Maria Magdalena verheiratet gewesen sei und mit ihr drei Kinder gezeugt habe. Nichts von derartigen Dingen steht auch nur auf dem kleinsten Fetzen irgendeiner Schriftrolle aus Qumran. Mit solchem und ähnlichem Unfug wird man wünschenswerte Reformen in Theologie und Klerus kaum befördern können.

Die „Gemeinschaft des Erneuerten Bundes", die uns in den Schriften von Qumran begegnet, war eine streng religiöse jüdische Gruppierung, die aber sicherlich nichts mit der frühen christlichen Kirche verband. In der Literatur wird die „Gemeinschaft des Erneuerten Bundes" oft auch mit den Essenern gleichgesetzt. Doch wer waren diese Essener? Wenige antike Autoren geben uns über diese jüdische Sekte Auskunft, die sie im Griechischen „Essaioi" oder „Essenoi" und im Lateinischen „Essei" oder „Esseni" nennen – und auch die Texte dieser Autoren sind in ihren Angaben spärlich genug. Das meiste finden wir noch bei dem jüdischen Historiker Flavius Josephus (33 – um 95 n. Chr.) in seinen Büchern über den *Jüdischen Krieg* (2, 119–161. 566–568; 3, 9–12; 5, 142–145) und die *Jüdische Altertumskunde* (13, 171–172; 15, 371–379; 18, 11. 18–22). Nach ihm waren die Essener die wichtigste zeitgenössische religiöse jüdische Gruppierung neben den Pharisäern und Sadduzäern. Sie lebten in Askese, gaben ihr Vermögen an die Gemeinschaft ab, wo es von Ausgewählten verwaltet wurde. Sie hatten keine Sklaven, opferten nicht, trugen nur weiße Kleidung, vergruben ihre Exkremente, benützten kein Öl und speisten mittags und abends gemeinsam. Der jüdisch-hellenistische Religionsphilosoph Philon von Alexandria in Ägypten (1. Hälfte des 1. Jahrhunderts n. Chr.) berichtet in seinen verschiedenen Schriften *(Über die Freiheit des Guten*, 72–91; *Das betrachtende Leben*, 1–90 und *Verteidigung der Juden* in Eusebios, praep. ev. 7, 11), daß die 4000 Essener meist in Dörfern und nur ungern in Städten im palästinischen Syrien, und zwar ohne eigenen größeren Besitz, lebten. Plinius der Ältere (23–79 n. Chr.) erzählt in seinem fünften Buch der *Naturgeschichte*, daß die Essener in En Geddi und am Toten Meer im Zölibat lebten, und nach dem berühmten griechischen Redner und kynisch-stoischen Philosophen Dion Chrysostomos von Pru-

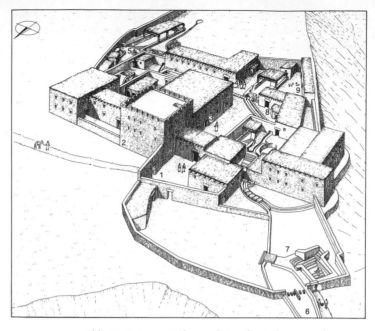

Abb. 16: Qumran, Rekonstruktion der Anlage.

sa bewohnten die Essener eine Stadt in der Nähe von Sodom am Toten Meer.

Gerade die Ortszuweisungen in den zuletzt erwähnten Berichten haben viele Forscher nicht nur zur Gleichsetzung der Essener mit der „Gemeinschaft des Erneuerten Bundes" veranlaßt, von der die aufgefundenen Schriftrollen sprechen, sondern auch zur Identifizierung der Ruinen von Qumran als den angeblichen Hauptsitz der Essener. Doch inwieweit sind diese Verbindungen plausibel? Bevor wir uns mit diesem schwierigen und noch immer heiß umstrittenen Problem auseinandersetzen können, müssen wir uns zunächst die Ausgrabungen von Qumran ansehen.

Die antike, etwa 80 x 100 Meter große Siedlung von Qumran befindet sich ungefähr 1 Kilometer südlich der ersten Höhlen mit Schriftfunden auf einem 250 Meter langen und 180 Meter breiten, erhöhten, von Tälern umgebenen Plateau. Ein zwischen dem 24. November und dem 12. Dezember 1951 von Pater Roland de Vaux angelegter Suchschnitt zeigte, daß die Keramik von Qumran mit der in den Höhlen identisch war. Insbesondere die charakteristischen Tongefäße zur Aufbewahrung der Buchrollen gibt es sonst nur in Qumran. Um diese Gemeinsamkeit besser erklären zu können, wurden zwischen 1953 und 1956 jeweils von Februar bis April intensive Ausgrabungen unternommen. Dabei konnten mehrere Siedlungsphasen festgestellt werden.

Im 8.–7. Jahrhundert v. Chr. war Qumran eine kleine Festung, die im Jahre 586 v. Chr. durch die Babylonier unter Nebukadnezar geschleift worden ist. Um eine kleine Anlage mit einem Hof gruppierten sich Räume und eine im Durchmesser 5,50 Meter breite, 6 Meter tiefe, runde Zisterne. Die Keramikfunde, unter denen zwei Scherben althebräische Buchstaben zeigen, helfen die Anlage zu datieren. Brandspuren und eine Ascheschicht zeugen von der kriegerischen Zerstörung. Ob die Siedlung ursprünglich Ir-Hammelah bzw. Ir-Melach, die bei Josua 15, 61–62, erwähnt wird, oder Sekaka, die in der sogenannten Kupferrolle aus Höhle 3 erscheint, oder ganz anders hieß, muß dahingestellt bleiben.

Erst gegen 150/130 v. Chr. wurde über den Ruinen eine neue kleine Siedlung (Periode I a) gebaut. Die runde Zisterne wurde wieder benutzt, zwei rechteckige Zisternen, einige Räume und kleinere Gebäude kamen hinzu.

Nach wenigen Jahrzehnten wurde die Siedlung unter der Regierungszeit des hasmonäischen Königs Johannes Hyrkan I. (135–104 v. Chr.) oder jener des Alexander Jannäus (103–76 v. Chr.) entscheidend vergrößert (Abb. 16). Neben dem nördlichen Haupteingang (Nr. 1) errichtete man einen zwei- oder dreistökkigen Turm (Nr. 2) mit mächtigen Mauern, der zur besseren Verteidigung und als letzte Zufluchtsstätte im Falle eines Angriffs dienen konnte. Er bildete die nordwestliche Ecke des zweistökkigen, 15 x 15 Meter großen Hauptgebäudes mit zentralem Hof und anschließenden Räumen; darunter befanden sich im Norden möglicherweise eine Küche, im Südosten einige Wasserbecken, die bisweilen als Ritualbäder angesehen wurden, und im Südwesten ein Versammlungsraum (Nr. 3), an dessen Wänden – bis auf die Südwand – eine umlaufende Bank angebracht war. Im Obergeschoß befanden sich dann möglicherweise die Wohnräume, die etwa 10,5 x 8,85 Meter maßen, d. h. Platz für etwa 20–40 Personen boten.

Im Südosten des Hauptgebäudes existierten eine große Zisterne und ein kleineres Bad, im Südwesten eine weitere große Zisterne.

An der östlichen Außenmauer des Hauptgebäudes schlossen sich Lager-, Arbeits- und Töpferräume (Nr. 5) an. Von besonderem Interesse sind zwei Töpferöfen, ein größerer zum Brennen großer Tonwaren und ein kleinerer für die feinteiligeren Keramiken. Die in diesem Bereich gefundene Ausschußware belegt, daß die in Qumran und in den Höhlen gefundenen Gefäße aus diesen beiden Töpferöfen stammen.

Südlich des Hauptgebäudes folgte ein großer Speise- und Versammlungssaal (Nr. 4). Er war 22 Meter lang und 4,5 Meter breit, west-östlich ausgerichtet und besaß zwei Türen, eine im Nordwesten, die andere im Südosten. Im Westteil des Saales befand sich im verputzten Boden eine kreisrunde Pflasterung, auf der möglicherweise ein besonderer Sitz für den Vorsteher stand. Der Boden des Saales war geneigt, eine leichte Schräge führt von der nordwestlichen zur südöstlichen Tür. Durch eine leicht verschließbare Abzweigung des Hauptwasserkanals konnte durch eine Öffnung bei der nordwestlichen Tür der Boden des ganzen Raums für Reinigungszwecke geflutet werden. In dem Raum konnten vier bis fünf Sitzreihen aufgebaut werden. Rechnet man für jede Person etwa 70 cm in der Breite als Platzbedarf, so kommt man maximal auf 30 Personen je Sitzreihe, d. h. auf höchstens 120 bis 150 Personen, die in diesem Raum gleichzeitig zusammen sein konnten.

Neben dem großen Saal lag ein Vorratsraum, wo mehr als tausend Teile eines Geschirrs aufbewahrt wurden, darunter elf Krüge, 38 Schüsseln, 21 Töpfe und im östlichen Bereich 75 Becher und 708 Schalen, die in Zwölfer-Sets aufgestellt waren.

Westlich des Hauptgebäudes befand sich ein etwa 40 x 40 Meter großes Nebengebäude (Nr. 8) mit Werkstätten, Ställen und weiteren Zisternen. In den Ställen konnten Rinder, Schafe und Ziegen untergebracht werden.

Nordwestlich des Gebäudes lag ein Wasserbecken (Nr. 7), das wahrscheinlich als rituelles Bad gedient hat, wie die Treppenstufen mit zwei Zugängen vermuten lassen, die die Trennung zwischen ins Bad steigenden, unreinen, und das Bad verlassenden, rituell gereinigten, Personen erlaubten.

Auffallend sind in Qumran die vielen Wasserbecken und Zisternen. Man baute sogar einen etwa 700 Meter langen Aquädukt, um im Winter aus dem Tal Teile des Regenwassers zur Siedlung weiterleiten und damit die Becken auffüllen zu können. Mehrere Becken weisen Treppen auf und könnten zum Baden benutzt worden sein. Daß diese jedoch alle als rituelle Bäder gebraucht worden sind, scheint zweifelhaft. Trotzdem ist unverkennbar, daß die große Menge an Wasserbecken weit überdurchschnittlich ist für Siedlungen in Palästina aus dieser Zeit. Erst vor kurzem vorgenommene Untersuchungen der Region haben zudem ergeben, daß die Umgebung nicht wie heute wüstenartig, sondern sehr fruchtbar gewesen sein muß. Auf dem Plateau standen reiche Dattelplantagen, und auf den Anhöhen wuchsen Wälder. Die erforderlichen großen Mengen an Wasser reichten also durchaus nicht nur für den alltäglichen Gebrauch, sondern auch für die zahlreichen Bäder.

Ein Erdbeben im Jahre 31 v. Chr. beendete die Siedlungsphase I b von Qumran. Noch heute markiert der Verlauf eines Risses durch das ganze Hauptgebäude hin zu der Zisterne im Süden diese Naturkatastrophe. Bis zu einem halben Meter beträgt die Differenz im Bodenniveau rechts und links der Bruchkante. Am dramatischsten dokumentiert eine in der Mitte zerborstene Treppe das Unglück. Feuerspuren zeigen, daß durch das Beben ein Großbrand ausgelöst wurde. Das Leben der Gemeinschaft hatte eine furchtbare Zäsur erfahren.

Für einige Jahre scheint Qumran nach der Zerstörung unbewohnt gewesen zu sein. Kurz vor Christi Geburt aber erwachte Qumran wieder zu neuem Leben. Nur kleinere Einrichtungen kamen ganz neu hinzu, wie zum Beispiel ein Mühlenplatz auf dem freien Raum im Südwesten. Die meisten Räume hingegen wurden lediglich vom Schutt befreit und nur wenige nicht mehr saniert, wie etwa das untere Stockwerk des Turmes oder der Lagerraum, in dessen Mitte man nur eine Mauer einzog und im dadurch gewonnenen hinteren Zimmer den neuen Fußboden direkt über der Schuttschicht anlegte, so daß das darunter verschüttete Geschirr der vorangegangenen Phase unberührt blieb.

Der benachbarte Versammlungsraum erhielt im Ostteil drei Säulenstützen und einen gegen die Wand gestellten Halbpilaster; die südliche Tür wurde zugemauert und der Fußboden ohne Neigung angelegt. Dort fanden sich überall im Raum Geschirr, Halterungen von Vorratsgefäßen und Tongefäße mit Tierknochen.

Auch auf den offenen Gassen und kleinen Plätzen zwischen

den Gebäuden fand man sehr viele Tierknochen von Ziegen, Schafen, Lämmern, Kälbern und Kühen, die häufig in Gefäße gelegt oder von Tellern bedeckt vergraben worden waren. Die Tierknochen waren zerteilt und wiesen Nagespuren auf, so daß sie sicherlich von Mahlzeiten stammen und nach dem Verzehr des Fleisches in der Erde deponiert worden waren, was für eine Form ritueller Bestattung sprechen könnte.

Im südöstlichen Teil des Hauptgebäudes lagen auf zwei Stockwerken drei Räume, die in der Forschung am meisten diskutiert worden sind. Im Obergeschoß fand man verputzte Schlammziegel, die man zu zwei kleineren Tischen und einem 5 Meter langen, 40 cm breiten und 50 cm hohen Tisch ergänzte, der nach unten hin abgeschrägt ist. Daneben barg man noch zwei Tintenfässer, eines aus Ton und eines aus Bronze. Die Tintenfässer und die Tische in Verbindung mit den Schriftrollen, die aus den nahegelegenen Höhlen stammten, verleiteten viele Wissenschaftler zu der Ansicht, daß es sich hier um einen Schreibraum, ein Scriptorium gehandelt haben müßte. Im Mittelalter dienten solche Räume in Klöstern zum Abschreiben von Texten, insbesondere der Bibel. Die Rekonstruktion der Tische ist jedoch sehr unsicher und selbst wenn man die Hypothese so akzeptieren könnte, blieben erhebliche Probleme der Deutung. Mittelalterliche Darstellungen lehren uns, daß die Kopisten nie auf Tischen schrieben. Sie saßen auf dem Boden oder auf einer Bank, ihre Füße ruhten bisweilen auf einem Schemel und ihre Oberschenkel dienten als Schreibunterlage. Daraus folgerten einige Autoren wie W. Clarke, daß man auf die Tische auf einem schrägen Holzgestell nur die zu kopierende Schrift und die Tintenfässer, Schreib- und Bearbeitungsutensilien stellte. Doch dann wären einfache Holztische besser geeignet gewesen, die man je nach Bedarf bequem hätte verschieben können. Auch fanden sich weder in diesem noch in anderen Räumen irgendwelche Anzeichen von notwendigen Werkzeugen oder -stoffen, die schwerlich in einem Scriptorium fehlen durften: keine Glättungswerkzeuge, Nadeln, Schreibutensilien, Fetzen von Pergament, Papyri oder Lederrollen, die man zum Beispiel im nicht allzu weit entfernten Masada sehr wohl zutage förderte. Die Theorie von einem Scriptorium sollte wohl lieber fallen gelassen werden.

Genauso verhält es sich mit den darunter im Untergeschoß liegenden beiden Räumen, die man grundlos als Bibliothek bezeichnet hat, wobei der eine Raum angeblich zum Aufbewahren der Schriften und der andere als Leseraum gedient haben soll, obwohl letzterer wahrscheinlich keine oder nur sehr kleine Fenster aufwies.

Spuren von gewalttätigen Zerstörungen, insbesondere in den Räumen im Südwesten und Nordwesten des Hauptgebäudes, zeugen vom Ende der Besiedlungsphase II. Die letzten Münzen stammen aus den Jahren 67 bis 69 n. Chr. Zu dieser Zeit wütete der 1. Jüdische Krieg, die erste Revolte gegen die römischen Besatzer. Sie endete mit der Eroberung von Masada im Jahre 73 n. Chr. Qumran wurde wahrscheinlich schon Ende der 60er Jahre von den Römern eingenommen, die nach der Zerstörung kurzzeitig den Turm, Teile des Hauptgebäudes und das südöstliche Wasserbecken wieder instandsetzten, um eine kleine römische Garnison dort hineinzulegen, die aber schon um 73 n. Chr., also nach dem Ende von Masada, wieder abzog. Von da an verfiel Qumran.

50 Meter östlich von Qumran befand sich ein großer Friedhof mit rund 1100 Gräbern, der im Norden und Süden von zwei kleineren Gräberfeldern mit insgesamt 100 Gräbern eingerahmt war. Pater de Vaux und G. Lankester Harding öffneten zwischen 1949 und 1956 insgesamt nur 41 Grabstätten und Solomon H. Steckoll zehn weitere. Fast alle Verstorbenen waren in 1,20 bis 2 Meter tiefen Einzelgräbern in Holzsärgen beerdigt, was für Palästina sehr ungewöhnlich ist, weil man dort in der Regel die Toten in Familienanlagen zur letzten Ruhe bettete. Keine Grabinschriften nennen die Namen der Bestatteten. Am Kopf oder Fuß des Grabes lag lediglich ein größerer Stein. Als Grabbeigaben fanden sich in einigen wenigen Fällen Stücke einfacher Keramik. In den kleineren Friedhöfen waren zehn Frauen und fünf Kinder bestattet, und auf dem Hauptfriedhof glaubte Pater de Vaux die Überreste von 26 Männern entdeckt zu haben. Die ausgestreckten Körper lagen in Süd-Nord-Richtung auf dem Rücken. Die nach Norden gebetteten Köpfe waren nach Osten gewendet. Die Ausrichtung der Verstorbenen ist für Palästina singulär. Pater de Vaux folgerte wegen der Lage der Toten, der Einzelbestattung und dem (fast) ausschließlichen Vorhandensein von Männern (erst vor kurzem ergaben Nachuntersuchungen, daß sich auch zwei Frauenskelette darunter befanden) auf dem Hauptfriedhof, daß es sich bei den Verstorbenen um Mitglieder einer religiösen Sekte gehandelt haben

müsse, die sich von anderen Gruppierungen in Palästina distanziert habe und hauptsächlich für Männer gedacht gewesen sei.

Nichts lag natürlich näher, als wiederum auf die Essener zu schließen und die in der Nähe in den Höhlen gefundenen Schriften der „Gemeinschaft des Erneuerten Bundes" als jene der Essener anzusehen.

Doch in den letzten Jahren kamen immer mehr Zweifel auf, daß Qumran überhaupt eine religiöse Anlage war. R. Donceel und Pauline Donceel-Voûte wollten in den Ruinen eine Villa erkennen. Doch alle typischen Anzeichen einer Villa wie schmuckvolle Innenräume oder reiche Dekoration fehlen völlig. Der Amerikaner Norman Golb interpretierte Qumran als Militärlager. Doch die Siedlung weist viel zu viele leicht zugängliche Tore auf und die Umfassungsmauern waren für eine militärische Anlage zu schwach. Andere Forscher sahen in der Siedlung eine Karawanserei. In der Umgebung von Qumran gab es aber keine Handelsstraßen, und auch die Stallanlagen des Ortes wären dafür zu klein und die Zahl an Schlafzimmern zu gering gewesen. All diese alternativen Deutungen sind also zurückzuweisen.

Die meisten Indizien sprechen also durchaus für die Anlage einer religiösen Gemeinschaft, ohne daß man dabei aber an ein reines Männerkloster denken müßte. Vor allem die Grabanlagen – die Ausrichtung der Gesichter nach der lebenspendenden, aufgehenden Sonne – weisen auf einen religiösen Ursprung der Siedlung hin. Die Funde von nur sehr einfachen Gegenständen zeugen von der asketischen Lebensweise der Bewohner, die fast ausschließlich selbst hergestellte Tonwaren benutzten. Die vielen Wasserbecken dienten wahrscheinlich, wie bereits erwähnt, nicht nur zur Wasserversorgung, sondern auch für kultische Zwecke, insbesondere zur Einhaltung der rituellen Reinheit. Der große Versammlungs- und Speiseraum dokumentiert die Abhaltung großer gemeinsamer Mähler. In der Siedlung selbst lebte mit maximal 40 Personen nur ein Bruchteil der zu den Mahlgemeinschaften möglicherweise zusammengekommenen Personen; es mögen bei solchen Anlässen bis zu 150 Teilnehmer gewesen sein, worauf die Größe des Raumes und das in den Vorratsräumen entdeckte Geschirr schließen lassen. Wahrscheinlich kamen die übrigen Personen aus der Umgebung und lebten in Zelten und in den Höhlen. In den Jahren 1952/55/56 wurden etwa 230 Höhlen registriert, von denen wahrscheinlich mindestens 26 ebenfalls im ersten Jahrhundert v. bzw. n. Chr. bewohnt waren. Die in den Höhlen gefundene Keramik war – wie bereits erwähnt – ebenfalls in Qumran gefertigt worden. Am wahrscheinlichsten ist also, daß in Qumran eine religiöse Gemeinschaft wirkte, die sehr bescheiden und zurückgezogen lebte.

Ob aber die in den Höhlen gefundenen spektakulären Schriften wirklich aus Qumran kamen und dort während der 1. Jüdischen Revolte versteckt worden sind, ist nicht zu beweisen. Sicherlich stammen zwar die Tongefäße, in denen die Schriften aufbewahrt worden sind, aus Qumran, die Schriften aber können ebensogut aus dem nicht allzu weit entfernten Jerusalem herbeigeschafft worden und von den Bewohnern von Qumran durchaus adäquat in den Tonkrügen gelagert worden sein. Menge, Art und Qualität der verschiedenen Schriften, die ihrerseits sicherlich nur einen Bruchteil der ehemals wirklich versteckten Buchrollen ausmachen, weisen wohl darauf hin, daß sie nicht aus Qumran selbst stammen. Ebenso fraglich ist auch, ob die Schriften wirklich alle einer einzigen religiösen Gruppierung zuzuweisen sind oder ob in die Höhlen mehrere Bibliotheken ausgelagert worden sind, wobei die „Gemeinschaft des Erneuerten Bundes" nur eine dieser Bibliotheken besaß. Doch selbst, wenn die Schriften alle der „Gemeinschaft des Erneuerten Bundes" gehört haben, bleibt weiterhin fraglich, ob diese wirklich mit den Essenern gleichzusetzen ist. All diese Fragen zu beantworten, ist auch nach dem Studium der Qumran-Rollen nicht möglich. Unsere Informationen über religiöse jüdische Gruppierungen aus dieser Zeit bleiben insgesamt spärlich. Zwar wissen wir, daß es neben den Pharisäern, Sadduzäern und Essenern auch die Zeloten, Samaritaner, Chasidäer, Böthuser, Therapeuten und Dosithäer gab, und wir können davon ausgehen, daß noch weitere religiöse Gruppierungen existierten – aber über ein wirklich differenziertes und vollständiges Bild der Lebens- und Kultpraxis dieser Gruppen verfügen wir nicht.

Trotz all dieser Einschränkungen mit Blick auf den vermeintlich sensationellen Aussagegehalt der entdeckten Texte sind die Schriftrollen von Qumran als einer der wichtigsten Funde des 20. Jahrhunderts einzuschätzen. Dank dieser Schriften verfügen wir nun über ein besseres und in Einzelbereichen erstmals wirklich authentisches Bild von der Vielfalt und Religiosität jüdischen Lebens in Palästina vor, während und kurz nach dem Wirken Jesu.

9. Die letzten Tage von Pompeji und Herculaneum

Das Volk schaute nach der Richtung, die der Aegypter andeutete, und sah mit Entsetzen aus dem Gipfel des Vesuvs eine feurige Erscheinung in der Gestalt eines riesenhaften Tannenbaumes [Plinius] emporschießen; – der Stamm finsterer Rauch, die Zweige Feuer – ein Feuer, welches jeden Augenblick sein Farbenspiel änderte, jetzt lebhaft und glänzend, dann ein trübes Rot, das bald wieder in blendenden Glanz empor blitzte!

Es lag ein tiefes, ängstliches Stillschweigen auf der Versammlung, welches plötzlich durch das Brüllen des Löwen unterbrochen wurde, das innerhalb des Gebäudes durch die schärfern und wildern Töne des Tigers erwidert wurde. Die Tiere waren Unglückspropheten der in der Natur bevorstehenden Schrecknisse gewesen.

In den obern Reihen ertönte jetzt das klagende Geschrei der Weiber; die Männer starrten sich einander an, blieben aber stumm. In diesem Augenblick fühlte man auch die Erde beben; die Mauern des Theaters zitterten, und in der Entfernung hörte man das Gekrach einstürzender Dächer. – Jetzt schien die feurige Wolke, brausend und schnell, wie ein gewaltiger Strom, gegen die Stadt zu schweben, und gleich darauf warf sie einen mit großen feurigen Steinen gemischten Aschenregen aus! Dieser fürchterliche Regen ergoß sich über die Weinberge, über die öden Straßen, über das Amphitheater selbst, und über das Meer, in das manches gewaltige Felsenstück hinab stürzte. [...]

Und lieblich und sanft lag die Dämmerung wieder auf den beruhigten Wogen! – Die Winde hatten sich gelegt, die Dünste verzogen sich von dem glänzenden Azur jenes herrlichen Meeres. Im Osten wurden leichte Wölkchen durch das rosigste Farbenspiel, welches den Aufgang der Sonne verkündete, erhellt; das Licht des Tages trat seine Herrschaft wieder an. Aber dicht und dunkel schwebte noch in der Entfernung die zerstörende Wolke, in welcher rötliche Streifen, die aber immer trüber brannten, Kunde gaben, daß das Feuer des Berges der „verbrannten Felder" noch nicht erloschen sei. Die weißen Mauern und die schimmernden Säulen, welche die anmutige Küste geschmückt hatten, waren verschwunden. Oede und einsam lagen die Ufer da, auf denen noch gestern die Städte Herculaneum und Pompeji sich erhoben.

(Edward Bulwer, *Die letzten Tage von Pompeji*, in der Übersetzung von O. von Czarnowski, Philipp Reclam, Leipzig o. J.)

*

So ähnlich wie es Edward Bulwer Lord Lytton in seinem großartigen Sittengemälde *Die letzten Tage von Pompeji* beschrieben hat, mögen die ersten Augenblicke jenes ungeheuren Ausbruch des Vesuvs verlaufen sein, der zwischen 10 und 11 Uhr am Morgen des 24. August 79 n. Chr. begann und in kürzester Zeit alles Leben in den blühenden Städten Pompeji und Herculaneum auslöschen sollte. Durch gigantische Explosionen wurde Bimsstein ausgestoßen und der Schlot des Vulkans offen gelegt. Der Einsturz des Gipfels riß in den kommenden Stunden einen 3 Kilometer breiten Krater. Glutflüssiges Magma trat hervor. Es wurde durch schnelle Ausdehnung von Gasen als Asche (erstarrte Magmateilchen bis zu 2 mm Durchmesser) und Lapilli (erstarrte Magmateilchen und Steinchen von 2 bis 64 mm Durchmesser) in den Himmel geschleudert und bildete eine riesige Wolke, die das ganze Firmament verdunkelte. Der helle Tag wurde zur Nacht. Es begann zu regnen. Steine, Erdmassen, Asche und Lapilli fielen herab. Immer wieder bebte die Erde, Risse taten sich auf. Eine gigantische Schlammlawine, durch den heftigen Regen und die niederfallende Asche verursacht, ergoß sich vom Berg in Richtung Westen und verschlang alles, was sich auf ihrem Weg befand. Diese Schlammlawine näherte sich der Stadt Herculaneum. Ihre Bewohner hatten rasch die Gefahr erkannt. Mit Ausnahme weniger Kranker und Greise waren sie geflohen, als die Lawine die Stadt erreichte, sie unter einer Schicht von bis zu 15 Meter unter sich begrub und dann zu Stein erstarrte. Ein Nordwestwind aber trieb die ausströmende Asche, Lapilli und die giftigen Gase nach Südosten, wo neben vielen Villen und kleineren Ansiedlungen die Städte Pompeji und Stabiae lagen. Zwar saßen die Menschen zu dieser Zeit nicht im Amphitheater, wie es in dem berühmten, erstmals 1834 erschienenen Roman von Edward Bulwer Lord Lytton geschildert wird, doch waren sie offensichtlich zu sorglos, als zunächst nur ein Regen einsetzte. Sie verschanzten sich in Kellern oder suchten ruhig ihre Habseligkeiten zusammen, anstatt schnellstens ihr nacktes Leben zu retten. Zur Mittagszeit jedoch fielen solch große Mengen an Asche und Lapilli vom Himmel herab, daß plötzlich Panik ausbrach. Giftige Schwefelschwaden trieben mit dem Wind heran und viele, die an eine schnelle Flucht dachten, kehrten wieder in ihre Häuser zurück, in der Hoffnung, so den giftigen Dämpfen und dem heftig einsetzenden Steinregen zu entgehen. Es war zu spät. Die Flüchtenden ebenso wie die in den Häusern Zurückgebliebenen erstickten innerhalb kürzester Zeit an den Schwefeldämpfen oder unter dem sich mehrere Meter hoch auftürmenden Aschenregen. Auch am 25. und 26. August dauerte der Aschenregen an und erst am 27. August kam wieder die Sonne zum Vorschein. In einem Umkreis von 10 bis 15 Kilometern um den Vulkan war der Boden durch den Stein- und Aschenregen bis zu 15 Meter erhöht. Herculaneum, viele kleinere Orte und Villen waren vollkommen begraben, von Pompeji ragten nur noch einige über 7 Meter hohe Gebäude heraus, Stabiae war nur bis zu 3 Meter hoch bedeckt. Tausende hatten ihr Leben verloren. Überlebende kehrten bisweilen an die Orte des furchtbaren Geschehens zurück, in der Hoffnung, noch Teile ihres Besitzes zu bergen. Herculaneum aber war durch die steinharte, 15 Meter hohe Schlammschicht unerreichbar versunken. In Pompeji hingegen konnten die Überlebenden in einigen Abschnitten, insbesondere beim Forum, noch manches bergen. Dem Tod folgte das Vergessen.

Erst im 15. Jahrhundert wurden die Ereignisse wieder ins Gedächtnis gerufen, als die Humanisten die Berichte über den verheerenden Vulkanausbruch in den Schriften lateinischer Autoren, wie dem jüngeren Plinius, lasen. Niemand dachte jedoch ernsthaft daran, diese versunkenen Orte zu suchen.

Von 1594 bis um 1600 wurde auf Veranlassung von Mutius Tuttavilla ein unterirdischer Kanal vom Flusse Sarno nach Torre d'Annunziata gebaut, der auch quer über das Gebiet des versunkenen Pompeji verlief, aber nur selten die Ruinen tangierte, die meist tiefer lagen, als die Ausschachtungen reichten. Trotzdem wurden einige römische Münzen und Inschriften gefunden, jedoch brachte niemand die Funde mit Pompeji in Verbindung.

Am 17. und 18. Dezember 1631 brach der Vesuv erneut aus. Wiederum starben Tausende. Ein gewaltiger Lavastrom ergoß sich erneut gegen Westen hin zum Meer und legte über das bereits 15 Meter tief verschüttete Herculaneum noch einmal eine Schicht von 5 Metern.

Sechs Jahre später bereiste der Hamburger Luc Holstenius die Gegend um Neapel und lokalisierte Pompeji in seinen kurz darauf erschienenen *Adnotationibus* zutreffend unter dem damals Civita genannten Hügel. Seine Ansicht blieb unbeachtet.

1689 wurde am Hügel Civita ein Brunnen ausgehoben, und dabei stieß man auf einige römische Gegenstände und eine Inschrift, die die Stadt Pompeji nannte, wie es der Historiker Bianchini in seiner 1699 publizierten *Storia universale* vermerkte. Vier Jahre vorher, 1693, kam auch Giuseppe Macrini in seinem Buch *De Vesuvio* zu dem Schluß, daß unter dem Hügel Civita Pompeji liegen müsse. Doch auch dies geriet wieder in Vergessenheit.

Schließlich legte der Bauer Giovanni Battista Nocerino aus Resina im Jahre 1711 den Brunnen seines Hauses tiefer und stieß dabei auf antike Architekturfragmente aus Marmor, die er, ohne sie als solche zu erkennen, einem Marmorhändler verkaufte. Der Zufall wollte es, daß zu dieser Zeit der daselbst mit dem österreichischen Heer stationierte Kavallerieoberst Emanuel Moritz von Lothringen, Prinz d'Elboeuf, in der Nähe ein Haus errichten ließ und zur Ausschmückung Marmorsteine benötigte. Er suchte zu diesem Zweck auch jenen Marmorhändler auf. Die bei ihm gelagerten Stücke erkannte er sofort als Bestandteile antiker Bauten, ohne jedoch sein Wissen preiszugeben. Der Händler führte ihn zu dem Bauern, und dieser willigte ein, dem Prinzen d'Elboeuf das Grundstück mit dem Brunnen zu verkaufen. Schon bald darauf ließ der Prinz vom Brunnen aus unterirdische Stollen in das Erdreich treiben, und wenige Tage später barg man eine Statue des Hercules und einer Frau sowie eine Inschrift, in der Appius Pulcher erwähnt wurde, der 38 v. Chr. römischer Konsul gewesen war. Vorsichtige Anfragen bei den Gelehrten von Neapel ergaben, daß bei Herculaneum angeblich einst ein stattlicher Herculestempel lag, in dem zwölf Statuen standen. Der Prinz d'Elbouef glaubte, das Heiligtum gefunden zu haben. Er ließ weiter graben, und einige Tage später entdeckte man drei bis auf wenige Beschädigungen gut erhaltene Marmorstatuen von Frauen in prachtvollen Gewändern – eine von einer älteren Frau und zwei fast identische von jüngeren Frauen. Der Prinz hoffte jetzt, auch die noch fehlenden sieben der angeblich zwölf im Herculestempel aufgestellten Statuen zu finden, fürchtete aber Neider und bemühte sich, alles geheimzuhalten. Da der Prinz jedoch immer viel Geld benötigte, plante er, die Gunst seines entfernten Verwandten, des Prinzen Eugen von Savoyen, des obersten Befehlshabers der österreichischen Truppen, zu gewinnen, indem er ihm die drei Frauenstatuen schenken wollte. Der Prinz d'Elboeuf ließ die Skulpturen heimlich nach Rom bringen, wo geschickte Bildhauer kleine fehlende Teile hinzufügten, denn nur unversehrte Statuen wurden damals geschätzt, und in Rom lebten die hervorragendsten Künstler für die Ergänzung antiker Plastiken. Nach den Schönheitskorrekturen ließ er die Statuen aus dem Kirchenstaat schmuggeln, weil dort schon zu dieser Zeit die Ausfuhr von Antiken nur mit besonderer Genehmigung erlaubt war. So kamen die drei Statuen nach Wien, und der antikenbegeisterte Prinz Eugen ließ sie in einem eigens dafür geschaffenen Raum in seinem Schloß Belvedere vor den Toren Wiens ausstellen. Der Prinz d'Elboeuf führte noch einige Zeit die Ausgrabungen in aller Heimlichkeit fort, hob aber nur unbedeutendere Statuen. Das ganze Unternehmen schlief allmählich ein und wurde schließlich ganz aufgegeben, als der zum Feldmarschalleutnant aufgestiegene Prinz d'Elboeuf nach Frankreich zog und sein Anwesen in Italien verkaufte.

Die drei Frauenstatuen blieben bis zum Tode Prinz Eugens im Jahre 1736 große Sehenswürdigkeiten Wiens. Danach veräußerte die Erbin Anna Victoria, die mit einem Prinzen von Sachsen-Hildburghausen verheiratet war, alle Güter des Prinzen und so auch die drei Statuen, die in den Besitz des sehr kunstsinnigen Kurfürsten Friedrich August II. von Sachsen gelangten, der auch als König August III. von Polen in die Geschichte einging. Noch heute sind die Statuen, bekannt unter der Bezeichnung „Große und Kleine Herkulanerin" (das sind zwar nur zwei, er hat aber drei bekommen) – die Schmuckstücke des Dresdner Albertinums. In der sächsischen Metropole bewunderte damals auch die schöne Tochter des Kurfürsten, Maria Amalia Christine, die Skulpturen. Sie wurde im Juli 1738 mit Karl III., König beider Sizilien, vermählt. Als die neue Königin weitere von d'Elboeuf entdeckte Statuen sah, die mittlerweile im königlichen Palast von Portici aufgestellt worden waren, bat die sehr kunstinteressierte Herrscherin ihren Gemahl, nachforschen zu lassen, wo der Prinz d'Elboeuf gegraben hatte.

Karl III. kam diesem Wunsch am 22. Oktober 1738 nach. Schon bald darauf waren die Untersuchungen erfolgreich, und die Grabungen unter Leitung des spanischen Ingenieurs Cavaliere Roque Joaquín de Alcubierre konnten beginnen. Da sich oberirdisch das Dorf Resina befand, verfolgte man auch weiter die Strategie, von einem Schacht aus in etwa 20 Meter Tiefe Stollen in die Erde zu treiben. Schon bald kamen zwei Bruchstücke von überlebensgroßen Pferdestatuen aus Bronze zutage, die umgehend dem Marchese Don Marcello Venuti gezeigt werden sollten, der die königliche Bibliothek und die Kunstsammlungen betreute. Als Venuti eintraf, waren zudem zwei Marmorskulpturen, die römische Bürger darstellten, entdeckt worden. Schon in den nächsten Tagen wurden unter anderem eine dritte Männerstatue, eine vielstufige Stiege, ein Kopf und ein Pferderumpf aus Bronze freigelegt. Am 11. Dezember 1738 barg man schließlich Teile einer Inschrift, die einen Annius Mammianus Rufus nannte, der den Bau des Theaters von Herculaneum finanziert hatte. Da endlich war man sich der Tatsache bewußt geworden, daß man in dem 79 n. Chr. untergegangenen Herculaneum stand. Die Ausgräber waren, wie vor ihnen der Prinz d'Elboeuf, direkt auf die Bühne des Theaters gestossen, deren Fassade, wie in römischer Zeit üblich, besonders reich mit Statuen geschmückt war und die wohl durch die Beben und den eindringenden Schlamm von der Wand herabgestürzt waren. In der kommenden Zeit förderte man weitere mehr oder weniger große Fragmente von Bronzefiguren zutage. Einen Höhepunkt bildete dabei die am 21. Mai 1739 entdeckte, sehr gut erhaltene, überlebensgroße Reiterstatue aus Marmor, die Marcus Nonius Balbus darstellt, der um 20 v. Chr. Statthalter in Kreta und Libyen gewesen war. Das Herrscherpaar war über den Fund so entzückt, daß sie die Statue im Hofe der königlichen Villa in Portici aufstellen ließ, wo sie der Kardinal Quirini, der Direktor der Vatikanischen Sammlungen und der Bibliothek, sah und als die schönste Reiterstatue der Antike bezeichnete. Die Schönheit war dahin, als im Jahre 1799, während der Revolution in Neapel, der Kopf von einer Kanonenkugel getroffen wurde, der Bildhauer Angelo Brunelli hat ihn später nach der Vorlage von Stichen ergänzt. Die realistischen Napolitaner vertraten die Auffassung, besser dieser Kopf sei gerollt als einer der ihrigen.

Im Juli und August 1739 stieß man bei weiteren Ausgrabungen

auf die ersten Häuser und erblickte an ihren Wänden wunderbare, noch ganz frisch anmutende Malereien, die Götter und Helden zeigten. So schrieb Venuti begeistert, als man ein Bild vom mythischen Athener Helden Theseus und dem getöteten Minotauros freilegte: „Bei den Ausgrabungen nächst Neapel hat sich die schönste Sache der Welt gefunden. Eine bemalte Wand mit Figuren in Naturgröße, herrlich und auf das Lebenswahrste gemalt, viel schöner als die Werke Raffaels!"

Die schönsten Wandmalereien schnitt man aus und brachte sie in die königliche Villa von Portici, wo man mittlerweile einen eigenen Anbau zur Aufnahme der antiken Kunstwerke errichtet hatte. Um sie vor dem Erblassen zu schützen, überzog man die Malereien mit einem Firnis, der jedoch, wie sich bald erweisen sollte, bisweilen die Malereien zerstörte. Der König verbot, den Firnis weiterhin anbringen zu lassen und ließ zudem alle Malereien von diesem Zeitpunkt an zeichnen. Gleichzeitig beauftragte er auf Anraten seines Ministers, Graf Fogliano, einen Verwandten des Grafen, nämlich Monsignore Ottavio Antonio Bayardi aus Parma mit der alleinigen Veröffentlichung der Funde. Dieser ging zwar sofort ans Werk, blieb aber bereits in seiner Einführung jahrelang stekken, die nicht einmal über die Fundstätte Herculaneum selbst, sondern nur von dessen mythischem Begründer und Namensgeber, Hercules, handelte.

Seit 1745 wurden die Ergebnisse immer dürftiger und Alcubierre schlug im März 1748 dem König vor, am Hügel Civita zu graben, auch wenn er nicht der Ansicht der Neapolitaner Gelehrten Alexius Mazzocchi, einem Philologen, und Abbate Giacopo Martorelli, einem Professor für griechische Literatur und Archäologie, war, daß dort Pompeji, sondern vielmehr Stabiae läge. Am 1. April 1748 begann man mit den Ausgrabungen und stieß schon bald auf Häuser. Am 6. April fand man die erste Wandmalerei, eine Art Stilleben mit Obst, Blüten und Weinlaub. Am 19. April wurde das erste menschliche Opfer der Katastrophe entdeckt. Am Boden lag das ausgestreckte Skelett eines Mannes, aus dessen Händen Gold- und Silbermünzen gefallen waren, die er auf der Flucht mit sich geführt hatte. Auch wenn bereits diese sensationellen Funde Anlaß zu allerhöchster Sorgfalt bei den weiteren Arbeiten hätten geben müssen, grub man nun sehr hastig, schüttete Aufgedecktes gleich wieder zu und setzte den Spaten woanders an, wo man noch mehr

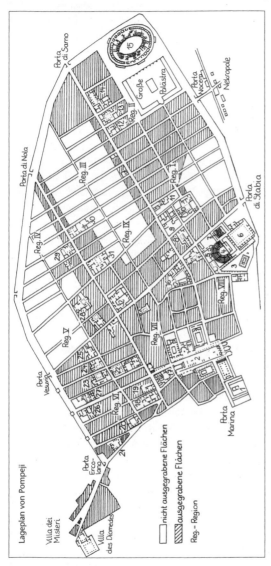

Lageplan von Pompeji

Villa dei Misteri
Villa des Diomedes

☐ nicht ausgegrabene Flächen
▨ ausgegrabene Flächen

Reg. – Region

1 Venustempel
2 Forum
3 Foro Triangolare
4 Theater
5 Isistempel
6 Gladiatorenkaserne
7 Odeon

8 Casa di Citarista
9 Casa del Criptoportico
10 Casa del Menandro
11 Casa di Pasquius Proculus
12 Casa di Lorcius Tiburtinus

13 Casa di Venere
14 Casa di Iulia Felix
15 Amphitheater
16 Stabianer Thermen
17 Forumsthermen
18 Casa di Pausa
19 Casa di Poeta Tragico

20 Casa di Sallustio
21 Casa del Chirurgo
22 Casa del Fauno
23 Casa del Labirinto
24 Casa dei Vettii
25 Casa degli Amorini Dorati

26 Casa di Apollo
27 Casa di Meleagro
28 Casa di Nozze d'Argento
29 Casa degli Gladiatori
30 Casa di Obellio Firmo
31 Casa di Centenario
32 Zentralthermen

Abb. 17: Pompeji, Stadtplan.

zu finden hoffte. So entdeckte man im November 1748 das Amphitheater, doch als man immer nur Sitzstufen freilegte, führte man die Ausgrabungen viel weiter im Westen fort, in der Nähe des Herculanischen Tores (Porta Ercolano) gleich außerhalb der Stadtmauer (Abb. 17). Dort stieß man auf eine große Villa mit schönen Wandmalereien von Kentauren, Satyrn und Bacchantinnen (dem weiblichen Gefolge des Weingottes Bacchus) in rauschenden, dünnen Gewändern, die die anmutigen Körper durchscheinen lassen oder die bisweilen schon bis zu den Hüften herabgefallen sind und so den nackten Oberkörper zeigen. Die Villa schrieb man mit reger Phantasie dem Cicero zu.

In den kommenden Monaten wurde nichts Interessantes mehr zutage gefördert und so ging man 1750 wieder nach Resina, wo man westlich des Dorfes beim Ausheben eines Brunnens auf einen Mosaikboden gestoßen war, der zu einer großen Villa gehört haben muß. Im Laufe der Zeit legte man einen Hof mit 64 Säulen frei, und zwischen den Säulen fanden sich prächtige Plastiken aus Bronze und Marmor. Allein 13 große Bronzestatuen und 47 Porträtbüsten berühmter Griechen und Römer wurden geborgen. Schockiert war man über die Statue des Hirtengottes Pan, der im Liebesakt mit einer Ziege vereint war; um öffentliche Sitte und Anstand keinen Schaden nehmen zu lassen, wurde die sodomitische Gruppe sofort unter Verschluß genommen. Am 19. Oktober 1752 gelangte man in ein Zimmer, an dessen Mauern noch mannshohe, verkohlte Holzschränke und in dessen Mitte Regale standen, die mit tausenden von verkohlten Papyrusrollen gefüllt waren, nach denen das Gebäude künftig auch die „Papyrusvilla" genannt wurde. Der Raum hatte demnach als Hausbibliothek gedient, die bei wohlhabenden Römern zur Grundausstattung gehörte. Doch als die Ausgräber die Bücher aufrollen wollten, zerfielen sie. Nur eine Rolle war nicht so angegriffen und konnte langsam aufgewickelt werden. Es handelte sich um eine bereits bekannte Abhandlung des Philodemus von Gadara, eines unbedeutenden epikureischen Philosophen, der im 1. Jahrhundert v. Chr. in Rom wirkte. Die anderen, ursprünglich meist 10 Meter langen Buchrollen waren zu empfindlich, um sie zu öffnen, und so barg der anwesende Museumsdirektor Camillo Paderni etwa 1 800 Papyri, ohne aber die Hoffnung zu besitzen, daß sie jemals gelesen werden könnten. Immer wieder versuchten Scharlatane eine Rolle zu öffnen, doch lange Zeit war jeder Versuch zum Scheitern verurteilt. Erst seit dem 19. Jahrhundert gelang es dank verschiedener inzwischen entwickelter Techniken, einige hundert Texte abzurollen. Auch heute sind diese Arbeiten noch lange nicht abgeschlossen. Die meisten bisher identifizierten Texte sind philosophische Schriften von Vertretern der epikureischen oder den Epikureern entgegengesetzten Schulen. Der Epikureer Philodemos von Gadara war freundschaftlich mit Lucius Calpurnius Piso Caesoninus, dem Besitzer der Papyrusvilla, verbunden und half diesem wahrscheinlich, die Bibliothek aufzubauen, was die angetroffene Zusammensetzung der Inhalte jener Bibliothek erklärt. Die bisher entzifferten Papyri können mindestens 34 Schreibern des 3.–1. Jahrhunderts. v. Chr. zugeordnet werden. Die meisten datieren ins 1. Jahrhundert v. Chr. und wurden wohl in Herculaneum selbst abgeschrieben.

Gegen Ende des Jahres 1754 entdeckte man bei Straßenbauarbeiten am Hügel Civita einige Gräber und Häuser. Auf Bitten des seit 1749 für Alcubierre arbeitenden Schweizer Architekten Karl Weber nahm man wieder in Pompeji die Untersuchungen auf.

Unterdessen verlangte Karl III. von dem Gelehrten Bayardi, endlich einen Katalog der Funde vorzulegen. Bayardi war seit seiner Einstellung im Jahre 1739 immer noch mit seinen „einleitenden Worten" beschäftigt, die bis zum Jahre 1752 bereits aus fünf Büchern mit 2677 Seiten bestanden. Unter Druck geraten, veröffentlichte Bayardi im Jahre 1755 erstmals einen Katalog, der 738 Wandmalereien, 350 Statuen und 1647 kleinere Gegenstände verzeichnete. Doch konnte er damit die Kritiker nicht zum Schweigen bringen. Der König versetzte Bayardi in den Ruhestand und gründete am 13. Dezember 1755 die Herculanische Akademie, deren Mitglieder den Auftrag erhielten, die Funde zügig zu publizieren. Der erste Band der *Antichità d'Ercolano* (Altertümer von Herculaneum), dessen Drucklegung den König bereits 12 000 Dukaten kostete, erschien dann endlich im Jahre 1757. Dieser und die nächsten, opulent mit Kupferstichen versehenen, großen Bände führten dazu, daß die Funde aus den versunkenen Vesuvstädten eine regelrechte Antikenmode hervorriefen und die damalige Architektur, Malerei, Skulptur und Kleinkunst inspirierten.

Gegen Ende des Jahres 1757 kam der in Rom lebende Archäologe Johann Joachim Winckelmann im Auftrag des sächsischen Kurfürsten nach Neapel, um für den Dresdner Hof über die Funde zu berichten. Der argwöhnisch seine archäologischen Funde hütende Karl III. ließ ihn jedoch warten, und erst am 27. Februar 1758 durfte Winckelmann das Museum in Portici besuchen; und auch diese Erlaubnis wurde nur unter der Auflage gewährt, nichts zu notieren und keine Zeichnungen anzufertigen. Winckelmann hielt sich zähneknirschend an die Vorschriften und kehrte bald wieder nach Rom zurück, von wo aus er im Jahre 1762 sein *Sendschreiben von den Herkulanischen Entdeckungen* veröffentlichte, in dem er sich heftig über die Einschränkungen seiner Arbeit in Neapel beklagte.

In der Zwischenzeit war Karl III. zum König von Spanien berufen worden und überließ das Königreich beider Sizilien seinem erst 8jährigen Sohn Ferdinand IV., für den bis zu seiner Volljährigkeit der Premierminister Bernardo Tanucci die Regentschaft übernahm.

Im Jahre 1763 konzentrierten sich die Ausgrabungen vor allem auf die Ruinen unter dem Hügel Civita. Unter anderem wurde das dreibogige Herculaner Tor, das Mausoleum der Familie der Istacidier, das die Form eines kleinen Tempelchens besaß, und das Grabmal der Priesterin Mamia, das als halbrunde Sitzbank gestaltet war, freigelegt. Am 16. August des gleichen Jahres wurde im Stadtgebiet die Marmorstatue eines Mannes geborgen, der auf einem Sockel mit der folgenden Inschrift stand: „Im Namen des Kaisers Vespasian hat der Tribun T. Suedius Clemens der Öffentlichkeit gehörende Ortsteile, die von Privaten in Besitz genommen waren, … dem Staatswesen der Pompejaner zurückgestellt." Nun endlich stand man vor dem untrüglichen Beweis, daß die entdeckten Ruinen zu Pompeji und nicht zu Stabiae gehörten.

Winckelmann brach im Frühjahr 1764 zu seiner zweiten Fahrt nach Neapel auf, und als ihm dort bei seinen Besichtigungen der Ausgrabungen und des Museums in Portici wieder viele Hindernisse in den Weg gelegt wurden, beschloß er diese und andere Mißstände noch in den im gleichen Jahr veröffentlichten *Nachrichten von den neuesten Herkulanischen Entdeckungen* anzuprangern. Insbesondere kritisierte er, daß die Ausgrabungen zu langsam voranschreiten würden und die Funde nicht richtig zugänglich seien. Der damals berühmte und hochangesehene Kunstsammler und Altertumsforscher Anne-Claude-Philippe de Caylus konnte ein Exemplar dieser nur in niedriger Auflage gedruckten *Nachrichten* erwerben und beschloß, Winckelmanns Buch in die damalige Weltsprache, ins Französische, übersetzen und in einer hohen Auflage drucken zu lassen, so daß diese Bemerkungen eine weite Verbreitung erfuhren. Der Hof in Neapel war gedemütigt. Winckelmann mußte sich als unerwünschter Gast für einige Zeit von Neapel fernhalten. Seine *Nachrichten* erregten jedoch so großes Aufsehen, daß von nun an die Vesuvstädte im Mittelpunkt des archäologischen Interesses standen. Die Stätten wurden zu einem Muß für jeden Italienbesucher, und jeder Adlige und gebildete Bürger, der etwas auf sich hielt, reiste zumindest einmal in seinem Leben – nach Möglichkeit in seinen jungen Jahren – nach Italien. In Zukunft besichtigten Herrscher, Adlige, reiche Bürger, Schriftsteller und Künstler die Ruinen und ließen sich von dem Gesehenen anregen. Die Liste der prominenten Besucher ist schier endlos – erwähnt seien nur Jérôme Bonaparte, König von Westfalen, Kaiser Franz I. von Österreich, der spätere König Leopold von Belgien, der spätere König Ludwig I. von Bayern, Königin Victoria von Großbritannien, Fürst Pückler, Papst Pius IX., der spätere Kaiser Maximilian von Mexiko, die Kaiserin Elisabeth von Österreich, auch „Sissi" genannt, die Schriftsteller Johann Wolfgang von Goethe, François René de Chateaubriand, Alphonse de Lamartine, Percy Bysshe Shelley, Théophile Gautier, Charles Dickens, Mark Twain, Alexander Dumas und die Künstler Charles-Louis Clérisseau, Robert Adam, Chalgrin, Giambattista Piranesi, Johann Heinrich Wilhelm Tischbein, Ingres, Canova und David.

Die Entdeckung des kleinen Theaters (Odeon) in Pompeji, das vor allem für musikalische Aufführungen und kleinere Veranstaltungen gedient hatte, und weitere Funde führten dazu, die erfolglosen Grabungen in Herculaneum am 9. Februar 1765 zu beenden und sich fortan ausschließlich auf Pompeji zu konzentrieren. Schon im Frühjahr stellten sich dort die ersten große Erfolge ein. In der Umgebung des Theaters wurden in den angrenzenden Häusern so viele Wandmalereien zutage gefördert, daß gar nicht alle hätten abgenommen werden können. So wurde der damals noch am Hof von Neapel beschäftigte Maler Giovanni Battista Casanova, der Bruder des durch seine amourösen Affären berühmten Giacomo Casanova, damit beauftragt, nur die besten Malereien auszusuchen. Im Juni hatte man damit begonnen, eine – wie sich schon bald herausstellte – besonders faszinierende Stelle auszugraben (Abb. 18). Ein mit Säulen umgebener Hof wurde freigelegt. In

Abb. 18: Pompeji, Freilegung des Isistempels im Jahre 1776.

einer Opfergrube lagen noch die verbrannten Überreste von Feigen, Pinienkernen, Kastanien, Nüssen, Haselnüssen, Tannenzapfen und Datteln. In der Mitte des Hofes stand ein Altar, auf dem Tierknochen von einem kurz vor der Katastrophe ausgeführten Opfer zeugten. Im Säulengang fand man eine Bronzeherme des Caius Norbanus Sorex, eine bemalte und zum Teil vergoldete Marmorskulptur der Liebesgöttin Venus und eine Marmorstatue der ägyptischen Göttin Isis mit vergoldetem Gewand, die um den Hals eine feine Kette und an den Handgelenken Armbänder aus Gold trägt. Hinter dem Tempel stieß man dann auf einen Raum, der mit herrlichen ägyptischen Landschaften ganz frisch ausgemalt worden war und Teile der Io-Sage zeigte. In diesem Saal, der wohl als Versammlungsraum diente, lag am Boden das Skelett eines Mannes. Er mußte durch eingestürzte Mauern in einen Hohlraum geraten sein und versucht haben, sich mit einer Axt zu befreien. Zwei kleinere Hindernisse hatte er durchschlagen können, bei dem dritten war er gescheitert und tot zusammengebrochen. Angeblich wurden auch andere Skelette von Priestern entdeckt, doch diese Kunde entstammt erst späteren Erzählungen. In einem anderen Raum barg man rund 40 Vasen, 57 Öllampen und Fragmente mehrerer Marmor- und Tonstatuetten, zudem weitere kleinere Altäre und Schreine; später stieß man auf neue Räume, unter anderen eine Küche, einen Speiseraum, in dem man noch die Reste des letzten Mittagessens – Brot, Hühner, Fische und Eier – fand, es folgte ein eingetieftes, zwischen Mauern verstecktes Bad, das nur über Stufen zu erreichen war und für religiöse Riten diente. Am 20. Juli entdeckte man schließlich über dem Haupteingang eine Inschrift, die besagte, daß Numerius Popidius Celsinus den Isistempel nach seiner Zerstörung durch ein Erdbeben (im Jahre 62 n. Chr.) wiederherstellen ließ. Man hatte also das Heiligtum der ägyptischen Göttin Isis gefunden, deren Mysterienkult im Römischen Reich allerorten von ihren Anhängern zelebriert worden war.

Ein Jahr später stieß man neuerlich auf erschütternde Zeugnisse der schrecklichen Ereignisse des Jahres 79 n. Chr. Neben dem großen Theater grub man seit dem Oktober 1766 einen großen Säulenhof aus, der von vielen kleinen Räumen umgeben war. In einem Raum, der als Kerker gedient hatte, lagen noch vier Skelette von Gefangenen, die man zu befreien vergessen hatte. In einem anderen Raum kamen sogar 18 Skelette zum Vorschein, darunter jenes einer wohlhabenden Frau mit wertvollem Schmuck, die mit einem zum Teil noch gut erhaltenen, golddurchwirkten Stoff bekleidet war. Die übrigen Skelette stammten von kräftigen Männern. Im Gebäude wurden die verzierte Beinschiene eines Gladiators und viele Waffen gefunden. Das Gebäude war also zuletzt eine Kaserne für Gladiatoren gewesen. Die vornehme Frau war vielleicht eine Verehrerin eines der in den Amphitheatern mit wilden Tieren oder Menschen auf Leben und Tod kämpfenden Helden. Gegen die Katastrophe, die damals über sie hereinbrach, waren aber auch die starken Männer machtlos.

Am 12. Januar 1767 wurde König Ferdinand IV. mit 16 Jahren volljährig und übernahm selbst die Regierung. Schon im Mai 1768 heiratete er die 15jährige Maria Karolina, eine Tochter Maria Theresias und Schwester von Marie Antoinette sowie des späteren Kaisers Joseph II. Letzterer besuchte im April 1768 offiziell seine Schwester in Neapel und bestand gegen den Willen von Ferdinand IV. darauf, der sich nur für die Jagd interessierte, die Ruinenstädte anzusehen. So trafen sie am 7. April nach einem Aufstieg zum Vesuv gegen 8 Uhr abends in Pompeji ein, wo man einige Tage vorher ein Haus mit einem Skelett freigelegt hatte, das der neue Gehilfe von Alcubierre, Francesco La Vega, nochmals zuschütten ließ, um es dann vor den Augen der hohen Gäste zu „entdecken". Joseph II. merkte zwar den Schwindel, war aber angetan von den Funden, die ihm Sir William Hamilton euphorisch erklärte; jener war britischer Gesandte am Hofe Neapels und ein sehr bekannter Antikensammler, der gerade in jenem Jahr sein vierbändiges, mit vielen wunderbaren Kupferstichen von griechischen Vasen ausgestattetes Werk veröffentlicht hatte. Joseph II. empfand eine solche Begeisterung, daß er damit auch Ferdinand IV. ansteckte und ihn auf der Rückfahrt von der Wichtigkeit des Unternehmens überzeugen konnte, so daß künftig mehr Geld für die Grabungen floß. Das „Entdecken" von attraktiven Funden bei wichtigen Besuchen wurden von nun an üblich. (Es erinnert ein wenig daran, wie man dem einstigen rumänischen Diktator Çeaucescu und seinen Staatsgästen narkotisierte Bären vor die Flinten trieb.)

Im Jahre 1771 stieß man wieder außerhalb der Stadt in der Nähe der Porta Ercolano auf ein besonders luxuriös mit Wandmalereien, Mosaiken und Skulpturen geschmücktes Haus, die „Villa des Diomedes", die sogar eigene Badeanlagen besaß. Erstmalig fand man auch Glasfenster, und dies bewies, daß reiche Häuser bereits in römischer Zeit mit solchen ausgestattet waren. Doch nicht die wunderbaren Kunstwerke und der Reichtum des Gebäudes bewegten die Gemüter, sondern das Schicksal ihrer damaligen Bewohner. Am Zugang zum Keller fand sich neben der Tür das Skelett des Hausherren, der an seinem Finger noch einen goldenen Ring und in den Händen den Schlüssel des Hauses, eine silberne Schüssel und – in ein Tuch gewickelt – 10 Gold-, 88 Silber- und 1356 Bronzemünzen trug. Neben ihm lag das Skelett seines Dieners, der einen Teil des Silbergeschirrs mit sich führte. Beide wollten gerade in den Keller flüchten, wohin sich die anderen Mitglieder des Hauses zurückgezogen hatten, als sie der Tod ereilte. Im Keller legte man dann die Skelette von 18 Erwachsenen und zwei Kindern frei. Sie mußten an der eindringenden klebrigen Asche erstickt sein, die ihre Leiber umgab, so daß sich ihre sterbliche Hülle und ihre Kleidung in der Erde abgedrückt hatten. Die Familienangehörigen des Hausherrn und ihre Diener lagen dicht nebeneinander, Bauch und Gesicht zu Boden gewendet, Tücher oder Teile der Gewänder über den Kopf gezogen, in der Hoffnung, sich so besser vor der eindringenden Asche zu schützen und nach Luft ringen zu können. Das Schicksal hatte zwischen Herren und Dienern nicht unterschieden, nur der Schmuck zeugte von ihrem jeweiligen sozialen Stand. Am meisten bewegte jeden Besucher der Abdruck der jungen Tochter des

Hausherrn, die wertvolle Ringe besaß. Sie hatte ihr Kleid schützend über den Kopf gestreift und dadurch ihre jugendlichen Brüste, ihre zarten Arme, ihre Schenkel und Füße entblößt. Die Ausgräber waren von der Entdeckung erschüttert. Das Mädchen wurde gleichsam zum Inbegriff der Vergänglichkeit des blühenden Lebens. Sie hinterließ die schrecklichsten und zugleich eindrucksvollsten Spuren ihres irdischen Daseins. Heutet mutet es ebenso geschmacklos makaber wie voyeuristisch an, daß es den Entdeckern gelang, nur den Abdruck ihrer Brüste abzuformen und auszustellen. Sie wurden zu einer der Hauptattraktionen bei der Besichtigung der pompejanischen Funde. Insbesondere die französischen Schriftsteller Chateaubriand, Dumas und Gautier waren von ihrem Anblick fasziniert. Gautier verfaßte daraufhin im Jahre 1852 seine berühmte Novelle *Arria Marcella*. Der gleichnamigen Hauptfigur schrieb er in zweifelhafter Phantasie die wundervollen Brüste zu und verwandelte das in Pompeji verstorbene Mädchen in eine Nymphomanin, die wegen ihres liebreizenden Körpers die Männerherzen für immer verschlang.

In den nächsten Jahren gingen die Ausgrabungen nur schleppend voran, aber dem planlosen Auf- und Zudecken der Ruinen wurde endlich ein Ende bereitet. 1775 gab der Premierminister Tanucci die Anweisung, daß man von jetzt an vom Herculaner Tor systematisch zur Stadtmitte graben und die freigelegten Ruinen nicht wieder zuschütten solle.

Ein größerer Vesuvausbruch im August 1776 (kleinere bis mittlere ereigneten sich im 18. Jahrhundert häufiger) wurde zum Anlaß genommen, die Antiken von der königlichen Villa in Portici ins vor dem Vulkan besser geschützte Neapel zu bringen, wo im ehemaligen Marstallgebäude das noch heute bestehende Archäologische Museum eingerichtet wurde.

Fünf Monate nach dem Besuch Goethes in den Vesuvstädten im Jahre 1787, der natürlich auch seinen Ausdruck in der *Italienischen Reise* fand (daher auch die berühmten Sätze: „Es ist viel Unheil in der Welt geschehen, aber wenig, das den Nachkommen so viel Freude gemacht hätte. Ich weiß nicht leicht etwas Interessanteres"), entdeckte man im August erneut Schauerliches. Im Keller eines Hauses beim Herculaner Tor lagen ein angenagtes Skelett einer Frau und ein unversehrtes Skelett eines Hundes. Der Hund hatte folglich sein Frauchen überlebt und muß in der folgenden

Zeit in dem nur teilweise verschütteten Raum Teile des Leichnams gefressen haben.

Auch während der nun folgenden französischen Besatzungszeit gingen die Ausgrabungen weiter. Die Anzahl der Arbeiter wurde sogar bis auf Fünfhundert erhöht, nachdem dem Marschall Joachim Murat und seiner Gemahlin Karoline, der Schwester Napoleons, die Herrschaft über Neapel im Juli 1808 übertragen worden war. Gerade die neue Königin begeisterte sich für Pompeji und besuchte es regelmäßig. Das Amphitheater, die Basilika und viele Häuser zwischen dem Forum und dem Herculaner Tor wurden freigelegt. Auch an der Gräberstraße außerhalb des Herculaner Tors war man tätig. Viele Opfer mit reichen Münzschätzen wurden dort geborgen. Im Februar 1813 stieß man auf das Grabmal der Freigelassenen Naevoleia Tyche, einer Griechin, und ihres Geliebten, Augustalis Munatius Faustus, einem angesehenen Bürger Pompejis, der einen Ehrenplatz im Theater besaß. Man versiegelte das Monument und wartete, bis die Herrscherin kommen und der Ausgrabung beiwohnen konnte. Am 13. März war es soweit. Sie erschien in Begleitung des berühmten Bildhauers Canova. Im Innern des Gebäudes fand man außer vielen Öllämpchen die zwei Aschenurnen aus Glas mit den Überresten der beiden Geliebten und einer hinzugegebenen Flüssigkeit aus Wasser, Wein und Öl, die sich dank des noch intakten Bleiverschlusses erhalten hatte.

Nach dem Wiener Kongreß erhielt Ferdinand IV. sein Königreich zurück. Zwar wurden in den folgenden Jahren die Ausgrabungen immer mehr reduziert, doch konnten damals bis 1823 das Forum und seine Umgebung, das Theaterviertel, die westlichen Stadtgebiete, die Gräberstraße und das Amphitheater freigelegt werden.

Nach dem Tode Ferdinands IV. am 4. Januar 1825 wurde sein kränklicher Sohn, Franz I., König. Unter ihm wurden ab 1827 auch wieder die Grabungen in Herculaneum fortgesetzt, aber nun erstmals mit der Auflage, keine Stollen zu treiben, sondern alle über den Ruinen liegenden Schichten abzutragen. 1829 besichtigte der Kronprinz Ludwig von Bayern, der spätere König Ludwig I., zum ersten Mal Pompeji. Er war begeistert, als man vor seinen Augen ein Geschäft an einer Straße freilegte und dabei Gefäße, Öllampen und Münzen barg. Der Kronprinz kam noch öfters nach Pompeji und ließ – Ausdruck seiner Begeisterung – zwischen 1840 und 1848 nach dem Grundriß des sogenannten Hauses der Dioskuren (Regio VI, Insulae 9, 6) das Pompejanum an den Hängen von Aschaffenburg errichten, damit man auch auf deutschem Boden ein römisches Wohnhaus besichtigen konnte, das mit imitierten pompejanischen Wandmalereien und mit originalen und nachgemachten Plastiken, Haushaltsgeräten und Einrichtungsgegenständen ausgestattetet wurde.

Kurz vor dem Tode Ferdinands I. am 8. November 1830 und der Inthronisation seines Sohnes, Ferdinand II., zum König von Neapel, stieß man auf eine der prächtigsten römischen Villen Pompejis. In Anwesenheit von August von Goethe, dem Sohn des Dichters, der schon wenige Tage später an den Blattern in Rom verstarb, wurden die ersten Teile freigelegt. Nach einer wunderschönen bronzenen Brunnenfigur eines trunkenen Fauns im Hofe des Gebäudes wurde die Villa (Casa del Fauno) benannt. Knapp ein Jahr später gab in einem großen Raum die Vulkanasche das schönste damals bekannte Mosaik frei. Es war 5,55 x 3,17 Meter groß, bestand aus etwa 1,5 Millionen nur 2 bis 3 mm großen, geschnittenen farbigen Steinchen und stellte in allerhöchster Kunstfertigkeit Alexander den Großen in der Schlacht gegen den persischen König Dareios dar. Mehrere weitere ebenso fein gearbeitete Mosaiken kamen in der gleichen Villa zum Vorschein und zeigten unter anderem Theatermasken, eine Katze, die einen Vogel jagt, schwimmende Enten, Meerestiere, eine Nillandschaft mit Enten, einem Nilpferd, Krokodil und Ibissen, den Weingott Bacchus auf einem Tiger reitend sowie einen Satyr und eine Nymphe beim Liebesakt. Nach dem Besuch des Königspaares wurden die Mosaiken entfernt und ins Museum von Neapel gebracht, wo sie noch heute Glanzpunkte der Sammlung bilden. Trotz dieser Erfolge wurde immer weniger Geld für die Ausgrabungen zur Verfügung gestellt. So kam man nur noch langsam voran. Dies veranlaßte Fürst Pückler von Muskau, als er Pompeji besichtigte, zu der bissigen Bemerkung, er habe 30 Arbeiter gezählt – 15 Maulesel und 15 Kinder.

Nachdem Garibaldi den letzten Bourbonen aus Neapel vertrieben hatte und der kurzzeitig von dem Freiheitskämpfer eingesetzte berühmte französische Schriftsteller Alexander Dumas sich als neuer Leiter des Museums und der Ausgrabungen nicht hatte halten können, wurde von König Victor Emanuel II. am 20. Dezember 1860 der Archäologe Giuseppe Fiorelli in die leitenden Ämter berufen. Fiorelli konnte wieder 500 Arbeiter engagieren und verbesserte die Grabungsmethoden erheblich. Vor seiner Amtsübernahme hatte man zwar einzelne Häuser freigelegt, aber zwischen den Häusern die Gesteinsmassen stehenlassen, so daß man bei der Besichtigung eines jeden Hauses zunächst eine Kletterpartie veranstalten mußte. Damit war es nun vorbei: Er ließ die Hindernisse abtragen und versah viele Häuser wieder mit einem Dach, um sie besser schützen zu können. Er ließ immer von oben nach unten und nicht seitlich unterhöhlend graben, was oft zu Einstürzen geführt hatte. Er unterteilte die Stadt in Regionen und diese wiederum in Gebäudevierecke, die den antiken Insulae entsprachen, und numerierte jedes Haus der Gebäudeeinheit, so daß eine viel größere Genauigkeit in der Zuordnung der Funde erfolgen konnte. Auch wurden ausführliche Tagebücher angelegt, die über den Fortgang der Arbeiten berichteten. Die Malereien wurden nicht mehr herausgeschnitten, sondern blieben an Ort und Stelle.

Schon in den nächsten Jahren kam man auf diese Weise zu mehreren interessanten Ergebnissen, die viel über das Leben in Pompeji verrieten. Zunächst fand man an der Kreuzung zweier Nebenstraßen ein Bordell. Die kleinen Zellen mit gemauerten Betten und Kopfteilen im Parterre und im Obergeschoß waren mit erotischen Wandmalereien geschmückt, die die verschiedenen, käuflich angebotenen Liebesstellungen schilderten. Inschriften warben mit dem Vornamen der Mädchen, ihren besonderen Vorzügen und Liebesposen. Fast gleichzeitig entdeckte man auch an einer Straße zum Jupitertempel eine sehr gut erhaltene Bäckerei, in deren Ofen noch 81 runde Brotlaibe lagen, die am Tage des Unglücks gebacken worden waren.

1864 stieß man in der Nähe der Stabianer Thermen (Bäder) wieder auf Leichen. Nur ein kleines Erdloch hatte man dort bisher geöffnet. Da kam Fiorelli auf die Idee, den Hohlraum mit Gips auszufüllen und gewann dadurch die Gestalt der Verstorbenen wieder. Selbst der schmerzerfüllte Gesichtsausdruck war zu erkennen. Es handelte sich bei den Toten, wie der Schmuck zeigte, um eine wohlhabende Frau mit ihrer etwa 14jährigen Tochter, einer einfacheren Frau und einem ärmeren kräftigen Mann. Die beiden letzteren gehörten vielleicht zur Dienerschaft. Von nun an wurden, wenn immer es ging, solche Abgüsse hergestellt.

Die Ausgrabungen gingen nun zügiger und systematischer voran, und viele weitere Gebäude mit schönen Wandmalereien und Funden wurden in Pompeji und Herculaneum und in weiteren antiken Ansiedlungen oder freistehenden Villen am Fuße des Vesuvs entdeckt. So legte man im September 1896 das Haus der Vettier (Casa dei Vettii) frei, das den zwei Brüdern A. Vettius Restitutus und A. Vettius Conviva gehörte, die möglicherweise ihren Reichtum dem Weinhandel verdankten. Im Haus barg man viele Weinamphoren, auf denen vermerkt war, um welchen Jahrgang es sich handelte und wieviele Fässer davon zur Verfügung standen. In der Küche lag noch die Asche des Holzes und darüber standen auf Dreifüßen die Kochtöpfe mit den Knochen des zur Unglückszeit zubereiteten Fleisches. Weiteres Geschirr und Gefäße lagen herum. Viele Zimmer waren prunkvoll mit farbenprächtigen Malereien ausgestattet, auf denen zwischen phantastischen Architekturstaffagen griechische Sagen in reichem Bildwerk geschildert sind. In dem repräsentativsten Raum des Hauses, in dem bei feierlichen Anlässen die Gäste empfangen wurden, legte man wunderbare Wandmalereien frei, die von den Zeitgenossen als die schönsten bislang entdeckten angesehen wurden. Die zinnoberrot bemalten Wände waren unter anderem durch einen schwarzen Fries unterbrochen, auf dem sich kleine Eroten, Liebesgötter, und Psychen tummelten, die alltägliche Arbeiten ausführten oder Sport betrieben oder einfach nur spielten: Sie erhitzen sich beim Würfelspiel, veranstalten ein Wagenrennen, bei dem der Lenker eines Antilopengespanns stürzt, weil sich ein Rad gelöst hat, stellen Öl her und verkaufen es, pflücken Blumen und bereiten Parfüm daraus, walken Stoffe und prüfen ihre Qualität, ernten und pressen Weintrauben, ziehen mit Bacchus feiernd umher und betrinken sich, schmieden Goldschmuck und bieten ihn einer reichen Kundin an, die auf einen Stuhl sitzt und die Füße auf einem Schemel gestellt hat, um nun Arm- und Fußringe anzuprobieren.

Unter der Leitung von Spinazzola grub man 1911 die besonders gut erhaltene Straßenkneipe der Asellina (Regio IX, Insulae 11, 2) an der Strada dell'Abbondanza aus. Auf dem zur Straße hin ausgerichteten Schanktisch waren noch die Bronze- und Tongefäße eingelassen, in denen die warmen und kalten Getränke aufbewahrt wurden, die man dem Vorübergehenden zur Erfrischung anbot. Daneben stand noch das Bronzegeschirr. Darüber hing eine Bronzelampe mit zwei Phalloi, einem Pygmäen und fünf Glöckchen, die den Bösen Blick und Geister abwehren sollten. Auf dem Tisch lag noch das Geld des letzten Gastes. An der Außenmauer warben durch Inschriften die servierenden Mädchen Zmyrina, Aegle und Maria um die Gunst der Passanten – auch für Liebesdienste. Auf den rechten Türpfeiler hatte jemand einen Mann mit Tierkopf karikiert, der in den Händen seinen gigantischen Phallos hält.

Außerhalb Pompejis stieß man im April 1909 in der Nähe eines Hotels auf antike Ruinen, und der Besitzer des Gasthauses, Aurelio Item, erhielt die Erlaubnis, dort auf eigene Kosten zu graben. In dieser luxuriösen Villa befanden sich neben einer größeren Küche, einer weiträumigen Toilettenanlage und Bädern ein im hinteren Teil des Gebäudes liegender Raum, der wohl die schönsten und in der Deutung umstrittensten römischen Wandmalereien zeigte. In der Mitte der Rückwand lagert Bacchus mit seiner Gemahlin Ariadne. Um das göttliche Paar herum scheinen Episoden aus Hochzeitszeremonien oder vielleicht auch aus geheimen Einweihungsritualen gemalt zu sein, die möglicherweise zu Ehren des Weingottes abgehalten wurden und die dem Haus den Namen „Mysterienvilla" (Villa dei Misteri) gaben. Unter anderem sehen wir einen Mann, der in das Spiegelbild eines Gefäßes zu sehen scheint, während sich ein Satyr abwendet und ein weiterer eine Maske hält. Gegenüber der Dreiergruppe enthüllt eine Frau die mit einem Tuch bedeckte sakrale Getreideschwinge, in der sich ein riesiger Phallos befindet. Zwei Frauen entfernen sich mit Schrekken beim Anblick des offen präsentierten erigierten männlichen Gliedes und eine geflügelte Frau hält in der erhobenen rechten Hand eine Peitsche. Eine der bemerkenswertesten Szenen zeigt an den beiden anschließenden Seitenwänden zwei Frauen, die bereits in Trance versetzt sind, in ekstatischem Tanz. Der nur von hinten dargestellten Frau, die ihre beiden Hände klatschend über ihrem Kopf zusammengeführt hat, ist ihr Gewand größtenteils herabgeglitten und gibt ihren in verzückter Drehung gezeichneten, reizenden Körper preis, der wohl als der schönste Rückenakt der Antike bezeichnet werden darf. Neben ihr scheint eine erschöpft zusammengesunkene, halbnackte Frau sich auf dem Schoß einer zweiten Frau auszuruhen. Schließlich sitzt eine Frau am Ende der Szenerie auf einem Thron und scheint über die dargestellten Vorgänge nachzudenken. Doch um welche es sich genau handelt, konnte nie enträtselt werden.

So wie diese wunderbaren Wandmalereien noch lange nicht ihre Bedeutung preisgeben, so stecken unter den Aschenschichten um den Vesuv auch heute noch viele weitere Geheimnisse und Kostbarkeiten, und wir können nur mit Spannung den Ausgrabungen in einer der fundträchtigsten Gegenden der Welt entgegensehen, die der Archäologie noch manche Sternstunde bescheren mag.

10. Im Grab des ersten Kaisers von China

Erst mit der von dem Teilstaat Qin begründeten gleichnamigen Dynastie beginnt das chinesische Kaiserreich, und damit beginnt „China" für uns, denn unsere Benennung des Landes, das sich das „Reich der Mitte" nennt, geht auf den Dynastienamen Qin zurück. Dieser Staat Qin hatte seinen Anfang mit dem Jahr 897 (traditionelle Datierung, denn bis 841 v. Chr. haben wir mehrere divergierende Chronologien) genommen, als der Zhou-König einem Häuptling und Pferdezüchter namens Feizi ein festes Einkommen durch Zuteilung von Land bei dem heutigen Tianshui (Gansu) aussetzte, damit dieser Pferde liefere. Der vierte Nachfolger Feizis, Herzog Zhuang (821–778 v. Chr.), hatte den Herzog-Titel erhalten, den bis 325 v. Chr. alle Qin-Herrscher führten, ehe sie sich „König" nannten.

Neben den sich bildenden Staaten bestand das Königreich Zhou fort, das seit 770 durch einen Barbarenangriff seine Westliche Hauptstadt hatte aufgeben und in die Nähe des heutigen Luoyang (Henan) hatte weichen müssen, das bereits vom Herzog von Zhou, dem Bruder des ersten Zhou-Königs, als Hauptstadt eingerichtet worden war. Das Zentrum der Qin-Macht wurde mehrfach in Richtung Osten verlegt, im Jahr 677 nach Yong (dem heutigen Fengxiang in Shaanxi), im Jahr 350 nach Xianyang (in der Nähe von Xi'an).

Die Macht der Qin wuchs zunächst durch ihre militärischen Auseinandersetzungen mit den sog. Rong-Barbaren im Norden und Westen. Durch diese Berührung wurden die Qin geprägt, und sie galten selbst noch im 2. Jahrhundert v. Chr. bei anderen Stämmen Chinas als „Barbaren". Zugleich nahmen die Qin Institutionen und Praktiken aus anderen Teilen Chinas an, so etwa bestimmte Feste wie das Sommerfest und später das Winterfest (La), von denen einige unter den folgenden Dynastien ihre Bedeutung behalten sollten. [...]

Die innere Überlegenheit des Staates Qin befähigte den Herrscher Qin Shihuangdi schließlich dazu, die anderen sechs Staaten zu unterwerfen und nach dem Untergang des Staates Qi im Jahr 221 v. Chr. ein Einheitsreich zu errichten. Den Eroberungen der anderen Staaten war eine lange Reihe von Ausdehnungsfeldzügen nach Norden und vor allem dem Südwesten vorangegangen. Der imperiale Anspruch der Qin wurde auch dokumentiert durch die Eulogien und Lobeshymnen, die der Minister Li Si in Stein einschreiben ließ. Wie nach ihm nur wenige Herrscher Chinas durchreiste Qin Shihuangdi auf fünf großen Reisen sein Reich und ließ an signifikanten Orten, namentlich auf Berggipfeln, Inschriftensäulen aufstellen. Die Reisen Shihuangdis durch sein Reich hatten die Funktion, Verbindung mit alten Göttern aufzunehmen und sich ihres Beistandes zu versichern. In den Küstenregionen meinte er offenbar zudem, am ehesten mit seinen Gottkollegen in direkte Berührung zu gelangen. Besonders in den beiden Küstenstaaten Yan und Qi waren ja Praktiken im Schwange, mit deren Hilfe Menschen angeblich zu frei umherschweifenden Gottheiten werden konnten. Auch wurde dort gelehrt, diese Halb- und Vollgötter pflegten sich auf paradiesischen Inseln im Meer aufzuhalten und ließen von dorther manchmal einem Auserwählten die Lebensverlängerungsmedizin zukommen.

(Helwig Schmidt-Glintzer, *Das Alte China. Von den Anfängen bis zum 19. Jahrhundert*, München 1995, S. 31, 34)

✱

Am 29. März 1974 gingen die Bauern Yang Peyan und Yang Zhifa zu einem Granatapfelhain ihres Dorfes Xiyang in der chinesischen Provinz Shaanxi, um einen Brunnen auszuheben. In einer Tiefe von 4–5 Metern entdeckten sie einige Tonscherben. Behutsam tasteten sie sich weiter vor und legten die lebensgroße Statue eines Mannes frei. Sie informierten sofort die zuständigen Verwaltungsbeamten. Vier Monate später begann die erste systematische Ausgrabung. Sie sollte in den nächsten Jahren die größte Ansammlung der Welt an lebensgroßen Statuen zutage bringen (Abb. 19). Vier Areale wurden und werden zum Teil immer noch untersucht. Die Schächte 1–3 enthielten auf $20\,000\,m^2$ verteilt eine regelrechte Armee. Sie umfaßte ursprünglich mehr als 7 000 Tonkrieger, ungefähr 600 Tonpferde, mehr als 100 Kriegswagen aus Holz und zigtausende Waffen aus Bronze. Etwa 1 500 Statuen wurden bisher geborgen. Der Schacht 4 war leer; die Baumeister hatten ihn wahr-

Abb. 19: Xiang, Detail der Tonarmee im Grab des Kaisers Qin Shihuangdi.

scheinlich bereits kurz nach Baubeginn aufgegeben. Den chinesischen Archäologen war schnell klar, daß diese sensationellen Funde zur monumentalen, 12,5 km² großen (!) Grabanlage des ersten Kaisers, Qin Shihuangdi, gehörten, der China seit 221 v. Chr. regiert hatte. Sein 45 Meter hoher Grabhügel befindet sich etwa 1 250 Meter östlich von den Schächten. Bereits im Jahre 246 v. Chr., als der 13jährige König von Qin wurde, ließ er in der Nähe seiner Hauptstadt Xianyang mit der Errichtung dieser Anlage beginnen.

Bevor die Tonarmee aufgestellt werden konnte, legte man 5 Meter tiefe Korridore für jede einzelne Abteilung an und befestigte Boden und Wände der etwa 2,50 Meter breiten Mauern. Der Fußboden wurde zusätzlich mit Ziegeln konvex gepflastert, so daß eindringendes Wasser abfließen konnte. Danach wurden die Seitenwände der Korridore mit Holzbalken aus Kiefern- und Zedernholz verkleidet und Deckenbalken eingezogen, die man mit Flechtmatten und wasserundurchlässigem Lehm überdeckte; darüber schüttete man etwa 3 Meter hoch Erde auf. Durch an den Enden angelegte Rampen konnten dann in den so entstandenen, 3,20 Meter hohen, unterirdischen Gängen die 1,80 bis 2 Meter großen Krieger aufgestellt werden, bevor man alles zuschüttete.

Die Tonstatuen wurden zunächst aus mehreren separat gefertigten Einzelteilen aufgebaut. Danach wurde jede Figur mit mehreren dünnen Tonschlickerschichten überzogen, um Nahtstellen zu verdecken, und Einzelheiten durch Nachmodellierungen und Ritzungen betont. So erhielt jede Statue trotz gemeinsamer Grundstrukturen individuelle Züge. Besonderer Wert wurde auf die Charakterisierung der Köpfe verwendet. Vorder- und Hinterkopf wurden in zwei Modeln geformt, die man zusammenfügte. Elf Grundtypen standen zur Verfügung. Diese wurden durch verschiedene Modellierungen der Nasen-, Ohren-, Brauen- und Bartpartien mit eigenen Gesichtszügen versehen.

Die Tonfiguren wurden an der Luft getrocknet und schließlich wohl in kleinen Öfen bei 1000° C einzeln gebrannt, wie ein 200 Meter südöstlich von Schacht 1 gefundener 4 m^2 großer Ofen nahelegt, bei dem auch Fragmente von Tonkriegern und -pferden entdeckt worden sind.

Nach dem Brand wurde jede Figur bemalt. Es fanden sich glücklicherweise genügend Spuren der größtenteils abgeblätterten Farben, so daß wir uns auch davon eine recht genaue Vorstellung machen können. Die Krieger trugen farbenfrohe Gewänder, einige Soldaten zum Beispiel blaue Hosen, grüne Oberkleider, schwarze oder rote Rüstungen und Schuhe, andere wiederum gelbe Waffenröcke. Die Hautpartien waren fleischfarben, die Augen schwarz oder weiß.

Die Statuen tragen fast 250 Künstlersignaturen. Demnach arbeitete ein Teil der Tonbildner direkt für den Palast. Die Statuen dieser Künstler zeigen höchste Qualität in Ausführung und variationsreicher Detailfreudigkeit. Andere Kunsthandwerker, die ebenfalls mitarbeiteten, gehörten nicht zum Hof. Sie stammten vorwiegend aus der Hauptstadt Xianyang. Nach der vorhandenen Numerierungen zu schließen, fertigten die meisten Künstler etwa 5–10 Statuen; den Rekord hält ein Meister mit 120 Statuen.

Die Tonarmee besteht aus elf verschiedenen Grundtypen. Es gibt Offiziere oberen, mittleren und niederen Ranges, Unteroffiziere, stehende und kniende Bogenschützen, drei Arten von Fußsoldaten, Wagenlenker und Reiter. Sie unterscheiden sich durch ihre Haartracht, Kopfbedeckung, Kleidung und Bewaffnung. Vor allem die Haartracht und die stark differenzierten Kopfbedeckungen lassen ihre Ränge erkennen. So tragen Offiziere aus den oberen

Rängen kurzes, in der Mitte gescheiteltes Haar und darüber zwei-
flügelige, kompliziert geschwungene Kappen, während einfache
Soldaten seitlich zu einem Knoten zusammengebundenes, längeres
Haar aufweisen, das nur bisweilen durch eine bescheidene, kurze
Mütze bedeckt ist.

Alle Krieger waren mit Waffen ausgerüstet, die einsatztauglich
waren. Über 10 000 Waffen wurden bereits gefunden. Obwohl in
China die Verarbeitung von Eisen schon lange bekannt war, waren
die Waffen zu dieser Zeit in der Regel immer noch aus Bronze.
Die Krieger trugen Dolchäxte, Streitkolben, Lanzen, Stangenwaf-
fen, Schwerter, Armbrüste und Pfeile. Typisch und nur in China
üblich waren die Dolchäxte. Sie bestehen aus 25–30 cm langen,
beidseitig geschliffenen Klingen, deren eine rechtwinklig und die
andere auf der Innenseite fast bumerangähnlich gebogen ist. Die
Klingen besaßen entweder kurze Schäfte für den Nahkampf oder
lange Schäfte für den Fernkampf. Besonders entwickelt waren die
Armbrüste aus Holz und Leder mit etwa 1,40 Meter Bogenlänge;
ihr bronzener Abzugsmechanismus erlaubte eine schnelle Schuß-
folge. Die Spannkraft war so groß, daß die Sehne mit dem Fuß
gespannt werden mußte.

Wie bereits erwähnt, verteilte sich die mit verschiedenen Kriegern und Waffen ausgestattete Tonarmee auf drei Schächte. Im
230 Meter langen und 62 Meter breiten Schacht 1 wurden bisher
1 100 Soldaten und 32 Pferde aus Ton, acht Streitwagen aus Holz
und Waffen, Trommeln und Glocken aus Bronze geborgen. Die
Streitmacht ist größtenteils nach Osten ausgerichtet und gliedert
sich im Kern in neun nebeneinanderstehende Abteilungen. Jede
dieser Abteilungen besteht aus vier Reihen gepanzerter Soldaten
mit Schwertern, Lanzen und Dolchäxten und einigen Viergespannen. Diese Haupttruppe ist an den Seiten von zwei Reihen und
vorn und hinten von drei Reihen Bogenschützen samt Offizieren
umgeben, die sich in die vier Himmelsrichtungen „bewegen" und
so den inneren Teil nach allen Richtungen schützen sollen.

Im 96 Meter langen und 84 Meter breiten Schacht 2 fanden die
Archäologen bisher 67 Pferde von Viergespannen, 29 Reitpferde
und 224 Soldaten; auch sie bewegen sich nach Osten. Insgesamt
werden hier 89 Viergespanne mit Wagenlenkern, 116 Reiter und
etwa 560 Soldaten vermutet. Diese Einheit ist in vier Teile geglie-
dert. Im Osten befinden sich sechs Abteilungen Bogenschützen

mit Armbrüsten, Speeren und Lanzen. Der aus vier Abteilungen bestehende Truppenkern kniet, die sie umgebenden Soldaten stehen. Hinter dieser Truppe folgen im Norden drei Abteilungen von Viergespannen und Reitern mit Armbrüsten. Südlich schließen drei Abteilungen von Viergespannen, die durch gepanzerte Soldaten und einige Reiter am Ende begleitet werden, und acht Abteilungen von Viergespannen und Kriegern mit Lanzen an.

Im hufeisenförmigen Schacht 3 bargen die Archäologen 68 Krieger. In der Mitte war das Viergespann aus Holz des Truppenbefehlshabers, nach Osten weisend, aufgestellt. Ihn „beschützen" die übrigen, ihn zumeist anblickenden Soldaten. Einige sind mit Schlagwaffen ausgerüstet. Dieser Schacht enthielt also die Kommandozentrale der Tonarmee, während im Schacht 1 die Hauptkampftruppe voranschritt und im Schacht 2 die Reserve bereitstand.

Die Krieger der drei Schächte dokumentieren aufs trefflichste die Kriegführung zu Zeiten des ersten chinesischen Kaisers. Die Fußsoldaten spielten demnach in der antiken chinesischen Strategie die Hauptrolle. Die nur mit Adligen bestückten Viergespanne, die vor dieser Zeit die Schlachten beherrschten, sind viel seltener. Die Reiterei, die in der Folgezeit immer wichtiger werden sollte, wird hier erstmals in ihrer gestiegenen Bedeutung erkennbar und wird aber als kostbares Gut immer noch in der Reserve gehalten.

Dank seiner Armee und seiner neuen Taktik einte Qin Shihuangdi militärisch die seit Jahrhunderten zerstrittenen Fürstentümer des Landes und schuf ein chinesisches Großreich (Abb. 20). Der neue Herrscher hatte im Jahre 259 v. Chr. das Licht der Welt erblickt und erhielt bei seiner Geburt den Namen Zheng. Mit 13 Jahren wurde er 246 v. Chr. König von Qin. Als er 238 v. Chr. volljährig wurde, verbannte er alle seine Berater und begann seinen Traum zu realisieren, alle chinesischen Fürstentümer zu erobern. 230 v. Chr. besiegte er Han, 228 folgte Zhao, 225 Wei, 223 Chu, 222 Yan und schließlich 221 Qi. Damit war das erste chinesische Großreich geschaffen. Qin erhielt den Beinamen Shihuangdi, der eine Zusammensetzung aus shangdi, „höchster Gott", und huang, „Erhabener", und di, „Göttlicher Urahn", darstellt und soviel wie „Erster Gott-Kaiser von Qin" bedeutete.

Das neue Reich unterteilte er in 36 Provinzen, diese in Bezirke und letztere wiederum in Kreise. Sie wurden nicht mehr wie früher

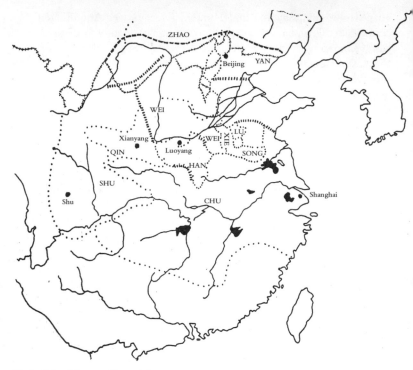

Verlauf der Mauer während der

-I-I-I-I-I-I heutigen Zeit

- - - - - - Quin-Zeit 221–206 v. Chr.

I I I I I I I I Mauer in der Zeit der streitenden Reiche 543–221 v. Chr.

. . . . Grenzen der Fürstentümer in der Zeit der streitenden Reiche

Abb. 20: China zur Zeit von Kaiser Qin Shihuangdi.

als Lehen verteilt, um möglicherweise daraus entstehende Konflik-
te zu vermeiden, sondern gegen Bezahlung an bestimmte Personen
gegeben, die gegebenenfalls vom Kaiser auch jederzeit wieder abge-
setzt werden konnten. So regierten ein Gouverneur und ein General jede Provinz, Präfekte die Bezirke und Vorsteher die Kreise.

Inspektoren überprüften die Ordnung. Der Kaiser selbst hatte drei Berater, den Kanzler, den Sekretär und den Kriegsminister. Diesen unterstanden wiederum neun Minister mit folgenden Ressorts: Staatsritual, Justiz, Zoll- und Gewerbeangelegenheiten, Ackerbau, Polizei und Überwachung des Adels, kaiserliche Familienangelegenheiten, Verwaltung des Palastpersonals, Palastwache, Angelegenheiten der besiegten Völker.

Eine sehr harte Strafgesetzgebung sollte den Staat stützen. Neben Geldbußen und Amtsenthebung gab es Prügel, Verbannung, Versklavung, Zwangsarbeit, Verstümmelung und Todesstrafen, einschließlich der Tötung von drei Generationen einer Familie.

Um das Reich besser verwalten zu können, wurden die Schrift, die Währung sowie das System der Maße und Gewichte vereinheitlicht. Der Kanzler Li Si legte die sogenannte *Kleine Siegelschrift* für die Aufzeichnung feierlicher Anläße und Gesetzestexte fest, der Beamte Cheng Miao die sogenannte *Kanzleischrift* für das übrige Urkundenwesen. Der Geldverkehr wurde in zwei Währungseinheiten abgewickelt. Ein Liang mit 19 g Gold entsprach 150 Banliang-Münzen aus Bronze. Andere, früher in den verschiedenen Ländern existierende Geldformen wie Perlen, Schildpatt, Jade, Kaurimuscheln und Bronzestücke in Form von Messern oder Spaten wurden aus dem Verkehr gezogen. Die eingeführte Form der Banliang-Münzen mit einer quadratischen Öffnung in der Mitte blieb bis ins 20. Jahrhundert in China üblich. Banliang-Münzen der Qin-Zeit, die von Archäologen an allen Orten des alten Reiches verzeichnet werden, scheinen jedoch in den Provinzen des Reiches zahlreiche Manipulationen erfahren zu haben, weil sie unterschiedliche Größen, Gewichte und Metallzusammensetzungen aufweisen.

Die Gewichte scheinen hingegen gründlich überprüft worden zu sein. Ihre in Form von Halbkugeln oder Glocken in Bronze gegossenen Einheiten zeigen im ganzen Reich nur geringfügige Abweichungen von weniger als 1 %. Grundeinheiten waren das zhu (0,67 g), liang (19 g), jin (256 g), jun (7,5 kg) und shi (30,7 kg). Das jin war das wichtigste Gewicht und wurde in seinen Vielfachen von 1, 5, 10, 15, 20, 30, 60, 90 und 120 jin gegossen. Die Grundhohlmaße wurden aus Bronze und Ton hergestellt. Hauptmaß war das dou (2500 cm^3), das weiter in san (das ist ein Drittel eines dou) und in sheng (ein Zehntel eines dou) unterteilt worden ist.

Neben diesen Reformen setzte Qin Shihuangdi außergewöhnlich große Bauvorhaben ins Werk. Das ganze Reich wurde mit einem 11 700 Kilometer umfassenden Straßennetz überzogen. Ausgangspunkt der wichtigsten Straßen war die Hauptstadt Xianyang. So wurde zum Beispiel im Jahre 212 v. Chr. der General Meng Tian mit dem Bau der 800 Kilometer langen Großen Straße nach Norden beauftragt. Sie reichte bis nach Jiuyan, dem heutigen Baotou in der Inneren Mongolei. Etwa alle 8 Kilometer wurde neben der Straße ein Erdhügel aufgetürmt, auf dem im Alarmfall Feuer entzündet und auf diese Weise durch Lichtzeichen Nachrichten übermittelt werden konnten. Die 30–60 Meter breite Straße bestand aus gestampfter Erde. Diese Technik beruht darauf, daß man langrechteckige Holzverschalungen errichtet, diese mit Erde, Kieseln und Steinen füllt und dann das Ganze mit Holzpfählen feststampft. Schließlich entfernt man die Holzkonstruktion und stellt sie auf der gewonnenen Höhe von 7–8 cm wieder auf und beginnt von neuem. Für die riesigen Straßenbauvorhaben wurde soviel Holz verwendet, daß China dadurch teilweise noch heute an Waldarmut leidet.

Abgesehen von der Anlage der Straßen grub man auch zahlreiche Kanäle zur Ergänzung des Verkehrssystems und zur Verbesserung der Bewässerung. Nördlich der Hauptstadt wurde 246 v. Chr. der 150 Kilometer lange Zhengguo-Kanal von dem Architekten Zheng Guo fertiggestellt. Dieser Architekt stammte aus dem Land Han und wurde von den dortigen Herrschern nach Qin geschickt, in der Hoffnung, daß dieses gigantische Unternehmen das Land Qin wirtschaftlich ruinieren würde, so daß die Könige von Qin sich keine weiteren Feldzüge würden leisten können. Dank dieses Kanals wurde aber die vorher trockene Gegend sehr fruchtbar und brachte dem Land soviel Reichtum und Nahrung, daß man sich eine große Armee leisten und mit deren Hilfe einige Jahre später das Land Han erobern konnte. Ein anderer berühmter Kanal im Süden des Landes war von vornherein nur als Verkehrsweg konzipiert. Er ist 33 Kilometer lang und verbindet den Li-Fluß mit dem Xiang. Da der Xiang nördlich in den Yangzi und der Li-Fluß südlich in den Perlfluß mündet, konnte so eine bedeutende Wasserscheide überwunden und zwei große Regionen durch diesen Wasserweg verbunden werden. Für Jahrhunderte blieb er die wichtigste Nord-Süd-Verbindung zu Wasser und ist bis heute für kleine Boote befahrbar.

Der Kaiser ließ auch die erste zusammenhängende Große Mauer erbauen, die zumeist nördlich von der bekannten steinernen Chinesischen Mauer aus dem 14. bis 17. Jahrhundert verlief. Die Mauer Qin Shihuangdis bestand aus gestampfter Erde, war an der Basis 4 Meter breit, über 3 Meter hoch und 5000 Kilometer lang. Sie führte 500 Kilometer westlich der Hauptstadt entlang des Gelben Flusses, mündete in die bereits existierende Mauer des Landes Zhao und erstreckte sich nördlich durch die Innere Mongolei über die südliche Mandschurei bis zum chinesischen Meer. Für ihre Errichtung wurden schätzungsweise eine Million Arbeiter zwangsverpflichtet; wieviele bei dem Bau umkamen, kann man nur erahnen.

Natürlich ließ der Kaiser auch seine Hauptstadt Xianyang prachtvoll ausbauen – ohne Rücksicht auf die Menschen, wie das Schicksal von 120000 Familien zeigt, die aus diesem Grund zwangsumgesiedelt wurden. Der zwischen 145 und 86 v. Chr. lebende Chronist Sima Qian berichtet weiterhin: „Jedesmal wenn Qin einen Feudalfürsten besiegt hatte, kopierte er den Plan seines Palastes und errichtete ihn neu in Xianyang am nördlichen Ufer; seine Südfront blickte zum Wei-Fluß hinaus. Nach Yongmen drängten sich in östlicher Richtung bis zu den Flüssen Jing und Wei Gebäude und Wohnstätten, überdachte Wege und Rundgalerien. Qin Shihuangdi brachte die von den Feudalfürsten erbeuteten schönen Frauen, Glocken und Trommeln in seine Paläste und füllte sie damit." Wertvolle Gegenstände und Kunstwerke schmückten die mehrstöckigen, in Holzskelettbauweise errichteten Paläste, die auf riesigen Fundamenten aus gestampfter Erde ruhten. Besonders beeindruckend müssen zwölf zwischen den Palästen aufgestellte Monumentalstatuen aus Bronze gewesen sein, von denen jede einzelne 30000 kg wog.

Das für Qin Shihuangdi wohl wichtigste Bauvorhaben stellte jedoch sein eigenes Grab dar. Bereits bei seiner Thronbesteigung als Dreizehnjähriger ließ er – wie bereits erwähnt – mit dem gewaltigen Bau beginnen. 700000 Bauern wurden dafür zwangsverpflichtet. In der Mitte des 2,5 km² großen Komplexes befand sich der heute 45 Meter hohe Grabhügel. Archäologen legten bisher nur einige Suchschnitte an der vierseitigen Pyramide mit einer Seitenlänge von 350 x 345 Meter an. Danach wird die Grabkammer wahrscheinlich 460 x 392 Meter groß gewesen sein und 2,70 bis 4 Meter unter dem heutigen Bodenniveau liegen. Um uns vielleicht ein etwas genaueres

Bild zu verschaffen, müssen wir jedoch auf den antiken Bericht von Sima Qian zurückgreifen: „Die Arbeiter gruben durch drei unterirdische Wasseradern, die sie abschnitten, indem sie Bronze hineingossen, um die Grabkammer zu errichten. Diese füllten sie mit Modellen von Palästen, Pavillons und Amtsgebäuden, ferner mit kostbaren Gefäßen und Steinen sowie wunderbaren Raritäten. Handwerker erhielten den Auftrag, auf Eindringlinge zielende Armbrüste mit mechanischen Selbstauslösern zu installieren. Die verschiedenen Ströme des Landes, der Yangzi und der Gelbe Fluß, und selbst der große Ozean wurden mit Quecksilber nachgeahmt, das eine mechanische Vorrichtung in Bewegung hielt." Erdproben haben tatsächlich ergeben, daß der Grabhügel eine hohe Konzentration an Quecksilber aufweist.

Den Grabhügel umgaben einst zwei 8–10 Meter hohe Schutzwälle aus gestampfter Erde, ein innerer mit 1355 x 580 Meter und ein äußerer 2173 x 974 Meter Größe. Innerhalb des ersten Walls fand man 20 Meter westlich des Grabhügels zwei Wagen aus Bronze. Sie waren reich mit Gold und Silber verziert; bunte Bemalungen steigerten ihre optische Wirkung. Der erste Wagen bestand aus 6000 gegossenen Einzelteilen und war zusammen mit den Pferden 2,25 Meter lang, 78 cm breit und 1,50 Meter hoch. Er wurde von vier Pferden gezogen, und auf ihm stand unter einem großen, geöffneten Schirm ein Wagenlenker. Der zweite Wagen maß mit den Pferden 3,17 Meter in der Länge; er war 78 cm breit und 1,06 Meter hoch. Der sehr individuell gestaltete Wagenlenker, der die Kappe eines Offiziers mittleren Ranges trägt, sitzt in diesem Fall auf dem Bock. Der Wagen selbst besitzt eine geschlossene Kabine, die innen mit Motiven bemalt war, die Drachen, Phönisse, Wolken und geometrische Formen zeigen. Die innere Wagendecke war zudem sogar liebevoll mit Seidenbrokat geschmückt. Mit solchen geschlossenen Wagen pflegte der Kaiser seine ausgedehnten Inspektionsreisen durch das Reich zu unternehmen – stets in der Angst, ermordet zu werden. Daher zogen in dem stark bewachten Troß mehrere baugleiche Kabinenwagen mit, um die Durchführung etwaiger Attentatspläne zu erschweren. Diese Tarnung rettete dem Kaiser in der Tat auch einmal das Leben. Bei einem der drei auf ihn unternommenen Mordanschläge griff der Attentäter den falschen Kabinenwagen an und konnte festgenommen werden.

Innerhalb des ersten Walls fand man weiterhin 53 Meter nördlich des Grabhügels eine 57 x 62 Meter große Halle. Sie diente möglicherweise als Grabtempel. Hier wurden die erforderlichen Opferzeremonien zu Ehren des Kaisers vollzogen. Wahrscheinlich konnten Angehörige seiner Familie, die an solchen Ritualen teilnahmen, in den vier nordwestlich dieser Halle entdeckten Gebäuden wohnen.

Zwischen dem ersten und zweiten Wall standen weitere Verwaltungsgebäude. Südlich dieser Einrichtungen wurden in eigens angelegten Gräbern seltene Vögel und Vierbeiner in Tonsarkophagen bestattet und von Tonstatuen bewacht. Noch etwas weiter südlich schloß ein 100 x 9 Meter großer Schacht an, in dem 300–400 Pferde bestattet worden sind. Lebensgroße Tonstatuen von Stallknechten bewachen die Pferde. Offensichtlich wollte der Kaiser eine Auswahl seiner gesammelten Pferde und exotischen Tiere sowie Begleitpersonal in Form von Tonstatuen mit ins Jenseits nehmen.

Doch nicht nur Tiere und Tonstatuen sollten dem Verstorbenen mitgegeben werden. Außerhalb des zweiten Walles fanden sich Gräber mit schreckenserregendem Inhalt. Ungefähr 1,5 Kilometer westlich des Grabhügels waren über 100 Leichen von Männern im Alter zwischen 20 und 30 Jahren bestattet. Sie alle waren hingerichtet worden. Bei 27 Männern lagen Tonscherben, die ihren Namen, ihre Herkunft und bisweilen auch ihre Straftat bezeichneten. Doch nicht nur einfache Männer, die womöglich Strafgefangene waren, mußten dem Kaiser ins Jenseits folgen. Zwischen dem äußeren Wall und der Tonarmee entdeckte man fünf gewaltsam getötete Frauen und Männer im Alter von 20 bis 30 Jahren. Gegenstände aus Gold, Silber, Jade, Kaurischnecken, Lack, Ton und Seide schmückten die Gräber und zeigen, daß die Ermordeten aus sehr vornehmen Kreisen stammten. So wie zu Lebzeiten des Kaisers viele Untertanen für ihn sterben mußten, mußten also auch viele ihn in den Tod begleiten. Doch die Planungen für das erhoffte Leben im Jenseits galten vorzüglich dem Wohl der Armee des angstgeplagten Herrschers. Welche Feinde auch immer der erste Kaiser glaubte, selbst nach dem Tod fürchten zu müssen – in seiner Vorstellung müssen sie unsagbar mächtig gewesen sein. Was sonst hätte ihn veranlassen können, diese Armee von Tonkriegern herstellen zu lassen, die auch nach mehr als 2000 Jahren jeden Besucher zutiefst beeindruckt.

11. Eine Maya-Stadt mitten im Dschungel

Die Bedeutung, die dem Ballspiel im Kult und, als dessen Reflex im Mythos zukommt, wird aus dem *Popol Vuh* [dem heiligen Buch der Quiché-Indianer Guatemalas] deutlich. Die Urväter der Quiché *Hun Hunahpu* („Eins Blasrohrschütze") und *Vucub Hunahpu* („Sieben Blasrohrschütze") hatten die Unterweltsgötter mit ihrem Ballspiel auf der Erde erzürnt und mußten darob sterben. Doch ihre Söhne *Hunahpu* („Blasrohrschütze") und *Xbalanke* („kleiner Jaguar-Hirsch"?) finden die im Haus ihrer Großmutter versteckten Ballspielgeräte und können der Versuchung nicht widerstehen:

Sie aber freuten sich und gingen fort, auf dem Ballplatz zu spielen. Lange spielten sie Ball, sie allein, und hatten den Ballplatz ihrer Väter gefegt. Das hörten gar wohl die Fürsten von Xibalba: „Wer sind die, die hier wieder das Spiel über unseren Köpfen anfangen und sich nicht im Mindesten scheuen, herumzutoben?"

Daraufhin werden *Hunahpu* und *Xbalanke* vom Vogel *Voc* vor die Herren der Unterwelt zitiert, um sich mit ihnen im Ballspiel zu messen.

Und alle Fürsten befahlen sie zu sich: „Auf, laßt uns ein Ballspiel machen, ihr Jünglinge!" … „Wohlan, laßt uns diesen, unseren Ball gebrauchen!" sagten die Xibalbaner. „Nein, nicht diesen sollt ihr gebrauchen, sondern den Unsrigen!" entgegneten die Jünglinge. „Keineswegs diesen, sondern den Unsrigen!" entgegneten wieder die Xibalbaner.

Die Jünglinge geben schließlich nach, und bald zeigt sich der Betrug der Fürsten von *Xibalba*, die ein Dolchmesser in ihrem Ball versteckt haben.

„Was ist das?" riefen Hunahpu und Xbalanke, „Den Tod wünscht ihr uns! Habt Ihr uns nicht eiligst rufen lassen, und haben sich nicht Eure Boten aufgemacht? Wahrlich, wir sind beklagenswert, laßt uns bloß weggehen!" sagten die Jünglinge zu ihnen. Denn das war ja den Jünglingen zugedacht: Daß sie sofort an Ort und Stelle an dem Dolchmesser zugrunde gehen, daß sie überwäl-

tigt werden sollten. Jedoch so kam es nicht, sondern die von Xibalba wurden von den Jünglingen überwältigt.

(Berthold Riese, *Die Maya. Geschichte, Kultur, Religion*, München 1995, S. 52 f.)

＊

Im Jahr 1576 betrat der Spanier Diego García de Palacio im heutigen Westhonduras eine imposante Ruinenstadt, die offenbar bereits seit Jahrhunderten verlassen war. Viele Bauwerke und reliefgeschmückte Stelen standen noch aufrecht. Palacio war so beeindruckt, daß er dem spanischen König Philipp II. die Entdeckung meldete. Trotz seiner Nachfragen bei der einheimischen Bevölkerung konnte er über die Geschichte des Ortes wenig erfahren. Angeblich hatte ein König aus Yucatán, einem Gebiet in Südostmexiko, die Stadt gegründet und war bald darauf mit den übrigen Bewohnern in seine Heimat zurückgekehrt. Palacio gab der Stätte den Namen „Copán" – nach einem kleinen, in der Nähe gelegenen Ort. Doch sein Bericht geriet in Vergessenheit, und der Dschungel eroberte die Ruinenstadt erst einmal zurück.

Zwei spätere Autoren, Francisco Antonio Fuentes y Guzmán im Jahre 1689 und Domingos Juarros im Jahre 1808, erwähnten Copán zwar erneut, aber aus ihren phantasievollen Schilderungen wird deutlich, daß sie den Ort niemals selbst gesehen hatten.

1838 stieß der Amerikaner John Lloyd Stephens auf einen Zeitungsbericht des Offiziers Juan Galindo, der vier Jahre zuvor im Auftrag der zentralamerikanischen Regierung eine Erhebung unter den Ureinwohnern im Dschungel durchgeführt hatte. Der Oberst erwähnte die Existenz merkwürdiger alter Ruinen in Westhonduras, wo er sich mehrere Monate aufgehalten und viele Notizen, Zeichnungen und Pläne angefertigt hatte. Darunter befand sich auch eine Zeichnung von Reliefs eines Altars, der zu Füßen des höchsten pyramidenförmigen Tempels von Copán errichtet worden war. Diese Reliefs zeigen 16 Männer, die auf Hieroglyphen sitzen. Lange vermutete man, daß hier eine Versammlung von Astronomen oder Staatsmännern dargestellt sei. 1976 versuchte der französische Hobbyarchäologe Michel Davoust hingegen nachzuweisen, daß es sich um die 16 Herrscher von Copán handle.

Doch zunächst zurück ins Jahr 1838. Der historisch interessierte New Yorker Rechtsanwalt Stephens las Oberst Galindas spärliche

Informationen mit großem Interesse. Er hatte schon mehrere Reisen auf der Suche nach alten Kulturen unternommen, die ihn nach Ägypten, ins Heilige Land, nach Griechenland und in die Türkei geführt hatten. Über diese Fahrten hatte Stephens auch zwei sehr erfolgreiche Bücher geschrieben. Durch Galindas Bericht neugierig geworden, recherchierte er weiter. Er las Juarros' Geschichtsbuch von 1808, das wiederum auf Fuentes' älteren Bericht verwies. Fuentes habe bei Copán einen merkwürdigen, zirkusähnlichen Bau gesehen.

Von diesen dürftigen Indizien angeregt, brach Stephens am 3. Oktober 1839 nach Honduras auf. Sein englischer Freund Frederick Catherwood, ein begabter Zeichner, und sein Diener Augustin begleiteten ihn. Die äußeren Umstände waren günstig: Stephens hatte Kontakt zum damaligen US-Präsidenten Martin van Buren, der es ihm ermöglichte, im Auftrag der Vereinigten Staaten als Diplomat zu reisen.

Im November 1839 ritten Stephens, Catherwood und Augustin in Begleitung einiger Indios durch ein Tal an der Grenze zwischen Honduras und Guatemala. Es war eine unruhige Zeit, die durch kriegerische Auseinandersetzungen zwischen El Salvador, Honduras und Guatemala geprägt war. Als sie eines Nachts in dem kleinen Örtchen Comotán im Saal des Rathauses schliefen, wurden sie vom Bürgermeister und etwa 30 betrunkenen Soldaten festgenommen. Erst durch das Eingreifen eines Offiziers ließ sich die Situation bereinigen. Als am nächsten Tag der Bürgermeister wieder nüchtern und die Soldaten weitermarschiert waren, konnten auch Stephens und seine Gefährten die Expedition fortsetzen. Sie betraten nun den tropischen Wald, wo nur noch schlechte oder gar keine Wege mehr vorhanden waren. Die Männer mußten ständig gegen tiefe Abgründe, starkes Dickicht, sumpfige Böden und lästige Insekten ankämpfen. Stephens begann allmählich zu resignieren. Konnten in dieser Gegend jemals blühende Städte existiert haben? Gab es überhaupt noch Ruinen, die von vergangener Größe Zeugnis ablegten?

Trotz wachsender Zweifel zog die Gruppe weiter und gelangte zum Rio Copán. In dem kleinen, von Padres missionierten Dorf Copán fanden die Forscher Kontakt zu den Bewohnern. In Begleitung eines Einheimischen namens José drangen sie wieder in den Dschungel ein und standen plötzlich vor einer aus Quadern errichteten, etwa 30 Meter hohen Mauer und einer Reihe von Stufen. Sie passierten einen mit Reliefs geschmückten Stein, der halb in der Erde versunken war, und stießen auf ein riesiges Gebäude, das in seiner Form einer Pyramide ähnelte. Nachdem Stephens und Catherwood mit Buschmessern ein Dickicht von Lianen durchschlagen hatten, näherten sie sich einer etwa 3,90 Meter hohen, 1,20 Meter breiten und 0,90 Meter dicken viereckigen Stele, die eng mit Reliefs bedeckt war und noch Spuren der ehemaligen Bemalung trug. Auf der Vorderseite war ein reich geschmückter Mann zu sehen, und auf der Rückseite waren weitere Figuren und auf den Seiten geheimnisvolle Hieroglyphen zu erkennen. Etwa 1 Meter vor der Stele stand ein ebenfalls kunstvoll reliefierter Altar.

Euphorisch kämpften sich die Männer weiter durch den Dschungel, der oft nur wenige Meter freie Sicht bot. Sie legten andere, ebenso reich ausgestattete Pfeiler frei und standen vor großartigen Bauwerken, die mit Skulpturen geschmückt waren. Nun kehrten die Forscher zu dem pyramidenartigen Bauwerk zurück und kletterten auf dessen Terrasse. Sie setzten sich an einer Ecke nieder und schauten auf den Dschungel herab.

Stephens war sich bewußt, daß er eine großartige Kultur entdeckt hatte, deren künstlerische Gestaltungskraft von allergrößter Fertigkeit zeugte. Die Funde bewiesen, daß diese Ureinwohner Amerikas keine Wilden gewesen waren, wie man bisher immer angenommen hatte. Doch viele Fragen blieben ungelöst. Stephens faßte die Eindrücke in seinem Bericht folgendermaßen zusammen: „Die Stadt lag einsam und verlassen da, und kein Nachfahre der ursprünglichen Rasse konnte von den alten, vom Vater auf den Sohn, von Generation auf Generation weitergegebenen Traditionen seines Volkes berichten. Ein zerschmettertes Schiff auf dem weiten Ozean, ohne Mast, ohne Namen, die Mannschaft untergegangen, und niemand, der sagen könnte, woher es kam, wem es gehörte, wie lang es unterwegs gewesen oder wie es in das Unglück gestürzt war. Das Aussehen der verlorenen Seeleute war nur mit viel Phantasie nach der Bauform des Schiffes vorstellbar, ohne daß man je wissen würde, wie sie wirklich ausgesehen hatten."

Am Tag darauf lernte Stephens einen Mestizen namens Don José Maria Asebedo kennen, dem das Ruinengebiet angeblich gehörte. Stephens wollte zunächst nicht wahrhaben, daß eine derartige versunkene Stadt einen Besitzer haben könnte. Doch er begann zu

Abb. 21: Copán, Stele zur Zeit der Entdeckung von John Lloyd Stephens.

überlegen. Wer sollte ihm glauben, daß sich mitten im furchtbarsten Dschungel Mittelamerikas derartige Bauwerke einer großen Zivilisation befanden? Wie sollte er es den entfernt lebenden Gelehrten beweisen? Er würde das Land also selbst kaufen müssen. Dann könnte er die meisten Denkmäler zerschneiden und in kleinen Stücken den Fluß abwärts transportieren lassen. Von den übrigen würde er Gipsabgüsse anfertigen lassen.

Doch schon bald verwarf Stephens solche Ideen wieder und bat seinem Freund Catherwood, die Stelen zu zeichnen (Abb. 21). Doch dieser winkte ab: Bei den trüben Lichtverhältnissen sei dies unmöglich. Man müsse erst einen Teil der Bäume beseitigen, um mehr Licht zu erhalten.

In den nächsten Tagen engagierte Stephens zum Entfernen des Dickichts und der Bäume zusätzliche Helfer aus dem benachbarten Dorf. Dann ging er zu Catherwood, der vergeblich versucht hatte, die erste gefundene Stele abzuzeichnen. Um ihn herum lagen verworfene Skizzen. Er selbst war im sumpfigen Boden eingesunken und vollkommen eingehüllt, um sich vor den Moskitos zu schützen; nur seine Augen waren nicht verdeckt. Doch dies waren nicht die einzigen Schwierigkeiten. Nie zuvor war der Künstler in der Alten Welt mit derartigen Eindrücken konfrontiert worden. Eine Flut von mysteriösen Bildelementen bedeckte die Stele. Welche seltsamen Tiere, Pflanzen und Ornamente schmückten den Stein? Es schien unmöglich, etwas zu zeichnen, was man nicht verstand. Es bedurfte noch vieler Tage und einer großen Menge Papier, bis Catherwood schließlich eine erste anschauliche Zeichnung vollendete.

Einige Tage später besuchte Stephens doch Don José Maria in Copán, um über den Kauf des Ruinengeländes zu sprechen. Dieser war durch das Ansinnen völlig verblüfft, wie Stephens später berichtete: „Meine Frage hätte ihn kaum mehr überraschen können als etwa der Vorschlag, ihm seine arme alte und rheumatische Frau abzukaufen, um an ihr unsere ärztlichen Künste auszuprobieren; im Moment wußte er jedenfalls nicht so recht, wer von uns beiden verrückt geworden sei. Da die Besitzung in seinen Augen absolut wertlos war, kam ihm mein Kaufangebot verdächtig vor." Don José Maria erbat sich einen Tag Bedenkfrist. Am nächsten Morgen erschien er bei Stephens und wußte immer noch nicht so recht, wie er reagieren sollte. Da griff Stephens zu einer List: Er kleidete sich

festlich als Vertreter der Vereinigten Staaten. Obwohl seine Diplo-
matenuniform stark verschmutzt und sein Panamahut arg demo-
liert war, zeigte sich der Verhandlungspartner zutiefst beeindruckt.
Wie Stephens später berichtete, erwarb er Copán für 50 Dollar:
„[...] daß ich mich über den Preis ohne Schwierigkeiten mit Don
José Maria geeinigt hatte, war lediglich darauf zurückzuführen,
daß er mich wegen dieses Angebotes für einen Idioten hielt; hätte
ich mehr geboten, würde ich in seinem Ansehen wahrscheinlich
noch übler dagestanden haben."

Stephens und seinen Begleitern blieb noch einige Zeit, um ungehindert zu forschen und zu zeichnen. Später setzten sie ihre Expedition nach Guatemala, Chiapas und Yucatán fort, wo sie eine
Menge weiterer Zeugnisse der Maya-Kultur entdeckten. Die Ergebnisse der Reise wurden in dem Buch *Incidents of Travel in
Central America, Chiapas, and Yucatan* veröffentlicht, das 1841 in
New York erschien. Stephens' faszinierende Beschreibungen und
Catherwoods wunderbare Illustrationen begeisterten die Welt. Innerhalb von drei Monaten gab es zehn Auflagen des Buches, und
alsbald wurde es in viele Sprachen übersetzt. Eine Hochkultur mit
großartigen Bauten und Kunstwerken inmitten des mittelamerika-
nischen Dschungels hatte bis dahin als völlig unmöglich gegolten.
Nun kamen viele Fragen auf. Woher stammten die Erbauer? Wie
lang dauerte die Blütezeit dieser Kultur? Was erzählten die Hieroglyphen? Warum war die Maya-Kultur schließlich untergegangen?

Obwohl Stephens' Buch so erfolgeich war, wurden in den nächsten Jahrzehnten keine weiteren Forschungen in Copán unternommen. Stephens selbst starb bereits 1852 an Malaria; Catherwood
ertrank 1854 beim Untergang der S. S. Arctic im Nordatlantik. Die
meisten seiner außergewöhnlichen Zeichnungen und Aquarelle
waren bereits 1844 durch einen Brand des New Yorker Panorama
Building vernichtet worden.

Erst ab 1885 wandte sich der Engländer Alfred Percival Maudslay der Ruinenstadt Copán mit neuem Interesse zu. Er setzte einen
großen Teil seines Privatvermögens ein, um genaue Pläne, Zeichnungen und Gipsabgüsse sowie hochwertige Fotografien anfertigen zu lassen. Doch kaum hatte Maudslay seine Aktivitäten in
Copán entfaltet, brach ein Krieg zwischen Guatemala und Honduras auf der einen Seite und Salvador und Nicaragua auf der anderen Seite aus. Die Maulesel des Archäologen wurden beschlag-

nahmt, die besten Arbeiter eingezogen, die Versorgung des Camps teilweise unterbrochen. Der von seiner Arbeit besessene Maudslay forschte unerschrocken weiter und unternahm auch erste kleinere Grabungen.

Dabei legte er den inneren Raum eines Tempels frei. Erst vor wenigen Jahren konnten die darin dargestellten Szenen gedeutet werden: Am Eingang ist der ganze Kosmos dargestellt. Unten sind als Symbole der Unterwelt Xibalbá, die nach Ansicht der Maya nur Krankheit und Fäulnis birgt, die Schädel der Verstorbenen aufgereiht. Auf ihnen sitzen die mythischen Himmelsträger, die Bacabes. Sie tragen den zweiköpfigen Schlangengott, dessen Körper den Himmel symbolisiert und in dem die Götter und göttlichen Vorfahren tanzen.

Der ganze Bau stellt einen heiligen Berg dar, in dessen innerer Höhle (wahrscheinlich seit dem Herrscher „18 Kaninchen" [Regierungszeit 695–738]) Blutopferrituale veranstaltet wurden, um mit den Göttern oder den Ahnen in Kontakt treten zu können. Das Blut konnte vom Herrscher selbst stammen, von einem Reh, Jaguar oder Truthahn, aber auch von einem Menschen. Blutopfer waren bei den Maya sehr verbreitet und wurden zu vielfältigen Anlässen vollzogen. Dabei fügte man sich und anderen mit Rochen- bzw. Seeigelstacheln oder Obsidianspitzen Wunden auf der Haut zu. Bisweilen wurden absichtsvoll sogar die Zunge oder das männliche Glied verletzt. Dazu berauschte man sich mittels Coca, durch den Giftschleim einer Kröte oder durch Zigarren, die erstmals die Maya drehten.

Maudslay legte auch einen Teil der berühmten Hieroglyphentreppe eines weiteren Tempels frei und dokumentierte einen dritten Tempel, der jedoch in den folgenden Jahrzehnten vom Fluß gänzlich weggespült wurde. Nur dank Maudleys ausführlicher Publikation *Biologia Centrali-Americana: Archaeology* (London 1889–1902) sind dieser Tempel und andere Gebäude heute noch bekannt. Seine mit hervorragenden Fotos ausgestattete Dokumentation führte dazu, daß in Copán fortan kontinuierlich geforscht wurde. Im Jahr 1891 erhielt Charles P. Bowditch im Einvernehmen mit der Regierung von Honduras sogar die Rechte, daß das Peabody Museum of American Archaeology and Ethnology von der Harvard-Universität während der nächsten zehn Jahre im ganzen Land graben und die Hälfte aller gefundenen Objekte behalten durfte.

In Copán selbst forschte man zwischen 1891 und 1895. Wie gefährlich die Unternehmungen waren, unterstreicht der Tod des zweiten Grabungsleiters, John G. Owens, der am 17. Februar 1893 am Tropenfieber verstarb und auf dem Großen Platz von Copán bestattet wurde. Der Grabstein informiert nur lapidar: „J. G. Owens. Gestorben im April [hier fälschlich so verzeichnet] 1893. Ein Märtyrer für die Wissenschaft." Sylvanus Morley, ein anderer Ausgräber, hatte dieses Epitaph setzen lassen; auch er mußte während seiner Arbeit häufiger dem Tod ins Auge blicken.

Von 1891 bis 1895 wurden neun weitere Stelen und die oben erwähnte Hieroglyphentreppe freigelegt, die 8 Meter breit ist und über 60 Stufen zählt. Sie zeigt die größte steinerne Inschrift auf amerikanischem Boden. Zwei Reihen waren zum Zeitpunkt des Fundes noch gut erhalten, 15 ursprünglich höher gelegene waren abgerutscht und die restlichen mehr als 40 Stufen, die aus hunderten von Hieroglyphenblöcken zusammengesetzt waren, gänzlich herabgefallen. Erst seit 1986 wird das komplizierte Puzzle unter der Leitung von William L. Fash wieder zusammengesetzt. Wie wir heute wissen – nachdem die Hieroglyphen der Maya größtenteils entziffert worden sind –, wurde die Errichtung der Treppe unter dem zwölften Herrscher von Copán begonnen, der „Rauch-Jaguar Imix-Ungeheuer" (Regierungszeit 628–695) genannt wurde. Dann wurde die Arbeit an dem Bauwerk für Jahrzehnte unterbrochen und erst unter dem fünfzehnten Herrscher von Copán, „Rauch-Hörnchen" (Regierungszeit 749–763?) abgeschlossen. Die Treppe dokumentiert die Geschichte von Copán zwischen 553 und 756 sowie einige Ereignisse davor. Vor allem erzählt sie die Geschichte der Herrscher von Copán. Auf dem oberen Teil der Tempelfassade standen mindestens sechs überlebensgroße Figuren verstorbener Herrscher. Die Treppe galt der Verherrlichung mächtiger Vorfahren; sie sollte an die großen Kriege und die grausamen rituellen Opfer erinnern, die die Herrscher von Copán vollzogen hatten.

Man erkannte bald, daß die Daten auf dieser Treppe ebenso wie auf anderen Reliefs für die Maya eine besonders wichtige Rolle gespielt haben mußten. In der zweiten Hälfte des 19. Jahrhunderts war man wieder auf die vier erhaltenenen Mayabücher aufmerksam geworden, die in den Bibliotheken von Dresden, Madrid und Paris aufbewahrt, aber in Vergessenheit geraten waren. Sie bestehen aus Feigenrinde, auf die eine beschriftete und bemalte Kalk-schicht aufgetragen worden ist. Mit Hilfe dieser Bücher entschlüs-selte man zunächst das Zwanziger-Zahlensystem der Maya. Wahr-scheinlich zählten die Maya mit „Händen und Füßen", d. h. zu-gleich mit zehn Fingern und zehn Zehen. Der königlich-sächsische Bibliothekar Ernst Wilhelm Förstemann erkannte in der Dresde-ner Handschrift auch eine Tabelle zur astronomischen Berechnung für Sonnenfinsternisse und für die Sichtbarkeitsphasen der Venus. Die Maya besaßen ein ausgeklügeltes Zahlensystem und stellten sehr genaue Zeitberechnungen an. Sie arbeiteten mit zwei Kalen-dern: Der Sonnenkalender war für den alltäglichen Gebrauch be-stimmt und in 365 Tage unterteilt. Er war seinerseits in 18 „länge-re" Monate zu 20 Tagen und einen „kürzeren" zu 5 Tagen geglie-dert. Der Ritualkalender diente für religiöse Zwecke und für Wahrsagerei; er hatte 260 Tage, d. h. 13 Monate zu 20 Tagen. Zählte man beide Kalender fort, dann überschnitten sie sich nach 18 980 Tagen, d. h. nach 52 Jahren des Sonnenkalenders und nach 73 Jah-ren des Ritualkalenders. Dieses Zusammentreffen galt als das Ende einer großen Periode, die in ihrer symbolischen Bedeutung für eine abgeschlossene Ära etwa unserer heutigen Vorstellung eines zu Ende gehenden Jahrhunderts entspricht.

Die vielen, an Bauwerken und Stelen verzeichneten Daten wur-den von den Maya in Tagen angegeben, die in größere Einheiten zusammengefaßt waren (20 „Kins" [Tage] = 1 „Uinal", 18 „Uinals" = 1 „Tun" [= 360 Tage]; 20 „Tuns" = 1 „Katun" [= 7200 Tage]; 20 „Katuns" = 1 „Baktun" [= 144 000 Tage]). Der Anfangstag, von dem aus die Maya rechneten, war nach dem Gregorianischen Kalender der 13. August 3114 v. Chr. Warum dieses Datum als Ausgangspunkt gewählt worden war, ist bisher unbekannt. Als konkrete Datumsangabe für ihre Errichtung findet man etwa auf einer Stele in Copán: 9 „Baktuns" und 15 „Katuns" und 0 „Tuns" und 0 „Uinals" und 0 „Kins", was zusammengerechnet 1 404 000 Tage nach dem Zeitbeginn ergibt, d. h. umgrechnet den 8. August 731 n. Chr.

Diese anfänglichen Erfolge in der Entzifferung der Hieroglyphen führten aber bald nicht mehr weiter. Zwar konnte man bereits am Anfang des 20. Jahrhunderts die rund 1 000 Daten auf den In-schriften lesen, die man bis dahin entdeckt und publiziert hatte, und besaß dadurch ein sehr detailliertes chronologisches Raster.

Aber die meist zu Beginn der Reliefs eingezeichneten Daten wurden in ihrer Bedeutung häufig überschätzt; die Forscher konnten den daran anschließenden Teil, die eigentlichen Inschriften, noch nicht lesen und spekulierten, daß die Maya vor allem auf der Basis astronomischer und astrologischer Anschauungen gelebt hätten.

Diese eingeschränkte Interpretation der Inschriften hemmte die weitere Entzifferung der Hieroglyphen. Schon vor dem 2. Weltkrieg wiesen unabhängig voneinander zwei Wissenschaftler, der deutsche, nach Mexiko emigrierte Privatgelehrte Heinrich Berlin und die russische, in die USA emigrierte Architektin Tatiana Proskouriakoff, darauf hin, daß sich die Daten der Inschriften vor allem auf die Geschichte der Herrscher und der einzelnen Maya-Staaten und weniger auf rein astronomische Ereignisse beziehen würden.

In den 1950er Jahren stellte ein anderer Russe, Yuri Knorozov, folgende These zur Diskussion: Die Hieroglyphen seien nicht als reine Bildersprache zu lesen; vielmehr handle es sich um eine Silbensprache mit einigen sprechenden Bildern (Piktogramme). Der Amerikaner David Humiston Kelley, der diesen Gedanken aufnahm und weiter verfolgte, wurde in der Ära des Kalten Krieges als Kommunist abgestempelt und deshalb in seiner Arbeit behindert. Erst 1973 verfolgte Floyd Lounsbury, ebenfalls ein Amerikaner, Knorozovs Ansätze weiter. Es gelang ihm, etwa 80 Prozent der ungefähr 800 Zeichen zu lesen. Die amerikanischen Sprachforscher Terrence Kaufman und William Norman konnten bald darauf die klassische Maya-Sprache rekonstruieren, indem sie auch die 20 verschiedenen Maya-Sprachen berücksichtigten, in denen sich die Ureinwohner Mittelamerikas heute verständigen.

Seit der Entzifferung der Hieroglyphen spricht immer mehr für die Annahme, daß sich die vielen Daten am Anfang der Inschriften auf für die Herrscher oder den Staat wichtige Ereignisse beziehen. Vor allem folgende Begebenheiten sind mit Datum festgehalten: Geburt, Machtübernahme, Genealogie, königliche Besuche, Hochzeit, Krieg und Gefangennahme von Gegnern, Rituale, Tod und Bestattung. Besondere Bedeutung scheint dabei ein vom König vollzogenes Ritual anläßlich kleinerer Periodenabschlüsse, d. h. alle fünf „Tuns" oder 1800 Tage gehabt zu haben.

Die erhaltenen Inschriften setzen schon um 290 n. Chr. ein, also wenige Jahrzehnte nach dem Beginn der klassischen Maya-Kultur, die sich in eine frühe (250–400 n. Chr.), mittlere (400–700 n. Chr.)

und späte (700–900 n. Chr.) Phase unterteilen läßt. Räumlich erstreckte sich die klassische Maya-Kultur über die Gebiete von Südostmexiko (Bundesstaaten Tabasco, Chiapas, Campeche und Yucatán sowie das Territorium Quintana Roo), Guatemala, Belize, El Salvador, Westhonduras, Südnicaragua und die Nicoya-Halbinsel von Costa Rica. Die Funde von Copán jedoch lieferten die meisten Inschriften.

Während man in der ersten Hälfte des 20. Jahrhunderts vor allem kleinere Ausgrabungen unternahm, die Ruinen restaurierte, ein Museum einrichtete und die Reliefs dokumentierte, wurden im Tal von Copán seit den 1970er Jahren größere Grabungen durchgeführt, die viele neue Ergebnisse zu den grundlegenden Fragen über die Maya erbrachten: Wie und warum entstand und verschwand diese Kultur? Wer regierte sie? Wie lebten die Maya?

Von 1975 bis 1977 ermöglichten die Regierung von Honduras und das Peabody Museum unter der Leitung des Amerikaners Gordon R. Willey umfangreiche Untersuchungen des Gebietes von Copán. Neben Archäologen waren auch Kulturgeographen, Geomorphologen, Bodenkundler, Geologen und Botaniker daran beteiligt, um ehemalige Ressourcen und Umweltbedingungen sowie das landwirtschaftliche Umfeld der Stadt zu erkunden. Das 600 Meter hohe Tal von Copán, das von bis zu 2 000 Meter hohen Bergen umgeben ist, war zur Zeit der klassischen Maya-Kultur zum Teil sehr fruchtbar und ist es bis heute geblieben. Von Januar bis Mai ist es trocken, von Juni bis Dezember folgt die Regenperiode. Das Tal von Copán wird von einem Flußlauf durchschnitten. Die Ackerfläche in diesem Tal war bis zu 12,5 Kilometer lang und bis zu 6 Kilometer breit.

500 Meter von den Hauptgebäuden der Maya entfernt gab es eine Ader, die grünes Tuffgestein zur Herstellung der Bauwerke und Stelen lieferte. Zur Fertigung von Mahlsteinen, die für das Zerkleinern von Mais gebraucht wurden, bauten die Maya am Ostrand ihres Tals Granit ab. Im nördlichen Bereich gewannen sie Kaolin, mit dem man Tonwaren fertigen konnte. Drei Tagesmärsche von Copán entfernt, im mittleren Motagua-Tal in Ostguatemala, existierte das reichste Jadevorkommen von ganz Mittelamerika. 80 Kilometer von Copán entfernt lag eine Fundstelle für Obsidian, ein vulkanisches, transparentes Gestein, das sich besonders zur Herstellung von Werkzeugen eignet.

Die Erforschung des Umfeldes wurde von 1977 bis 1980 unter Leitung des Franzosen Claude F. Baudez weiter vorangetrieben; er erhielt Fördermittel des französischen Centre National de Recherche Scientifique und der honduranischen Regierung. In Copán und im ganzen Tal wurden viele Suchgräben angelegt, um einen umfassenden Besiedlungsplan erstellen zu können. Schon bald registrierten die Forscher neben Copán etwa 20 weitere Siedlungen, die jeweils rund 100 bis 300 Bewohner gezählt haben müssen.

Die Forschungen der letzten zwei Jahrzehnte haben viele Fragen über das rätselhafte Volk der Maya geklärt. Wir wissen nun, daß sich zwischen 300 und 450 n. Chr. immer mehr Menschen in Copán ansiedelten, daß größere Bauten entstanden, daß der Handel mit dem Hochland und dem tiefer gelegenen pazifischen Hügelgebiet von Guatemala, aber auch mit fremden Kulturen im Süden und Osten aufblühte. Im Gegensatz zu der älteren Annahme, daß Maya-Eliten vom Petén-Gebiet des südlichen Tieflandes das Gebiet um Copán erobert und die dortige lokale Bevölkerung unterworfen hätten, läßt sich nach heutigem Kenntnisstand von einer kontinuierlichen Entwicklung sprechen.

Spätestens im 5. Jahrhundert n. Chr. bildete sich eine Zweischichtengesellschaft heraus: Die Oberschicht lebte in der Nähe der Kultstätten in festen Häusern aus Steinmauerwerk, sie besaß importierte feine Keramik, mit der sie bisweilen ebenso wie mit Muschelbeigaben bestattet wurde. Die Unterschicht wohnte weiter von den Kultstätten entfernt in Kopfsteinhäusern und wurde mit einfacher Keramik als Grabbeigabe beigesetzt. An der Spitze der Gesellschaft stand ein Herrscher, der zugleich oberster Priester war.

Der angebliche Gründer der Dynastie von Copán, die 16 Herrscher aufwies, war K'inich Yax K'uk Mo (starker Quetzal-Ara), der zwischen 426 und 435 n. Chr. regierte. Möglicherweise gab es aber auch schon frühere Herrscher, wie eine neu gefundene Stele im sogenannten „Papagayo"-Gebäude anzudeuten scheint. Der letzte inschriftlich belegte Herrscher war Yax Pac (Sonnenaufgang, Regierungszeit 763–820). Wenig später verfiel Copán – jedoch nicht plötzlich, wie man früher glaubte, sondern ganz allmählich. Die Ursachen für diesen Prozeß sind nicht zuletzt in der Wirtschaftsweise der Maya zu sehen. Seit 1980 führen amerikanische Archäologen, unter anderem William T. Sanders und William L. Fash, die vorhergehenden Arbeiten fort. Sie erkunden die

Größe, Siedlungsgeschichte und Bewirtschaftung der angrenzenden Täler. Aber auch die Ausgrabungen in Copán selbst gehen weiter. Viele zusätzliche Forschungsprojekte wurden in Angriff genommen, z. B. eine Untersuchung der menschlichen Skelette, um Alter, Geschlecht, Ernährung und Krankheiten der Maya festzustellen, sowie Pollen- und Bodenanalysen, um die Geschichte der Vegetation und der Landwirtschaft zu erhellen. Die Maya kannten keine Viehzucht, hielten keine Haus- und Lasttiere, verfügten weder über Rad noch Wagen. Ihr Ackerbausystem bestand ausschließlich aus Mais-, Bohnen- und Kürbisanbau. Dünger benutzten sie nicht. Waren die Früchte geerntet, suchte man sich ein neues Feld, um es zu bestellen, und das bedeutete, daß man ständig Wald rodete. So wurden im Tal von Copán allein zwischen 600 und 800 n. Chr. 56 Quadratkilometer Wald abgeholzt, was einen großen Teil des fruchtbaren Landes ausmachte. Doch die natürlichen Ressourcen waren begrenzt. Die extensive Wirtschaftsweise führte dazu, daß fruchtbare Ackerflächen immer mehr abnahmen. Soviel die Maya von Mathematik, Astronomie und Architektur auch verstanden, so wenig wußten sie offenkundig über weitblickend orientierten Ackerbau.

Wie Skelettuntersuchungen ergaben, wurde die Bevölkerung immer schwächer und litt in zunehmendem Maße unter Mangelerscheinungen. In der ersten Hälfte des 9. Jahrhunderts war schließlich ein wirtschaftlicher Tiefpunkt erreicht. Möglicherweise gab es Bauernrevolten, oder die Oberschicht rieb sich in internen Machtkämpfen auf. Zwischen den Jahren 800 und 850 fiel die Bevölkerungszahl im Copán-Tal von 20000 auf 10000; zwischen 850 und 925 sank sie von 10000 auf nur noch 5000. Am Ende des 10. Jahrhunderts lebten nur noch wenige Menschen im Tal. Der Dschungel begann das verödete Gebiet zurückzuerobern, bis die dort einst blühende Kultur aus dem Bewußtsein der Menschen für viele Jahrhunderte verschwand.

Die jüngsten Ausgrabungen förderten nun viele interessante Bauten und Gräber zutage. So entdeckte man unter einem pyramidenförmigen Bauwerk das sogenannte „Papagayo"-Gebäude. Dieses war mit der Errichtung der „Pyramide" am Anfang des 7. Jahrhunderts rituell bestattet worden, wie es die Maya häufig praktizierten. Entlang der gesamten Rückseite des Papagayo-Gebäudes wurde in Stuck ein riesiges Krokodil dargestellt, dessen

Abb. 22: Copán, der Ballspielplatz.

Kopf nach Süden und dessen Schwanz nach Norden weist. Es schwimmt über den Zeichen für Wasser und Stein: In der Vorstellung der Maya war die Erdoberfläche der Rücken eines gigantischen Krokodils, das in der Mitte des unendlichen Wassers lagere. Über der Erde sollten 13 Schichten den Himmel und unter ihr neun Schichten die trostlose Unterwelt bilden.

Zusammen mit einem nahegelegenen Ballspielplatz gehörte das Papagayo-Gebäude zu dem frühesten religiösen Zentrum von Copán. Ballspielplätze waren neben pyramidenförmigen Gebäuden charakteristisch für die Architektur größerer Maya-Städte (Abb. 22). Die rituellen Ballspiele sollten den natürlichen Lauf der Sonne, des Mondes und des Himmelsgewölbes sowie damit den Zyklus der Jahreszeiten und die Fruchtbarkeit garantieren. Die Spieler, die eine besondere Sportausrüstung trugen, sollten den aus hartem Kautschuk bestehenden Ball mit Hilfe der Hüften oder der

Knie über den Platz befördern. Der Ball durfte das zentrale, tiefer liegende Spielfeld nicht berühren, weil dies in der Sicht der Maya die Götter der Unterwelt verärgern würde. „Tore" wurden erzielt, wenn der Ball das offene Ende einer der beiden Seiten erreicht hatte. (In nachklassischer Zeit wurde in der Mitte jeder schiefen Bank ein Ring angebracht. Wenn es einem Spieler gelang, den Ball durch einen der beiden Ringe zu befördern, hatte seine Partei das ganze Spiel gewonnen). Möglicherweise spielte der Herrscher bei wichtigen Zeremonien selbst mit und verkleidete sich als einer der beiden Zwillingshelden Hunahpú (Blasrohrschütze) und Xbalanké (kleiner Jaguar-Hirsch[?]). Nach dem Mythos hatten diese in vielen Taten die Herrscher „Einstod" und „Siebentod" der Unterwelt Xibalbá überlistet und schließlich getötet. Sie besiegten damit Hungersnot, Krankheit, Tod und die Macht der Dunkelheit; deshalb wurden sie mit der Sonne und dem Mond gleichgesetzt.

Unter den aufgefundenen Gräbern ragen einige aufgrund mancher Besonderheiten hervor. Ein besonders reich ausgestattetes Grab aus dem 7. Jahrhundert n. Chr. gehörte wohl einem Schreiber; neben vielen eindrucksvollen Grabbeigaben schockierte die Entdeckung des Skeletts eines etwa 12jährigen Jungen. Gehörte auch er zu den Opfergaben, durch die man den Toten ehren wollte, und mußte deshalb sterben? Ein weiteres ebenfalls reich ausgestattetes Grab gehörte wiederum einem Schreiber, was darauf hindeutet, daß diese Berufsgruppe wohl zur gesellschaftlichen Oberschicht der Maya gehörte und hohes Ansehen genoß.

Ein anderes Grab scheint einem Schamanen gehört zu haben; darauf deuten allerlei Beifunde von Tieren, mit deren Hilfe sich der Mann einst vielleicht versuchte, Zugang zur Geisterwelt zu verschaffen. Die weiteren Funde in diesem Grab – Ketten, Schüsseln mit Füßen in Form von weiblichen Brüsten, ein alter Kodex und viele Kostbarkeiten mehr – lassen vermuten, daß der Mann zu Lebzeiten recht wohlhabend gewesen sein muß. Als man sein Grab untersuchte, verletzte sich einer der Ausgräber. Für die Bewohner der Gegend war damit erwiesen, daß dort ein mächtiger Zauberer bestattet war, der sich für die Störung der Totenruhe nun rächte. So kam es fast zu einem Aufstand, als man versuchte, die Fundgegenstände in die Hauptstadt zu transportieren. Heute ruht der ‚Zauberer‘ wieder im Museum von Copán. Aber dieser Zwischenfall läßt einen problematischen Aspekt der Archäologie – gerade in sogenannten Drittweltländern – deutlich werden: Mit allerlei guten Argumenten, die westlicher Rationalität entspringen, werden Hinterlassenschaften aus ihrem ursprünglichen räumlichen, immer aber aus ihrem kulturellen, häufig religiösen Kontext gelöst. Langsam wächst die Sensibilität der Archäologen für heilige Orte, aber noch immer läßt die Achtung für die ortsansässigen Erben der alten Kulturen zu wünschen übrig. Wissenschaftlicher Ehrgeiz und nicht selten auch schlichtes Profitdenken sind immer noch für die Plünderung solcher Kulturen verantwortlich, deren moderne Vertreter keine mächtige Lobby haben. Die Erinnerung an die nicht selten düstere Geschichte unserer westlichen Zivilisation im Umgang mit dem Fremden sollte uns Anlaß sein, größte Umsicht und Behutsamkeit im Umgang mit den Angehörigen und Kulturgütern fremder Völker walten zu lassen.

12. Auf der Suche nach der Titanic

Auf der Treppe fiel den Orchestermitgliedern auf, daß etwas nicht stimmte; die Füße setzten anders als gewohnt auf den Treppenstufen auf.

„Die Treppe ist schief. Das Schiff hat Schlagseite", stellte Jim fest. „Bugwärts, glaube ich."

Sie erreichten den Salon Erster Klasse. Man empfing sie mit Applaus. Hier oben hatten sich zahlreiche Erster-Klasse-Passagiere versammelt, einige waren noch in der Abendkleidung vom Vortag, andere waren offensichtlich gereizt, weil man sie geweckt hatte. Das Eintreffen des Orchesters trug ein wenig zur Verbesserung der Stimmung bei. Jason Coward und seine sechs Musiker bahnten sich einen Weg zu der Ecke vor dem Klavier, Spot hatte Petronius den Kontrabaß getragen, jetzt gab er ihm das Instrument und steckte ihm den Bogen in die Hand. Petronius packte den Kontrabaß mit festem Griff.

Sie begannen mit einer Ragtime-Auswahl. Das war offenbar populär. Die Herrschaften schienen sich entschlossen zu haben, das unzeitige Wecken wie gute Sportsleute in guter Laune hinzunehmen. Als das Orchester „Alexander's Ragtime Band", den letzten Schlager Irving Berlins, spielte, tanzten einige jüngere Paare, manche klatschten im Takt mit. Schlaftrunkene Kellner, die gerade ihre Schichten beendet hatten, als man sie aus ihren Kojen zerrte, eilten umher und servierten Erfrischungen.

Durch das Fenster konnte man auf das Bootsdeck sehen. Steuerbords lagen dort an der Reling weiße Brocken Eis. Einige in Smoking gekleidete Herren, die noch nicht zu Bett gegangen waren, als mit dem Wecken begonnen wurde, standen mit ihren Drinks dort draußen und zerschmetterten an einem Liegestuhl Eisklumpen, um sie in den Whiskey zu werfen. Sie lächelten, sie lachten.

Dann spielte das Orchester Walzer.

Auf Deck hasteten schwarzgekleidete Seeleute hin und her und arbeiteten fieberhaft und in tiefem Ernst an den Davits der Rettungsboote.

(Erik Fosnes Hansen, *Choral am Ende der Reise*, Frankfurt am Main 1997, S. 493–494)

*

Am Mittwoch, den 10. April 1912, startete die Titanic zu ihrer Jungfernfahrt von Southampton über Cherbourg und Queenstown in Irland nach New York. Sie war der Stolz des jungen Jahrhunderts, in dem technische Errungenschaften eine große – leider nicht in allen Fällen menschenfreundliche – Blütezeit erleben sollten. Die Titanic war das größte Schiff der Welt und galt als unsinkbar. Sie war 269 Meter lang, bis zu 28,20 Meter breit und mit den Schornsteinen fast 56 Meter hoch, was etwa einem elfstöckigen Haus entspricht. Das Schiff war mit 46 328 Bruttoregistertonnen bei einer Wasserverdrängung von 53 256 Tonnen eingetragen, hatte 46 000 PS und 29 Kessel. Berühmt war seine luxuriöse Ausstattung. Die zwei teuersten Suiten der 1. Klasse auf dem B-Deck waren jeweils 15 Meter lang und mit kostbaren Möbeln im Elisabethanischen Stil ausgestattet. Die übrigen Kabinen und Aufenthaltsräume der 1. Klasse glänzten mit Inventar im Stil anderer Epochen. Zur Freizeitgestaltung standen den Passagieren der 1. Klasse neben den gewöhnlichen Speisesälen ein Restaurant mit Menükarte, ein Pariser Straßencafé, ein Gymnastikraum, ein Schwimmbad und ein türkisches Bad zur Verfügung. Eine große Freitreppe mit reicher Holztäfelung und plastischem Schmuck beherrschte den Zugang zur 1. Klasse.

Dem 62 Jahre alten Edward J. Smith, der schon lange für die White Star Line fuhr, wurde die Ehre zuteil, seine Karriere als Kapitän mit der Jungfernfahrt der Titanic zu beschließen. Viele bekannte und reiche Persönlichkeiten der britischen und amerikanischen Oberschicht fanden sich zu dieser Fahrt ein: unter anderen Major Archibald Butt (Militärberater des Präsidenten Taft), Sir Cosmo und Lady Duff Gordon (Modeschöpferin), William T. Stead (Schriftsteller) und die Multimillionäre Colonel John Jacob Astor (Hotelkettenbesitzer), George Widener (Straßenbahnbauer), Benjamin Guggenheim (Minenbesitzer), Isidor Straus (Inhaber von Macy's, dem größten Kaufhaus der Welt). Insgesamt nahmen zwischen 2201 und 2239 Personen an dieser legendären Atlantiküberquerung teil – nur 705 sollten sie überleben.

Am 14. April um 9.00 Uhr erreichte den Funkraum der Titanic

von der „Caronia" eine erste Warnung: „Eisberge und Treibeis in 42° N, von 49° W bis 51° W." Der zweite Funker Harold Bride übergab die Meldung wahrscheinlich dem Vierten Offizier, Joseph G. Boxhall, der sie jedoch achtlos beiseite legte. Weitere Eismeldungen folgten: um 11.40 Uhr von dem holländischen Schiff „Noordam", um 13.42 Uhr von der „Baltic" (Kapitän Smith reichte diese Meldung nach einiger Zeit an Bruce Ismay, den Generaldirektor der White Star Line, weiter), um 13.45 Uhr kam eine Warnung vom deutschen Schiff „Amerika", zwischen 19.30 und 21.00 Uhr gingen drei Hinweise über riesige Eisberge ein, und zwar von der „Californian". Nur eine dieser Warnungen erreichte die Brücke – jedoch ohne weiter beachtet zu werden. Die Temperatur war mittlerweile auf 0° Celsius gefallen, die See außergewöhnlich ruhig. Der Kapitän war seit 20.55 Uhr auf der Brücke und unterhielt sich mit dem Zweiten Offizier Charles Herbert Lighttoller über Eisberge, ging dann aber um 21.20 Uhr schlafen. Um 21.30 Uhr wurden die Männer im Ausguck angewiesen, auf Eisberge zu achten. Die Ferngläser jedoch hatte man in Southampton verlegt. Um 21.40 Uhr folgte eine Meldung von der „Mesaba", daß auf 42° 25' N und 49° W bis 50° W, also auf dem Kurs der Titanic, große Eisberge lägen. Die Nachricht wurde abermals nicht weitergeleitet. Um 22.55 Uhr warnte der Funker der „Californian" zum letzten Mal. Er wurde vom Zweiten Funker der Titanic, Jack Philipps, jedoch schroff abgewiesen, da er Grußmeldungen von Passagieren zu senden hatte. Daraufhin schaltete der Funker der „Californian" verärgert das Funkgerät ab und legte sich schlafen.

Um 23.40 Uhr sahen die Männer im Mastkorb der Titanic in 500 Meter Entfernung einen Eisberg. Sofort schlugen sie Alarm, der Erste Offizier William Murdoch reagierte prompt, gab dem Steuermann die Order, hart Steuerbord zu drehen, und wies den Maschinenraum an, die Maschinen zu stoppen und rückwärts zu fahren. Murdoch ließ gleichzeitig die wasserdichten Schotten schließen. Auf der Steuerbordseite streifte die Titanic einen Eisberg, der 15–18 Meter aus dem Wasser ragte. Der Unfall wurde kaum bemerkt, hatte aber tödlichen Schaden angerichtet.

Nach zehn Minuten reichte das Wasser im Vorderschiff bereits 4,20 Meter über den Kiel, und weitere zehn Minuten später war der Kiel bereits 7,20 Meter unter Wasser, der Bug begann zu sinken. Nach Besichtigung des Vorderschiffs ließ Kapitän Smith um

Mitternacht den Notruf CQD ausgeben. Um 0.05 Uhr gab er Befehl, die Rettungsboote klarzumachen, die aber nur 1 178 Passagieren Platz bieten konnten (was immer noch 10 % über den gesetzlichen Vorgaben Großbritanniens zur damaligen Zeit lag), und um 0.25 Uhr wurden zuerst Frauen und Kinder auf die Boote gelassen. Um 0.45 Uhr wurde die erste Notrakete gezündet und das erste Rettungsboot abgefiert. Zunächst waren die Rettungsboote nur unzureichend besetzt: So befanden sich zum Beispiel in zwei Rettungsbooten lediglich 28 bzw. 48 Personen, obwohl in jedem 65 Plätze zur Verfügung gestanden hätten. Auch im weiteren Verlauf der Rettungsaktion wurde die Leistungskapazität der Rettungsboote nicht vollständig ausgeschöpft. Um 1.30 Uhr brach vor einem Backbordboot Panik aus und der Offizier mußte drei Warnschüsse abgeben. Um 2.05 Uhr sank das Vorderschiff unter Wasser und das letzte Rettungsboot, das Notboot D, wurde abgefiert, während Lightoller die Passagiere mit der Pistole in Schach halten mußte. Um 2.17 Uhr gab Kapitän Smith die letzte Order „Rette sich, wer kann" und ging dann zur Brücke. Die Musiker beendeten ihr Spiel, Pater Thomas Byles nahm die letzte Beichte ab, viele Personen sprangen ins Wasser, doch nur etwa 20 konnten sich noch in das dahintreibende Notboot A retten. Um 2.20 Uhr verschwand die Titanic im Meer. Ab 4.10 Uhr konnte die herbeigeeilte „Carpathia" die Insassen der Rettungsboote aufnehmen.

Ungefähr 1 522 Personen starben bei diesem größten Unglück in der Geschichte der Seefahrt, das so leicht hätte verhindert werden können. Ein Schock für die fortschrittsfrohe Welt. Die Tragik der Geschichte bewegt die Menschen seit dem Untergang des Schiffes; zahlreiche Filme wurden darüber gedreht, und viele hofften, daß einmal die Titanic gefunden würde, um offene Fragen zu klären: Wieso konnte das angeblich unsinkbare Schiff untergehen? Sank es in einem Stück oder zerbrach es in zwei Teile? Die Aussagen der Überlebenden dazu waren sehr widersprüchlich. Wo befand sich der Unglücksort? Wie weit war die „Californian" von der Titanic entfernt, und hätte sie vielleicht doch noch weitere Passagiere vor dem Tod retten können? Was blieb unter Wasser von der Titanic und den auf ihr zurückgelassenen Gegenständen übrig? (Abb. 23)

Die wichtigste Rolle bei der Wiederentdeckung der Titanic spielte Robert D. Ballard, der seit 1973 davon träumte, sie zu fin-

Abb. 23: Phantasiegemälde des Titanic-Wracks am Meeresgrund; darüber der abziehende Eisberg.

den. In jenem Jahr wurde er als 31jähriger am Woods Hole Oceanographic Institute in Massachusetts angestellt, einem der renommiertesten Forschungszentren für Ozeanographie. 1977 begegnete er William H. Tantum IV, dem besten Kenner der Titanic, der deshalb auch ‚Mister Titanic‘ genannt wurde. Sie verband eine tiefe Freundschaft, und sie wollten gemeinsam das Wrack aufspüren.

Im Oktober 1977 gingen Ballard und Tantum erstmals auf die

Suche. Mit der „Seaprobe", einem umgebauten Bohrschiff, fuhren sie zu der Stelle, wo die Titanic ihren Notruf ausgesandt hatte. Mit an Bord hatte Ballard wichtige Geräte für die Suche: eine Seitenansicht-Sonaranlage, die sozusagen ein akustisches Bild von der Seite eines georteten Objekts zeichnet, ein Tiefsee-Schlepp-Magnetometer, um Metall zu orten, das Bildsystem LIBEC, um Schwarzweißaufnahmen von unter Wasser zu liefern, und eine weitere Unterwasserkamera der National Geographic Society. Vor dem Eintreffen am Zielort begann man, die Basis, an der die Geräte hingen, mittels Röhren in das Wasser hinabzulassen. Dabei wurde eine 18 Meter lange Röhre an die andere gesetzt, bis man 900 Meter an Tiefe erreichte hatte und nur noch 18 Meter über dem Meeresboden war. Da man die Röhren nicht richtig verkeilt hatte, zerbrach ein Verbindungsstück; nur das Magnetometer konnte gerettet werden. Die Expedition mußte abgebrochen werden. Zwar zahlte die Versicherung den Schaden, aber das Ozeanographische Institut von Woods Hole wollte Ballard bei einer derartigen Suche nicht mehr unterstützen. Ballard gründete daraufhin mit Bill Tantum, Emory Kristof und Alan Ravenscroft eine Vereinigung, um Sponsoren zu finden, doch nirgends ließ sich Geld auftreiben.

Ballard mußte ohnmächtig zusehen, als im August 1980 der texanische Ölmillionär Jack Grimm nach der Titanic suchte. Grimm gelang es, Fred Spieß vom Scripps Institute of Oceanography und Bill Ryan vom Lamont-Doherty Geological Observatory in New York für sein Unternehmen zu gewinnen. Fred Spieß verfügte über beste Kenntnisse in der Sonartechnik, und Bill Ryan war ein Spezialist für Unterwasserkartographie. Doch extrem schlechte Wetterbedingungen, der Verlust des Sonargerätes und des Magnetometers führten schon nach eineinhalb Tagen zum Abbruch der Suchaktion.

Am 28. Juni 1981 startete Jack Grimm mit der „Gyre" seine 2. Expedition. Die Forscher hatten mittlerweile herausgefunden, daß der Vierte Offizier der Titanic, Joseph G. Boxhall, den Unglücksort um mehr als 10 Meilen falsch berechnet hatte. Trotz dieser Erkenntnis fingen sie an der von Boxhall gegebenen Position mit Hilfe der Deep Tow, einem Seitensicht-Kurzstreckensonargerät, zu suchen an und verfehlten, wie sich später herausstellen sollte, das Wrack nur um 1,5 Meilen.

Eine 3. Expedition von Grimm im Juli 1983 auf der „Robert

D. Conrad" mußte ebenfalls nach ein paar Tagen wegen schlechten Wetters abgebrochen werden.

In der Zwischenzeit war Anfang Juni 1980 Bill Tantum gestorben, und Ballard hatte im selben Jahr eine Stelle in Woods Hole bekommen. Ballard konnte nun ein eigenes Team mit einem Tieftauchlaboratorium (Deep Submergence Laboratory) aufbauen und dafür ein unbemanntes U-Boot, die „Argo", und einen damit verbundenen ferngesteuerten schwimmenden Roboter mit Videoeinrichtung, die „Angus", fertigstellen, die zusammen die Basis für Tiefseeforschungen bilden sollten. Große finanzielle Unterstützung erfuhr dieses Unternehmen durch die amerikanischen Marine, die für Notfälle, zum Beispiel wenn einmal ein U-Boot sinken sollte, ebenfalls auf solche High Tech-Suchgeräte zurückgreifen wollte. Die „Argo" besaß zwei Sonargeräte, eines nach vorwärts und eines seitwärts prospektierend, und fünf Videokameras, die Bilder direkt zum Schiff übertragen würden. „Angus" war seinerseits mit Scheinwerfern, Stereokameras und einem eigenen Antriebssystem ausgerüstet, um so aus nächster Nähe Farbaufnahmen von gefundenen Objekten liefern zu können. Im Sommer 1985 sollten das U-Boot und die „Angus" dann ausprobiert werden, Ballard konnte die Titanicsuche endlich wieder aufnehmen. Gleichzeitig wollte sich die IFREMER (Institut Français de Recherches pour l'Exploitation de la Mer), das französische staatliche Institut für Ozeanographie, an diesem Unternehmen beteiligen. Das französische Institut unter der Leitung von Jean-Louis Michel besaß ebenfalls ein neues Tiefsee-Seitensicht-Sonargerät. Man einigte sich darauf, in zwei Etappen vorzugehen. Zunächst wollte man mit dem französischen Forschungsschiff „Le Suroît" die Titanic innerhalb von maximal vier Wochen aufspüren und dann mit dem amerikanischen Forschungsschiff „Knorr" während 12 Tagen mit Hilfe der „Argo" und dem Unterwasserroboter die Titanic näher untersuchen. Am 5. Juli begann nun im Zielgebiet die Suche. Am 22. Juli stieß Ballard mit drei Amerikanern hinzu, darunter Emory Kristof, der berühmte Fotograf vom *National Geographic*. In 3 500 Meter Tiefe erkundete man mit dem französischen Sonargerät den Meeresboden. Doch nichts wurde geortet, und am 6. August mußte das französische Schiff unverrichteter Dinge abdrehen. War die Titanic bei dem Seebeben des Jahres 1929 etwa unter Erdmassen begraben worden und für alle Ewigkeit unauffindbar?

Oder hatte man etwas übersehen? Oder lag die Titanic doch wo-anders? Bevor man am 24. August das Zielgebiet mit der „Knorr" erreichte, las man nochmals intensiv die Angaben im Logbuch der „Californian" und die Berichte der Überlebenden des Titanic-Un-tergangs. Man kam zu dem Schluß, daß die Titanic vielleicht doch weiter nach Südosten abgedriftet war als bisher angenommen und wollte zunächst nochmals einige seltsame Beobachtungen der Vor-gängerexpeditionen untersuchen. Doch diese Nachforschungen er-gaben nichts Neues, und abermals waren viele Tage vergangen. Man steckte nun das neue Zielgebiet ab und drehte die etwa 1,5 Meilen auseinanderliegenden Suchbahnen. Als man bereits auf der neunten Suchbahn den Meeresgrund abtastete, war die Frustration groß. Die Angst wuchs, auch diesmal nichts zu finden.

Nachdem die Wachablösung um Mitternacht zum 1. September vollzogen war, zog sich Robert Ballard in seine Koje zum Schlafen zurück. Kurz vor 1.00 Uhr tauchten dann ungewöhnliche Formen auf dem Bildschirm auf. Waren es Wrackteile? Noch war sich die Crew nicht sicher, ob nicht doch nur irgendwelche eigentümlichen Erdformationen vorlagen. Und dann erschien nach einigen Minu-ten auf dem Monitor ein riesiger kreisrunder Gegenstand. Es muß-te sich um einen gigantischen Kessel handeln, wie er nur auf ganz großen Schiffen anzutreffen war. Man hatte die Titanic gefunden! Ballard wurde gerufen. Völlig fasziniert starrte er zusammen mit weiteren Mitgliedern der Mannschaft minutenlang auf den Bild-schirm, bis er sich wieder fassen konnte und die notwendigen An-weisungen gab. Schließlich mußte man nun damit rechnen, daß plötzlich auch viel höher aufragende Wrackteile ins Blickfeld ge-raten konnten, die die „Argo" hätten kappen können, wenn man sie nicht rechtzeitig hoch genug ziehen würde. Um 1.13 Uhr wur-de der Abstand des Ortungsgerätes zum Meeresboden auf 30 Me-ter erhöht. In Windeseile sprach sich die Entdeckung auf dem For-schungsschiff herum und auch die übrige Mannschaft traf vor dem Bildschirm ein. Alle stießen triumphierend mit hastig von irgend-woher herbeigeschafftem Wein, der in Pappbechern gereicht wur-de, auf die Entdeckung an: Um 2.00 Uhr wurde der Crew plötzlich bewußt, daß sich die Titanic vor mehr als 70 Jahren ziemlich genau an dieser Stelle und um diese Uhrzeit ihrem fatalen Ende zuneigte, bis sie um 2.20 Uhr in den eisigen Fluten verschwand. Ballard und seine Männer wurden still und beschlossen, an Deck zu gehen und um 2.20 Uhr dieses Ereignisses zu gedenken. Danach machte man sich an die Suche nach weiteren Überresten des Wracks, schließlich blieben der Expedition nur noch vier Tage. Mit dem einfachen Echolot des Forschungsschiffes fand man noch am gleichen Tag den vorderen Teil des Rumpfes. Am Nachmittag des 2. September war die grobe Prospektion des Geländes abgeschlossen. Ballard wollte die „Argo" nun auf das größte Rumpfteil ansetzen. Man kannte jedoch nicht genau die Höhe dieses Schiffsteils und wußte auch nicht, wie sein Erhaltungszustand sein würde. Ragten vielleicht noch Schornsteine oder störende Masten so weit empor, daß die „Argo" möglicherweise hängen bleiben oder gar abreißen konnte, wenn sie über den Rumpf fuhr? Ballard wollte es trotzdem riskieren. Die „Argo" wurde tiefer gesenkt, und das Schiffsdeck kam zum Vorschein. In sechs Minuten „überflog" die „Argo" den Rumpf. Am gleichen Tag erfolgten noch zwei weitere Erkundungen des Rumpfes. Dann wurde die See so unruhig, daß man die „Argo" auf die „Knorr" brachte. Doch auch am nächsten Tag blieb das Wetter gleich, und man konnte nur die „Angus" nach unten schicken, die mit Fotogeräten bestückt war und den ganzen Tag mehrere tausend Farbfotos schoß. Aber als man am Abend die „Angus" wieder an die Oberfläche brachte und die Fotos sofort entwickelte, entdeckte man, daß sie viel zu unscharf waren, weil man sie aus zu großer Entfernung aufgenommen hatte, aber jetzt blieben nur noch wenige Stunden zur Erfüllung der Mission. Ballard startete daher noch einen letzten Versuch, bei dem er alles wagte und mit der „Angus" bis auf wenige Meter an das Wrack heranging, obwohl der Ozean oben tobte und Schwankungen von 3–4 Metern verursachte. Es bestand die Gefahr, daß die „Angus" nun an der Titanic hängen blieb oder aufprallte. Man hatte Glück und alles verlief gut, so daß viele vorzügliche Aufnahmen geschossen werden konnten, bevor Ballard am frühen Morgen die „Angus" einholen mußte und das Forschungsschiff nach Woods Hole zurückkehrte, wo die Presse schon sehnsüchtig die „Knorr" erwartete. Nun aber entzweite ein Streit um die Fotorechte die französische und die amerikanische Institution und zerstörte damit leider auch die Freundschaft zwischen den Wissenschaftlern.

Etwa ein Jahr später brach Ballard auf dem neuen Schiff „Atlantis II" wieder zur Titanic auf. Diesmal sollte das bemannte U-Boot „Alvin" zur Titanic tauchen, ausgestattet mit dem neu entwickelten, ferngesteuerten Unterwasserroboter „Jason junior" – liebevoll JJ genannt –, der noch bessere Bilder von der Titanic und vom Innern des Wracks liefern sollte.

Am 13. Juli war das Zielgebiet erreicht, und die erste Erkundung mit der „Alvin" konnte beginnen. Langsam senkte sich das Fahrzeug. Bei einer Tiefe von etwa 1 800 Metern wurden die Batterien durch eindringendes Wasser zerstört. Glücklicherweise funktionierten aber noch die Notbatterien, die jedoch nicht lange ausreichten. Nur etwa 200 Meter über dem Meeresboden fiel dann zu allem Übel auch noch die Feinmechanik des Navigators aus und gab fortan nur noch vage Richtungsanweisungen. Da das Echolot noch intakt war, wagte man dennoch, mit dem U-Boot noch tiefer zu tauchen. Wenige Meter über dem Meeresboden tastete sich die „Alvin" mit schwachem Licht durch die Dunkelheit. Die Scheinwerfer gaben nur im Umkreis von ein paar Metern Sicht, und ein Alarm kündigte das herannahende Ende der Batterien an. Trotzdem wollte Ballard noch ein paar Minuten riskieren; da setzte unverhofft der Navigator wieder ein. Nun konnten sie auf das Wrack zusteuern und fanden sich schon bald vor einer riesigen Wand aus Stahl, deren Anblick überwältigend war. Noch zwei Minuten blieben für spektakuläre Bilder zur Verfügung. Rötlich-gelber und rotbrauner Rost überzog große Teile des Wracks, große herabhängende Rostzapfen und –blüten hatten sich gebildet. Nur das Glas der Bullaugen glänzte noch. Doch dann mußte „Alvin" auftauchen. Man konnte jetzt nur hoffen, daß es gelingen würde, das U-Boot zu reparieren.

Bis zum nächsten Tag arbeiteten die Ingenieure mit höchster Anstrengung an der Beseitigung der Schäden – und hatten Erfolg. Ein neuer Tauchgang konnte vorgenommen werden. Geplant war, mit der „Alvin" auf dem Wrack zu landen und JJ in Einsatz zu bringen. Doch beim Sinken drang Wasser in JJ ein und blockierte die Motoren, so daß sein Einsatz nicht möglich war. Man konnte folglich weiter nur mit der „Alvin" agieren. Das U-Boot erreichte den Meeresboden kurz vor dem Steven der Titanic, der senkrecht 18 Meter tief in den Schlamm eingedrungen war. Von diesem Punkt aus stieg die „Alvin" langsam zum imposanten Vorderdeck auf, vorbei an den riesigen Ankern, die noch an Ort und Stelle saßen, vorbei auch an den gut erhaltenen Bullaugen und der Reling. Als das U-Boot das Deck erreichte, erlebte Ballard eine Enttäuschung: Die Holzplanken waren restlos zerfressen, eine Landung auf diesem Deck mithin unmöglich. Die Aufnahmen des letzten Jahres hatten einen besseren Erhaltungszustand vorgetäuscht. In Wirklichkeit waren nur noch die unzähligen kleinen Streifen aus Harz und anderen Materialien übrig, die als Dichtungsmittel zwischen den Holzplanken gedient hatten.

Daraufhin sollte das U-Boot auf dem Unterdeck aus Eisen aufsetzen. Das Risiko war groß. Wäre das U-Boot bei dem Manöver eingebrochen und ins Innere gestürzt, hätte es sich vielleicht für immer im Rumpf der Titanic verfangen können. Man nahm das Risiko in Kauf, setzte auf – und hatte Glück: Das Deck hielt und gab zur Hoffnung Anlaß, daß dies auch bei anderen Schiffsteilen der Fall sein würde. Dann steuerte „Alvin" auf die Brücke zu, die bei den Aufnahmen des Vorjahres für einiges Rätselraten gesorgt hatte. Es zeigte sich, daß die hölzerne Brücke größtenteils nicht mehr vorhanden war. Nur der eiserne Telemotor ragte noch stolz empor. Die Fahrt ging weiter zur großen Freitreppe des Schiffes. Zunächst überquerte das U-Boot die Stelle, wo einst der erste große Schornstein gestanden hatte, der aber ebenso wie der zweite beim Untergang weggerissen worden war; lediglich sein unterster, zerborstener Teil stand noch. Neben der Freitreppe konnte man landen und also auch später JJ durchschicken. Nach weiteren Inspektionsfahrten entlang dem Wrack tauchte man wieder auf.

Über Nacht versuchte man, JJ zu reparieren, doch als am Morgen ein neuer Tauchgang durchgeführt werden sollte, zeigten sich weitere Defekte an JJ, die in den kommenden drei Stunden beseitigt wurden. Erst dann konnte erneut getaucht werden. Abermals etwa drei Stunden später landete „Alvin" am obersten Deck vor der großen Freitreppe. Nun konnte JJ erstmals eingesetzt werden. Vorsichtig wurde er die Treppe hinuntermanövriert. Die reiche hölzerne Ausschmückung mit der prachtvollen Uhr war restlos verschwunden. Als man einen Raum im A-Deck der 1. Klasse erreichte, war die Überraschung groß. An der Decke hing noch ein wunderbarer Kristallkronleuchter, an dem ein Tiefseebewohner, eine Seefeder, im grellen Licht der Scheinwerfer erstrahlte.

Auch am kommenden Tag ließ sich das U-Boot am Steuerhaus nieder, und man sandte JJ in Richtung des vorderen Schotts des C-Decks über den umgestürzten Mastkorb und die großen Lastenkräne aus. Dort befand sich im Schanzdeck eine Tür, die – wie es in den alten Berichten hieß – verschlossen war, damit die Passagiere der 3. Klasse nicht zu den Räumen der 1. Klasse gelangen konnten. Die Tür erfüllte ihre Aufgabe immer noch.

JJ kehrte zurück, und Ballard führte das U-Boot zum Bootsdeck auf der Steuerbordseite, auf dem die Rettungsboote standen. Von dort aus tauchte JJ unter anderen zum Gymnastikraum der 1. Klasse, wo sich metallene Überreste einiger Fitneßgeräte wie zum Beispiel von Rädern und einer Hantel fanden.

Am 18. Juli sollte dann erstmalig das 600 Meter lange Trümmerfeld untersucht werden, das sich zwischen dem Bug und dem Heck erstreckte. An diesem Tag tauchte man nur mit dem U-Boot. Während dieser Erkundung schwebte die „Alvin" über große Mengen von Gegenständen hinweg, Porzellangeschirr, Fliesen, Kupfergefäße, Silbertabletts, Wein- und Champagnerflaschen, Türklinken, Metallteile von Möbeln, Badewannen, Waschbecken, Nachttöpfe und vieles mehr. Ein seltsames Gefühl beschlich die Crew, als ein Porzellanpuppenkopf vor den Kameras erschien. Als man schließlich auf einen Safe stieß, hatte Ballard mit der Versuchung zu ringen, diesen nach oben zu bringen. Hatte er doch selbst die Devise ausgegeben, keine Gegenstände der Titanic zu bergen.

Am 21. Juli widmete man sich dem Heck. Ballard wollte vor allem sehen, ob die drei riesigen, bis zu 7 Meter hohen Schrauben, die das Schiff angetrieben hatten, noch vorhanden waren. Die „Alvin" wurde auf den Meeresboden in die Nähe des über 100 Tonnen schweren Ruders gesetzt. Nur JJ sollte sich diesem Teil nähern, weil das Heck weit über das Ruder hinausragte und man deshalb mit herabstürzenden Wrackteilen rechnen mußte. JJ funktionierte jedoch nicht. Also gingen die Forscher das Wagnis ein und näherten sich dem Ruder mit dem U-Boot selbst. Von den Schrauben war nichts zu sehen. Man stellte fest, daß sich das Ruder etwa 18 Meter tief eingegraben hatte und die Schrauben unter dem Meeresschlamm ruhen mußten. Zum Abschluß dieser waghalsigen Tauchfahrt setzte die Crew noch eine Gedenktafel für die Opfer der Titanic und den leidenschaftlichen Titanic-Forscher Bill Tantum auf dem Heck ab, das vor langer Zeit die letzte Zufluchtsstelle der Passagiere war, als die Titanic mit dem Bug voran unterging.

Am nächsten Tag tauchte die „Alvin" wieder zum Bug mit dem Ziel, nach dem vermuteten 90 Meter langen Riß zu suchen, der nach den Berichten der Überlebenden klar zu sehen gewesen und von dem Unheil bringenden Eisberg verursacht worden sein sollte. Doch die Untersuchung des Rumpfes zeigte, daß es einen solchen gewaltigen Riß nicht gab. Die Zeugen hatten sich geirrt. Sechs nur finger- bis handbreite Risse auf einer Länge von 32 Meter waren schuld an der größten Tragödie der zivilen Seefahrt. Durch sie drangen etwa 400 Tonnen Wasser pro Minute in den Schiffsrumpf ein und ließen schnell sechs von sechzehn Kammern vollaufen. Bei mehr als vier gefluteten Kammern aber war ein Untergang des Schiffes unabwendbar. So war der Mythos vom Sieg der Technik über die Naturgewalten einst zerstört worden, der angeblich unsinkbare Koloß hatte eine todbringende Achillesferse.

Am 24. Juli war der letzte Tauchgang mit der „Alvin" und JJ geplant. Man landete auf der Backbordseite des Bootsdecks, wo der Davit für das einstige Rettungsboot 2 stand und das letzte Rettungsboot der Titanic, das Notboot D, herabgelassen worden war. JJ wurde nochmals in das Innere des Wracks gelenkt, ohne jedoch neuerlich eindrucksvolle Bilder zu liefern. Ballard war trotzdem sehr zufrieden. Nachdem er 1985 die Titanic entdeckt hatte, konnte er 1986 durch erste Nahuntersuchungen bedeutende Informationen über das Schiff gewinnen und spektakuläre Aufnahmen liefern. (Die Lizenz, diese Bilder und manche spektakuläre Zeichnung des Unterwasserszenarios in einem Buch wie diesem wiederzugeben, ist übrigens so teuer, daß Autor und Verlag bedauernd, aber einvernehmlich darauf verzichtet haben.)

Die Tauchfahrten hatten gezeigt, daß das Holz fast vollständig von Mollusken vertilgt worden war, die nur Kalkröhrchen hinterlassen hatten; allein das Teakholz hatte ihnen widerstehen können. Die Befürchtung, menschlichen Überresten zu begegnen, hatte sich – wie schon früher vermutet – als unbegründet erwiesen. Die Toten waren von Fischen und Schalentieren verzehrt, ihre Skelette vom Salzwasser aufgelöst worden. Erhalten geblieben aber waren die zahllosen Zeugnisse aus Glas, Ton und Metall. Doch hatten Bakterien das Eisen angegriffen, so daß überall große Rostzapfen blühten. Die Bakterien werden weiterhin ganze Arbeit leisten, und in vielleicht 70 Jahren wird so viel zersetzt sein, daß auch der immer noch imposante Bug und das Heck zerfallen sein werden.

Die Hoffnung vieler Forscher, die Titanic weitgehend unversehrt zu finden, hatte getrogen. Diese Vermutung basierte auf Augenzeugenberichten, denen zufolge die Titanic mit dem Bug voran in einem Stück untergegangen war und das Heck sich zuletzt in die kalte Nacht hinaufgereckt hatte. Die Untersuchungen am Wrack ergaben, daß der Mittelteil der Titanic, nachdem der Bug immer tiefer ins Wasser eintauchte, schließlich einem Druck von etwa 25 000 Tonnen pro Quadratmeter ausgesetzt und dadurch zerborsten war. Der infolgedessen abgetrennte Bug sank bereits zum Meeresgrund, als das Heck sich nochmals fast senkrecht aufstellte, bevor es gleichfalls in den Fluten versank.

Die wohl wichtigste Erkenntnis Ballards mag darin bestehen, daß die Legende von dem angeblich gewaltigen Riß durch die Kollision mit dem Eisberg aufgegeben werden konnte. Gemessen an dem riesigen Schiffskörper waren es eher ein paar kräftige Kratzer, die der Eisberg ins Eisen gerissen und dadurch den Untergang herbeigeführt hatte. Vermutlich war es der minderwertige Stahl, den man um 1900 verwendete, der den Unfall letztlich zur Katastrophe werden ließ.

Die genaue Position und Ausrichtung des Wracks zeigten, daß die Titanic unter Berechnung der Dauer des Absinkens und der herrschenden Strömung nicht an der ursprünglich angenommenen Stelle untergegangen war; sie war vielmehr etwa 12 Meilen weiter entfernt gesunken. Es gab wohl zwei Ursachen für die fehlerhafte Positionsmeldung durch Joseph G. Boxhall. Die letzte genaue Positionsberechnung wurde um 19.30 Uhr vorgenommen. Boxhall ließ angesichts der drohenden Gefahr wohl außer acht, daß die Titanic mit nur 21,5 Knoten langsamer gefahren war als angenommen und daß zwischen 20.00 und 24.00 Uhr die Uhren um 23 Minuten zurückgestellt worden waren, um den Zeitunterschied auszugleichen.

Damit erhebt sich natürlich die alte Frage, wie weit die „Californian" wirklich vom Unglücksort entfernt war. Hätte sie die Titanic nicht noch vor dem Untergang erreichen und die Passagiere retten können? Die widersprüchlichen Aussagen von Überlebenden des Titanic-Untergangs und einigen Seeleuten der „Californian" befeuerten immer wieder diese Diskussion. Tatsache ist, daß Kapitän Stanley Lord gegen 22.20 Uhr die „Californian" anhalten und die Maschinen ausschalten ließ, weil kein Durchkommen mehr war durch das vor ihnen liegende Eisfeld. Nachdem der Funker der „Californian" um 22.55 Uhr so rüde vom Funker der Titanic abgewiesen worden war, das Funkgerät abgeschaltet und sich schlafen gelegt hatte, sahen verschiedene Männer auf der Brücke der „Californian" gegen 23.40 Uhr ein Schiff vorbeifahren und gegen Mitternacht erblickten sie weiße Raketen am Himmel. Die Frage bleibt, ob es sich dabei um die Titanic oder eventuell um ein anderes, unbekanntes Schiff handelte. Nach heutigen Erkenntnissen war die „Californian" jedenfalls etwa zwischen 19 und 21 Meilen zum Zeitpunkt des Unglücks von der Titanic entfernt. Die weißen Raketen müßten demnach von Bord der Titanic abgefeuert worden sein; doch selbst wenn die „Californian" nach Sichtung der Leuchtraketen sofort zum Ort der Havarie aufgebrochen wäre, wäre sie wohl knapp zu spät gekommen.

Nach der Entdeckung der Titanic und der Beendigung der zweiten Expedition durch Ballard folgten in den Jahren 1987, 1993, 1994, 1996 und 1998 durch die RMS (= Royal Mail Stemmer) Titanic Inc. weitere Forschungsfahrten, bei denen dann auch über 5000 Objekte geborgen wurden, von einfachen Tellern bis zu einem 20 Tonnen schweren Teil des Wracks. Nach einem Gerichtsurteil des Federal District Court for the Eastern District of Virginia vom 7. Juni 1994, das 1996 nochmals bestätigt wurde, ist die RMS Titanic Inc. alleiniger Besitzer und Verwalter des Wracks. Die Gegenstände der Titanic, die man hatte bergen können, wurden sorgfältig restauriert und werden auf weltweiten Wanderausstellungen einem breiten Publikum gezeigt. Sie lassen den Glanz des einst gewaltigsten Passagierschiffs der Menschheitsgeschichte ahnen, jenen Stolz der Meere, der zugleich zum Symbol der menschlichen Hybris und einer fatalen Fortschrittsgläubigkeit wurde. Auch heute kennen wir technische Anlagen und wissenschaftliche Versuchsanordnungen, denen die ‚Fachleute' (vor allem aber die Geschäftemacher) allenfalls ein Restrisiko zugestehen wollen – und auch dies sei im schlimmsten Fall immer noch beherrschbar. Warten wir also auf unseren Eisberg! Wer weiß, welche Archäologen einmal mit unseren Hinterlassenschaften ihre Sternstunden erleben und darüber rätseln werden, warum die Zeitgenossen die offenkundig drohenden Gefahren so wenig ernst genommen haben.

Literaturhinweise

Im folgenden sollen für jedes Kapitel nur einige allgemeine Literaturhinweise zum Weiterlesen und zur möglichen Vertiefung in die Themen angeboten werden.

1. Auf den Spuren der Urmenschen

Richard E. Leakey – Roger Lewin, Die sechste Auslöschung: Lebensvielfalt und die Zukunft der Menschheit, Frankfurt am Main: S. Fischer 1996

Richard E. Leakey, Wie der Mensch zum Menschen wurde, Hamburg: Hoffmann und Campe 1996

Richard E. Leakey, Die ersten Spuren. Über den Ursprung des Menschen, München: Bertelsmann 1997

Friedemann Schrenk, Die Frühzeit des Menschen. Der Weg zum Homo sapiens, München: C. H. Beck 1998

2. Die Höhlenmalereien von Altamira und Lascaux

Michel Lorblanchet, Höhlenmalerei. Ein Handbuch, Sigmaringen: Jan Thorbecke Verlag 1997

Emmanuel Anati, Höhlenmalerei. Die Bilderkunst der prähistorischen Felskunst, Zürich – Düsseldorf: Benzinger Verlag 1997

Antonio Beltrán, Federico Bernaldo de Quirós, José Antonio Lasheras Corruchaga und Mathilde Múzquiz Pérez-Seoane, Altamira. Mit Aufnahmen von Pedro A. Saura Ramos, Sigmaringen: Jan Thorbecke Verlag 1998

Mario Ruspoli, Die Höhlenmalerei von Lascaux. Auf den Spuren des frühen Menschen, Augsburg: Bechtermünz Verlag 1998

3. Der Gletschermann aus den Ötztaler Alpen

Konrad Spindler, Der Mann im Eis. Neue sensationelle Erkenntnisse über die Mumie aus den Ötztaler Alpen, München: Wilhelm Goldmann Verlag 1995

4. Troja und der „Schatz des Priamos"

Michael Siebler, Troia – Homer – Schliemann: Mythos und Wahrheit, Mainz: Verlag Philipp von Zabern 1990

Michael Siebler, Troia. Geschichte, Grabung, Kontroversen, Mainz: Verlag Philipp von Zabern 1994

Justus Cobet, Heinrich Schliemann: Archäologe und Abenteurer, Wissen, München: C. H. Beck 1997

Birgit Brandau, Troia. Eine Stadt und ihr Mythos. Die neuesten Entdeckungen, Bergisch Gladbach: Gustav Lübbe Verlag 1997

5. Santorin und die Geschichte vom versunkenen Atlantis

Christos Doumas, Die Wandmalereien von Thera, München: Metamorphosis Verlag 1995

Phyllis Young Forsyth, Thera in the Bronze Age, New York – Washington, D. C. – Baltimore – Bern – Frankfurt am Main: Lang 1997

Rodney Castledon, Atlantis Destroyed, London – New York: Routledge 1998

6. Das Grab des Tut-anch-Amun

H. V. F. Winstone, Howard Carter und die Entdeckung des Grabmals von Tut-ench-Amun, Köln: vgs Verlagsgesellschaft 1993

Nicholas Reeves, The Complete Tutankhamun. The King. The Tomb. The Royal Treasure, London: Thames and Hudson [2]1997

I. E. S. Edwards, Tutanchamun. Das Grab und seine Schätze, Bergisch Gladbach: Lübbe [6]1997

7. Auf der Suche nach dem Palast der Kleopatra

Manfred Clauss, Kleopatra, Wissen, München: C. H. Beck [2]2000

Günter Grimm, Alexandria. Die erste Königsstadt der hellenistischen Welt. Bilder aus der Nilmetropole von Alexander dem Großen bis Kleopatra VII., Mainz: Philipp von Zabern 1998

Jean-Yves Empereur, Alexandria Rediscovered, London: British Museum Press 1998

Jean-Yves Empereur, Le Phare d'Alexandrie. La Merveille retrouvée, Paris: Gallimard 1998

Franck Goddio u. a., Alexandria. The Submerged Royal Quarters, London: Periplus 1998

Michael Pfrommer, Alexandria. Im Schatten der Pyramiden, Mainz: Philipp von Zabern 1999

8. Qumran und die Schriftrollen vom Toten Meer

Werner Ekschmitt, Ugarit – Qumran – Nag Hammadi: die großen Schriftfunde zur Bibel, Mainz: Philipp von Zabern 1993

Ferdinand Rohrhirsch, Wissenschaftstheorie und Qumran. Die Geltungsbegründungen von Aussagen in der Biblischen Archäologie am Beispiel von Chirbet Qumran und En Feschcha. Novum testamentum et orbis antiquus 32, Universitätsverlag Freiburg, Schweiz; Göttingen: Vandenhoeck und Ruprecht 1996

Roland de Vaux, Die Ausgrabungen von Qumran und En Feschcha IA. Die Grabungstagebücher. Novum testamentum et orbis antiquus 32. Series Archaeologica 1A. Deutsche Übersetzung und Informationsaufbereitung

durch Ferdinand Rohrhirsch und Bettina Hofmeir, Universitätsverlag Freiburg, Schweiz; Göttingen: Vandenhoeck und Ruprecht 1996
K. Berger, Qumran. Funde – Texte – Geschichte, Stuttgart: Philipp Reclam jun. 1998
Die Schriftrollen von Qumran: Zur aufregenden Geschichte ihrer Erforschung und Deutung, hrsg. v. Shemaryahu Talmon, Regensburg: Pustet 1998

9. Die letzten Tage von Pompeji und Herculaneum

Wolfgang Leppmann, Pompeji. Eine Stadt in Literatur und Leben, München: Nymphenburger Verlagshandlung 1968
Robert Étienne, Pompeji, die eingeäscherte Stadt, Ravensburg: Maier [3]1993
Christiane Zintzen, Von Pompeji nach Troja: Archäologie, Literatur und Öffentlichkeit im 19. Jahrhundert, Wien: WUV-Universitätsverlag 1998

10. Im Grab des ersten Kaisers von China

Lothar Ledderose (Hrsg.), Jenseits der Grossen Mauer. Der erste Kaiser von China und seine Terrakotta-Armee, Ausstellungskatalog Dortmund, Museum am Ostwall, Gütersloh: Bertelsmann-Lexikon-Verlag 1990
Helwig Schmidt-Glintzer, Das Alte China. Von den Anfängen bis zum 19. Jahrhundert, Wissen, München: C. H. Beck [2]1999

11. Eine Maya-Stadt mitten im Dschungel

William L. Fash, Scribes, Warriors and Kings. The City of Copán and the Ancient Maya, London: Thames and Hudson 1991
Berthold Riese, Die Maya: Geschichte-Kultur-Religion, München: C. H. Beck Wissen [3]2000
George E. Stuart u. a., Versunkene Reiche der Maya. National Geographic Society, Augsburg: Bechtermünz Verlag 1998

12. Auf der Suche nach der Titanic

G. Hutchinson, The Wreck of the Titanic, Greenwich 1994
W. Schneider, Mythos Titanic, Augsburg: Bechtermünz Verlag 1998
Robert D. Ballard – Rick Archbold, Das Geheimnis der Titanic, 3800 Meter unter Wasser, Berlin: Ullstein 1998
Robert D. Ballard, Tiefsee. Die großen Expeditionen in der Welt der ewigen Finsternis, München: Herbig Verlag 1998

Text- und Bildnachweis

Texte:
Platon, *Timaios. Kritias*, Hg. Karlheinz Hülser © Insel Verlag Frankfurt und Leipzig 1991. Klaus Berger, *Psalmen aus Qumran* © Quell/Gütersloher Verlagshaus, Gütersloh 1994. Erik Fosnes Hansen, *Choral am Ende der Reise* © Kiepenheuer & Witsch, Köln 1995.

Abbildungen:

1	Rekonstruktionen von Wolfgang Schaubelt und Nina Kieser/Wildlife Art Germany/Hessisches Landesmuseum/Foto: Thomas Ernsting/Bilderberg
2	Friedemann Schrenk, Darmstadt
3	Aus: Antonio Beltrán u. a., *Altamira*, Lunwerg Editores, Madrid 1998
4	Zeichnung: Claude Bassier
5	Anton Koler, Innsbruck
6a-d	Konrad Spindler, Innsbruck
7, 19, 23	Archiv für Kunst und Geschichte, Berlin
8	Lloyd K. Townsend
9	Christos Doumas, Athen
10	Thera Foundation, Piräus
11	Zeichnung: Ian Bott, aus: *The Complete Tutankhamun* von Nicholas Reeves, Thames & Hudson Ltd., London
12	Griffith Institute, Ashmolean Museum, Oxford
13	Zeichnung: Gertrud Seidensticker, Berlin
14	SYGMA/Stéphane Compoint, Paris
15	Aus: Werner Ekschmitt, *Das Gedächtnis der Völker*, Berlin 1965
16	Aus: Werner Ekschmitt, *Ugarit – Qumran – Nag Hammadi*, Stuttgart 1993
17	Zeichnung: F. Utili/N. Stein © J. B. Metzlersche Verlagsbuchhandlung und Carl Ernst Poeschl Verlag, Stuttgart 1999
18	Archäologisches Institut, Freiburg
20	Zeichnung: Gesine Bachmann-Schrenk, Darmstadt
21	Zeichnung: Frederick Catherwood (1799-1854)
22	Richard Alexander Cooke III

C.H.Beck Wissen – eine Auswahl

Verlag C.H.Beck München